Flávia Cristina Nogueira Ribeiro

QUEM TEM MEDO DE ESCURO?

Outras obras do autor publicadas pela Editora Record

As areias do tempo
Um capricho dos deuses
O céu está caindo
Conte-me seus sonhos
Corrida pela herança (infanto-juvenil)
O ditador (infanto-juvenil)
Os doze mandamentos (infanto-juvenil)
Escrito nas estrelas
O estrangulador (infanto-juvenil)
Um estranho no espelho
O fantasma da meia-noite (infanto-juvenil)
A herdeira
A ira dos anjos
Juízo final
Lembranças da meia-noite
Manhã, tarde & noite
Nada dura para sempre
A outra face
O outro lado da meia-noite
A perseguição (infanto-juvenil)
O plano perfeito
O reverso da medalha
Se houver amanhã

SIDNEY SHELDON

QUEM TEM MEDO DE ESCURO?

Tradução de
ALVES CALADO

EDITORA RECORD
RIO DE JANEIRO • SÃO PAULO

2004

CIP-Brasil. Catalogação-na-fonte
Sindicato Nacional dos Editores de Livros, RJ.

S548q Sheldon, Sidney, 1917-
Quem tem medo de escuro? / Sidney Sheldon; tradução de Alves Calado. – Rio de Janeiro: Record, 2004.
378p.:

Tradução de: Are you afraid of the dark?
ISBN 85-01-07021-1

1. Ficção americana. I. Alves-Calado, Ivanir, 1953- . II. Título.

CDD – 813
CDU – 821.111(73)-3

04-1987

Título original norte-americano
ARE YOU AFRAID OF THE DARK?

Direitos exclusivos de publicação em língua portuguesa para o Brasil adquiridos pela
DISTRIBUIDORA RECORD DE SERVIÇOS DE IMPRENSA S.A.
Rua Argentina 171 – Rio de Janeiro, RJ – 20921-380 – Tel.: 2585-2000
que se reserva a propriedade literária desta tradução

Impresso no Brasil

ISBN 85-01-07021-1

PEDIDOS PELO REEMBOLSO POSTAL
Caixa Postal 23.052
Rio de Janeiro, RJ – 20922-970

Para Atanas e Vera
com amor

Agradeço especialmente
à minha assistente, Mary Langford,
cuja contribuição foi inestimável.

PRÓLOGO

BERLIM, ALEMANHA

SONJA VERBRUGGE não fazia idéia de que esse seria o último dia da sua vida. Estava abrindo caminho pelo mar de turistas de verão que inundava as calçadas do Unter der Linde. *Não entre em pânico*, disse a si mesma. *Você precisa ficar calma.*

O aviso de Franz pelo computador tinha sido aterrorizante. *Fuja, Sonja! Vá para o Hotel Artemisia. Lá você estará segura. Espere até receber notícias de...*

A mensagem havia parado de repente. Por que Franz não tinha terminado? O que estaria acontecendo? Na noite anterior, ouvira o marido dizer a alguém no telefone que Prima deveria ser detida a qualquer custo. Quem era Prima?

Frau Verbrugge ia chegando perto da Brandenburgische Strasse, onde ficava o Artemisia, o hotel que só hospedava mulheres. *Vou esperar Franz lá, e ele vai explicar o que está acontecendo.*

NO MOMENTO EM QUE chegou à esquina seguinte o sinal de trânsito ficou vermelho, e quando parou junto ao meio-fio, alguém na multidão esbarrou nela e Sonja foi parar na rua. *Verdammt Touristen!* Uma limusine que estava estacionada em fila dupla moveu-se de repente em sua direção, esbarrando apenas o suficiente para derrubá-la. Pessoas começaram a se juntar em volta da mulher.

— Ela está bem?

— *Ist ihr etwas passiert?*

— *Peut-elle marcher?*

Nesse momento uma ambulância que ia passando parou. Dois enfermeiros vieram correndo e assumiram o controle.

— Nós cuidamos dela.

Sonja Verbrugge viu-se sendo posta na ambulância. A porta se fechou, e um instante depois o veículo partiu a toda velocidade.

Ela estava amarrada numa maca, tentando se sentar.

— Eu estou bem — protestou. — Não foi nada. Eu...

Um dos enfermeiros se curvou sobre ela.

— Está tudo bem, *Frau* Verbrugge. Apenas relaxe.

Ela o encarou, subitamente alarmada.

— Como você sabe o meu...

Sentiu a picada de uma agulha hipodérmica no braço, e um instante depois entregou-se à escuridão que a esperava.

PARIS, FRANÇA

MARK HARRIS estava sozinho no deque de observação da torre Eiffel, sem perceber a chuva forte que redemoinhava ao redor. De vez em quando um raio atingia as gotas de chuva transformando-as em cachoeiras de diamantes.

Do outro lado do rio Sena ficava o familiar Palais de Chaillot e os Jardins do Trocadéro, mas ele não prestava atenção. Sua mente permanecia concentrada na notícia espantosa que estava para dar ao mundo.

O vento tinha começado a chicotear a chuva, transformando-a num turbilhão frenético. Mark Harris protegeu o pulso com a manga e olhou o relógio. Eles estavam atrasados. *E por que tinham insistido num encontro aqui, à meia-noite?* Enquanto pensava nisso, ouviu a porta do elevador da torre se abrir. Dois homens iam na sua direção, lutando contra o vento úmido e feroz.

Quando os reconheceu, Mark Harris sentiu um alívio.

— Vocês estão atrasados.

— É a porcaria desse tempo, Mark. Desculpe.

— Bom, vocês chegaram. A reunião em Washington está confirmada, não está?

— É sobre isso que temos de falar com você. Tivemos uma longa discussão hoje cedo sobre o melhor modo de lidar com isso, e decidimos...

Enquanto os dois falavam, o segundo homem tinha passado para trás de Mark Harris, e duas coisas aconteceram quase simultaneamente. Um objeto pesado e rombudo bateu em seu crânio, e um instante depois ele se sentiu sendo levantado e jogado por cima do parapeito, na chuva fria e impetuosa, mergulhando para a calçada implacável trinta e dois andares abaixo.

DENVER, COLORADO

GARY REYNOLDS crescera na paisagem acidentada de Kelowna, Canadá, perto de Vancouver, e fizera seu treinamento de vôo lá, por isso estava acostumado a voar sobre o traiçoeiro terreno montanhoso. Estava pilotando um Cessna Citation II, mantendo o olhar cauteloso nos picos nevados ao redor.

O avião fora projetado para levar dois tripulantes na cabine, mas hoje não havia co-piloto. *Não nesta viagem*, pensou Reynolds, carrancudo.

Tinha falsificado um plano de vôo no aeroporto Kennedy. Ninguém pensaria em procurá-lo em Denver. Ele passaria a noite na casa de sua irmã, e de manhã estaria a caminho do leste, para se encontrar com os outros. Todos os arranjos para eliminar Prima estavam terminados, e...

Uma voz no rádio interrompeu seus pensamentos:

— Citation Um Um Um Lima Foxtrot, aqui é a torre de controle do Aeroporto Internacional de Denver. Responda, por favor.

Gary Reynolds apertou o botão do rádio.

— Aqui é Citation Um Um Um Lima Foxtrot. Pedindo permissão para pouso.

— Dê sua posição, Um Lima Foxtrot.

— Um Lima Foxtrot. Estou a vinte e quatro quilômetros a nordeste do aeroporto de Denver. Altitude 15.000 pés.

Viu o Pico dos Pike erguendo-se do lado direito. O céu estava de um azul luminoso, o tempo claro. *Bom presságio.*

Houve um breve silêncio. A voz da torre voltou:

— Um Lima Foxtrot, você tem permissão para pousar na pista dois-seis. Repito, pista dois-seis.

— Um Lima Foxtrot. Entendido.

Sem aviso, Gary Reynolds sentiu o avião dar uma sacudida forte. Surpreso, olhou pela janela da cabine. Um vento forte havia surgido, e em segundos o Cessna foi apanhado numa turbulência violenta que começou a sacudir o avião. Ele puxou o manche, tentando ganhar altitude. Foi inútil. Estava preso num vórtice feroz. O avião estava completamente descontrolado. Gary apertou com força o botão do rádio.

— Aqui é Um Lima Foxtrot. Estou com uma emergência.

— Qual é a natureza da sua emergência?

Gary Reynolds estava gritando ao microfone.

— Fui apanhado num vento de través. Turbulência extrema! Estou no meio de uma porra de um furacão!

— Um Lima Foxtrot, você está a apenas quatro minutos e meio do aeroporto de Denver, e não há sinal de turbulência nas telas.

— Eu não ligo a mínima para o que há nas suas telas! Estou dizendo... — O tom de sua voz subiu de repente: Mayday! May...

Na torre, os controladores olharam chocados o sinal desaparecer da tela do radar.

MANHATTAN, NOVA YORK

AO ALVORECER, numa área sob a ponte de Manhattan, perto do píer 17 do East River, meia dúzia de policiais uniformizados e detetives à paisana estavam reunidos em volta de um cadáver totalmente vestido, tombado na margem do rio. O corpo tinha sido jogado de qualquer jeito, e a cabeça balançava de modo fantasmagórico na água, seguindo os caprichos da maré.

O encarregado, o detetive Earl Greenburg, do Esquadrão de Homicídios Manhattan South, havia terminado os procedimentos oficiais. Ninguém tinha permissão de se aproximar do corpo até que as fotos tivessem sido tiradas, e ele fazia anotações sobre o local do crime enquanto os policiais procuravam qualquer prova por ali. As mãos da vítima tinham sido enroladas em sacos plásticos transparentes.

Carl Ward, o médico-legista, terminou seu exame, levantou-se e sacudiu a areia das calças. Olhou para os dois detetives encarregados. O detetive Earl Greenburg era um homem de aparência profissional, competente, com uma ficha impressionante. O detetive Robert Praegitzer era grisalho, com os modos tranqüilos de quem já tinha visto de tudo.

Ward se virou para Greenburg.

— Ele é todo seu, Earl.

— O que nós temos?

— A causa óbvia da morte é a garganta cortada, passando direto pela artéria carótida. As duas patelas estão arrebentadas, e parece que algumas costelas estão quebradas. Alguém trabalhou direitinho nele.

— E a hora da morte?

Ward olhou para a água que batia na cabeça da vítima.

— Difícil dizer. Acho que ele foi jogado aí depois da meia-noite. Eu lhe dou o relatório integral quando nós o levarmos para o necrotério.

Greenburg voltou a atenção para o corpo. Paletó cinza, calça azul-escura, gravata azul-clara, relógio caro no pulso esquerdo. Greenburg se ajoelhou e começou a revistar os bolsos da vítima. Seus dedos acharam um bilhete. Puxou-o, segurando pela borda.

— Está em italiano. — Olhou em volta. — Gianelli!

Um dos policiais uniformizados veio correndo.

— Sim, senhor?

Greenburg lhe entregou o bilhete.

— Você consegue ler isso?

Gianelli leu em voz alta, devagar:

— Última chance. Encontre-se comigo no píer 17 com o resto da droga ou vai nadar com os peixes.

Em seguida devolveu-o.

Robert Praegitzer pareceu surpreso.

— Um assassinato da Máfia? Por que iriam deixá-lo assim, ao ar livre?

— Boa pergunta. — Greenburg estava revistando os outros bolsos do cadáver. Tirou uma carteira e abriu. Estava pesada, com dinheiro. — Com toda a certeza não estavam atrás do dinheiro dele. — Pegou um cartão na carteira. — O nome da vítima é Richard Stevens.

Praegitzer franziu a testa.

— Richard Stevens... Nós não lemos alguma coisa sobre ele nos jornais recentemente?

— Sobre a *mulher* dele — disse Greenburg. — Diane Stevens. Ela está no tribunal, no julgamento de Tony Altieri, acusado de assassinato.

— Isso mesmo. Ela está testemunhando contra o *capo di tutti capi*. O chefe de todos os chefes.

Os dois se viraram para olhar o corpo de Richard Stevens.

Capítulo 1

NO SUL DE MANHATTAN, na sala 37 do prédio da Suprema Corte Criminal no número 180 da Centre Street, acontecia o julgamento de Anthony (Tony) Altieri. A sala grande e respeitável estava totalmente apinhada de jornalistas e espectadores.

À mesa do réu sentava-se Anthony Altieri, frouxo numa cadeira de rodas, parecendo um sapo gordo e pálido dobrado sobre si mesmo. Apenas os olhos estavam vivos, e a cada vez que ele olhava para Diane Stevens no banco das testemunhas ela podia sentir a pulsação de seu ódio.

Perto de Altieri encontrava-se Jake Rubenstein, seu advogado. Rubenstein era famoso por duas coisas: a clientela de alto nível, composta principalmente por mafiosos, e o fato de que quase todos os seus clientes eram absolvidos.

Rubenstein era um homem pequeno, ativo, de mente rápida e uma imaginação vívida. Jamais se repetia em suas aparições nos tribunais. O histrionismo de tribunal era seu ponto forte, e ele possuía uma enorme habilidade. Era brilhante em avaliar os oponentes, com um instinto feroz para encontrar as fraquezas deles. Algumas vezes Rubenstein imaginava que era um leão, que se aproximava lentamente da presa inocente, pronto para atacar... ou uma aranha esperta, que tecia uma teia que iria eventualmente prendê-los e deixá-los desamparados... Algumas vezes era um pescador paciente, que jogava suavemente uma linha na água e a movia devagar, de um lado para o outro, até que a testemunha ingênua engolisse a isca.

O advogado estava examinando atentamente a testemunha no banco. Diane Stevens tinha trinta e poucos anos. Uma aura de elegância e de nobreza. Cabelos leves e soltos. Olhos verdes. Linda figura. Um jeito saudável e honesto de garota comum. Vestia um conjunto preto chique, feito sob medida. Jake Rubenstein sabia que na véspera ela havia causado impressão favorável no júri. Precisava ter cuidado com o modo como iria abordá-la. *Pescador*, decidiu.

Demorou-se chegando perto do banco de testemunhas, e quando falou sua voz foi gentil.

— Sra. Stevens, ontem a senhora testemunhou que na data em questão, 14 de outubro, estava dirigindo seu carro para o sul, pela Henry Hudson Parkway, quando ficou com um pneu vazio e deixou a auto-estrada pela saída da rua 158, entrando numa pista de serviço que dava no Fort Washington Park?

— Sim. — Seu tom de voz era tranqüilo e bem-educado.

— O que a fez parar naquele local específico?

— Devido ao pneu vazio eu sabia que tinha de sair da estrada principal, e pude ver o telhado de uma cabana entre as árvores. Pensei que haveria alguém capaz de me ajudar. Eu não tinha estepe.

— O seu seguro oferece assistência em caso de emergência?

— Sim.

— E tem telefone no carro?

— Sim.

— Então por que não ligou para a assistência?

— Achei que poderia demorar demais.

Rubenstein falou com simpatia:

— Claro. E a cabana estava ali mesmo.

— Sim.

— Então a senhora se aproximou da cabana para pedir ajuda?

— Isso mesmo.
— O dia ainda estava claro?
— Estava. Eram mais ou menos cinco da tarde.
— Então a senhora podia enxergar com clareza?
— Podia.
— O que a senhora viu, Sra. Stevens?
— Vi Anthony Altieri...
— Ah. E a senhora o conhecia?
— Não.
— O que a fez ter certeza de que era Anthony Altieri?
— Eu tinha visto a foto dele no jornal e...
— Então a senhora tinha visto fotos que se pareciam com o réu?
— Bem...
— O que a senhora viu na cabana?

Diane Stevens inspirou com um tremor. Falou devagar, visualizando a cena.

— Havia quatro homens na sala. Um deles estava numa cadeira, amarrado. O Sr. Altieri parecia estar interrogando-o enquanto os outros dois estavam parados ao lado. — Sua voz falhou. — O Sr. Altieri pegou uma arma, gritou alguma coisa e... e atirou na nuca do homem.

Jake Rubenstein lançou um olhar de lado para o júri. Eles estavam absorvidos no testemunho.

— O que fez então, Sra. Stevens?
— Corri de volta ao meu carro e liguei para a polícia pelo celular.
— E então?
— Fui embora.
— Com um pneu vazio?
— Sim.

Hora de dar uma mexida na água.

— Por que não esperou a polícia?

Diane olhou para a mesa da defesa. Altieri estava olhando-a com uma malevolência crua.

Ela desviou o olhar.

— Eu não pude ficar lá porque... fiquei com medo que os homens saíssem da cabana e me vissem.

— Isso é muito compreensível. — A voz de Rubenstein endureceu. — O que *não* é compreensível é que, quando a polícia atendeu ao seu telefonema, Sra. Stevens, ela foi até a cabana, mas não encontrou qualquer sinal de alguém ter estado lá, quanto mais de alguém ter sido assassinado lá.

— Eu não posso fazer nada quanto a isso. Eu...

— A senhora é pintora, não é?

Ela ficou perplexa com a pergunta.

— Sou, eu...

— A senhora é bem-sucedida?

— Acho que sim, mas o que isso...

Estava na hora de dar um puxão no anzol.

— Um pouquinho de publicidade extra nunca faz mal, não é? Todo o país a vê no noticiário noturno da televisão, e nas primeiras páginas dos...

Diane o encarou furiosa.

— Eu não fiz isso pela publicidade. Nunca mandaria um homem inocente para...

— A palavra-chave é *inocente*, Sra. Stevens. E eu provarei, sem qualquer sombra de dúvida, que o Sr. Altieri *é* inocente. Obrigado. Já acabei com a senhora.

Diane Stevens ignorou a frase de duplo sentido. Quando desceu para voltar à sua cadeira, estava muito agitada.

— Posso ir? — sussurrou para o promotor.

— Sim. Eu vou mandar alguém acompanhá-la.

— Isso não é necessário. Obrigada. — Ela saiu e foi para o estacionamento com as palavras do advogado ressoando nos ouvidos

A senhora é pintora, não é... Um pouquinho de publicidade extra nunca faz mal, não é? Era degradante. Mesmo assim, no todo, ela estava satisfeita com o seu testemunho. Havia contado ao júri exatamente o que vira, e eles não tinham motivo para duvidar. Anthony Altieri seria condenado e mandado para a cadeia pelo resto da vida, e no entanto Diane não podia deixar de pensar nos olhares venenosos que ele havia lhe lançado, e sentiu um leve tremor.

Entregou o tíquete ao funcionário do estacionamento e foi pegar o carro.

Dois minutos depois saiu na rua e rumou para o norte, a caminho de casa.

HAVIA UM sinal de trânsito na esquina. Quando Diane freou, um rapaz bem-vestido parado junto ao meio-fio se aproximou dela.

— Desculpe, eu estou perdido. Será que a senhora...

Diane baixou a janela.

— Poderia me dizer como chegar ao túnel Holland? — perguntou ele, com sotaque italiano.

— Sim. É muito simples. Vá até a primeira...

O homem levantou o braço, e havia uma arma com silenciador em sua mão.

— Saia do carro, dona. Depressa!

Diane ficou pálida.

— Tudo bem. Por favor, não... — Quando começou a abrir a porta, o homem recuou um passo, e Diane pisou com força no acelerador e o carro disparou. Ouviu o vidro de trás se despedaçar atravessado por uma bala, e em seguida um estalo quando outra bala acertou a traseira do carro. Seu coração estava batendo tão forte que era difícil respirar.

Diane Stevens tinha ouvido falar de roubos de carro, mas eles sempre eram distantes, algo que acontecia com outras pessoas. E o homem tinha tentado matá-la. Será que ladrões de carro faziam isso? Pegou o celular e ligou para a polícia. Demorou quase dois minutos antes que uma telefonista atendesse.

— Polícia. Qual é a sua emergência?

Mesmo enquanto explicava o acontecido, Diane sabia que era inútil. O sujeito já deveria estar longe.

— Vou mandar um policial. Pode me dar seu nome, endereço e número de telefone?

Diane deu. *Inútil*, pensou. Olhou para o vidro despedaçado e estremeceu. Queria desesperadamente ligar para Richard no trabalho e dizer o que tinha acontecido, mas sabia que ele estava trabalhando num projeto urgente. Se telefonasse e contasse o que tinha acabado de acontecer, ele ficaria perturbado e viria correndo — e ela não queria que ele perdesse o prazo. Contaria quando ele voltasse ao apartamento.

E de repente um arrepio a atravessou. *Será que o sujeito estava esperando por ela ou era apenas uma coincidência*? Lembrou-se da conversa que tivera com Richard quando o julgamento começou:

— *Acho que você não deveria testemunhar, Diane. Pode ser perigoso.*

— *Não se preocupe, querido. Altieri vai ser condenado. Eles vão trancá-lo para sempre.*

— *Mas se ele tiver amigos e...*

— *Richard, se eu não fizer isso, não poderei viver comigo mesma.*

O que tinha acabado de acontecer tinha de ser coincidência, decidiu Diane. *Altieri não seria louco a ponto de fazer alguma coisa comigo, especialmente agora, durante o julgamento.*

Saiu da auto-estrada e foi para o oeste, até chegar ao seu prédio na rua 75 Leste. Antes de entrar na garagem subterrânea, deu uma última olhada cautelosa pelo retrovisor. Tudo parecia normal.

O APARTAMENTO ERA um dúplex no térreo, arejado, com uma espaçosa sala de estar, janelas do chão ao teto e uma grande lareira de mármore. Havia sofás com estofamento florido, poltronas, uma estante embutida e uma televisão de tela grande. As paredes eram um arco-íris de pinturas coloridas. Havia um Childe Hassam, um Jules Pascin, um Thomas Birch, um George Hitchcock e, numa área, um grupo de quadros de Diane.

No andar de cima havia um quarto principal com banheiro, um quarto de hóspedes e um ateliê ensolarado, onde Diane pintava. Vários de seus quadros estavam pendurados nas paredes. Num cavalete no centro do cômodo havia um retrato inacabado.

A primeira coisa que Diane fez ao chegar em casa foi entrar correndo no ateliê. Tirou o retrato inacabado e substituiu por uma tela em branco. Começou a desenhar o rosto do homem que tinha tentado matá-la, mas suas mãos estavam tremendo tanto que teve de parar.

ENQUANTO IA DE CARRO para o apartamento de Diane, o detetive Earl Greenburg reclamou:

— Essa é a parte do trabalho que eu mais odeio.

— É melhor a gente contar do que elas saberem à noite pelo noticiário — disse Robert Praegitzer. Em seguida olhou para Greenburg. — Você vai contar a ela?

Earl Greenburg assentiu, infeliz. Pegou-se lembrando da história do detetive que tinha ido informar uma tal Sra. Adams, mulher de um patrulheiro, de que seu marido fora morto. O chefe tinha alertado ao detetive:

— *Ela é muito sensível. Você precisa dar a notícia com cuidado.*

— *Não se preocupe, eu posso cuidar disso.*

O detetive tinha batido na porta da casa dos Adams, e quando a mulher de Adams atendeu, o detetive perguntou:

— *A senhora é a viúva do Adams?*

DIANE LEVOU UM SUSTO com o som da campainha. Não estava esperando ninguém. Foi até o interfone.

— Quem é?

— Detetive Earl Greenburg. Gostaria de falar com a senhora.

É por causa da tentativa de roubo do carro, pensou Diane. *A polícia chegou depressa.*

Apertou o botão do interfone e Greenburg entrou no corredor e foi até a porta.

— Olá.

— Sra. Stevens?

— Sim. Obrigada por terem vindo tão depressa. Eu comecei a desenhar o rosto do homem, mas... — Ela respirou fundo. — Ele era moreno, com olhos castanhos fundos e um caroço pequeno na bochecha. A arma tinha silenciador e...

Greenburg estava olhando-a, confuso.

— Sinto muito. Não entendo o que...

— O sujeito que tentou roubar o carro. Eu liguei para a polícia e... — Ela viu a expressão no rosto do detetive. — O senhor não veio por causa da tentativa de roubo, veio?

— Não, senhora, não vim. — Greenburg parou um momento. — Posso entrar?

— Por favor.

Ela estava encarando-o, franzindo a testa.

— O que houve? Alguma coisa errada?

As palavras pareciam não vir.

— Sim. Sinto muito. Eu... acho que tenho más notícias. É sobre seu marido.

— O que aconteceu? — A voz dela estava trêmula.

— Ele teve um acidente.

Diane sentiu um arrepio súbito.

— Que tipo de acidente?

Greenburg respirou fundo.

— Ele foi assassinado ontem à noite, Sra. Stevens. Nós achamos o corpo debaixo de uma ponte no East River hoje cedo.

Diane o encarou por um longo momento, depois balançou a cabeça lentamente.

— O senhor está falando com a pessoa errada, tenente. Meu marido está trabalhando no laboratório.

Isso ia ser mais difícil do que ele tinha previsto.

— Sra. Stevens, seu marido veio para casa ontem à noite?

— Não, mas é comum Richard trabalhar a noite inteira. Ele é cientista. — Ela estava ficando cada vez mais agitada.

— Sra. Stevens, a senhora sabia que seu marido estava envolvido com a Máfia?

Diane ficou branca.

— A Máfia? O senhor está louco?

— Nós achamos...

Diane estava tendo dificuldade para respirar.

— Deixe-me ver sua identificação.

— Sem dúvida. — O detetive Greenburg pegou a carteira e mostrou a identificação.

Diane olhou-a, devolveu e depois deu um tapa com força no rosto de Greenburg.

— A prefeitura lhe paga para sair por aí tentando apavorar cidadãos honestos? Meu marido não está morto! Está no trabalho. — Ela gritava.

Greenburg encarou-a e viu o choque e a negação em seus olhos.

— Sra. Stevens, gostaria que eu mandasse alguém para cuidar da senhora e...?

— *O senhor* é que precisa de cuidados. Agora saia.

— Sra. Stevens...

— Agora!

Greenburg pegou um cartão de visita e pôs sobre uma mesa.

— Se precisar falar comigo, meu número está aqui.

Enquanto ia para a porta, Greenburg pensou: *Bem, eu cuidei disso brilhantemente. Poderia muito bem ter dito: "A senhora é a viúva do Sr. Stevens?"*

QUANDO O DETETIVE EARL Greenburg saiu, Diane trancou a porta e respirou fundo, estremecendo. *Idiota! Vir ao apartamento errado e tentar me apavorar. Eu deveria denunciá-lo.* Olhou para o relógio. *Richard logo vai estar chegando em casa. Está na hora de preparar o jantar.* Ia fazer *paella*, o prato predileto dele. Foi para a cozinha e começou a prepará-lo.

DEVIDO AO ASPECTO secreto do trabalho de seu marido, Diane nunca ligava para ele no laboratório, e se Richard não telefonasse, ela sabia que era sinal de que ele chegaria tarde. Às oito horas a *paella* estava pronta. Provou e sorriu, satisfeita. Estava exatamente como Richard gostava. Às dez horas, como ele ainda não tinha chegado, Diane pôs a *paella* na geladeira e grudou um bilhete *post-it* na porta: *Querido, o jantar está na geladeira. Me acorde.* Richard estaria com fome ao chegar em casa.

Sentiu-se subitamente exausta. Tirou a roupa, pôs uma camisola e foi para a cama. Em alguns minutos caiu no sono.

ÀS TRÊS DA MANHÃ acordou gritando.

Capítulo 2

AMANHECEU ANTES QUE Diane pudesse parar de tremer. O frio que sentia era dentro dos ossos. Richard estava morto. Nunca mais iria vê-lo, ouvir sua voz, sentir seu abraço. *E a culpa é minha. Eu nunca deveria ter entrado naquele tribunal. Ah, Richard, me perdoa... por favor, me perdoa... Acho que não consigo ir em frente sem você. Você era minha vida, minha razão de viver, e agora não tenho mais razão nenhuma.*

Queria se enrolar até virar uma bolinha minúscula.

Queria sumir.

Queria morrer.

Ficou ali deitada, desolada, pensando no passado, em como Richard tinha transformado sua vida...

Diane West havia crescido em Sands Point, Nova York, um bairro rico e sossegado. Seu pai era cirurgião e a mãe artista plástica, e Diane tinha começado a desenhar aos três anos. Cursou o internato de St. Paul, e quando era caloura na faculdade, teve um breve relacionamento com o carismático professor de matemática. O professor disse que queria se casar com ela porque, para ele, Diane era a única mulher no mundo. Quando Diane ficou sabendo que ele tinha mulher e três filhos, decidiu que a matemática ou a memória dele era deficiente, e se transferiu para o Wellesley College.

Era obcecada por arte, e passava cada momento livre pintando. Quando se formou, tinha começado a vender quadros e a adquirir reputação como artista promissora.

Naquele outono, uma importante galeria da Quinta Avenida fez uma individual com ela, e foi um sucesso enorme. O dono da galeria, Paul Deacon, era um afro-americano rico e erudito que ajudou a promover a carreira de Diane.

Na noite do *vernissage* o salão estava apinhado. Deacon veio correndo até ela, com um enorme sorriso no rosto.

— Parabéns! Já vendemos a maioria dos quadros! Vou marcar outra exposição para daqui a alguns meses, assim que você estiver pronta.

Diane ficou empolgada.

— Isso é maravilhoso, Paul.

— Você merece. — Ele lhe deu um tapinha no ombro e saiu rapidamente.

Diane estava dando um autógrafo quando um homem surgiu atrás dela e disse:

— Gosto das suas curvas.

Diane se enrijeceu. Furiosa, girou e abriu a boca para uma resposta afiada, quando ele prosseguiu:

— Elas têm a delicadeza de um Rossetti ou de um Manet. — O sujeito estava examinando um de seus quadros na parede.

Diane se controlou a tempo.

— Ah. — E olhou mais atentamente para ele. Parecia ter trinta e poucos anos. Mais de um metro e oitenta, atlético, cabelos louros e olhos azuis luminosos. Vestia um terno castanho, macio, camisa branca e gravata marrom.

— Eu... obrigada.

— Quando você começou a pintar?

— Quando era criança. Minha mãe era pintora.

Ele sorriu.

— Minha mãe era cozinheira, mas eu não sei cozinhar. Eu sei *seu* nome. Sou Richard Stevens.

Naquele momento Paul Deacon se aproximou com três embrulhos.

— Aqui estão seus quadros, Sr. Stevens. Aproveite-os. — Ele entregou os embrulhos a Richard Stevens e se afastou.

Diane o encarou, surpresa.

— Você comprou três quadros meus?

— Tenho mais dois no apartamento.

— Eu... estou lisonjeada.

— Eu aprecio o talento.

— Obrigada.

Ele hesitou.

— Bem, provavelmente você está ocupada, por isso vou indo...

Diane se pegou dizendo:

— Não. Tudo bem.

Ele sorriu.

— Bom — hesitou. — Poderia me fazer um grande favor, Srta. West.

Diane olhou a mão esquerda dele. Não estava usando aliança.

— Sim?

— Por acaso eu tenho dois ingressos para a estréia de uma remontagem de *Blithe Spirit*, de Noël Coward, amanhã à noite, e não tenho com quem ir. Se você estiver livre...

Diane o examinou um momento. Ele parecia legal, e era bem bonito, mas afinal de contas era um completo estranho. *Perigoso demais. Muitíssimo perigoso.* E se pegou dizendo:

— Eu adoraria ir.

A NOITE SEGUINTE acabou sendo deliciosa. Richard Stevens era uma companhia divertida, e houve uma compatibilidade instantânea. Eles compartilhavam o interesse por artes plásticas e música, e muito mais.

Diane sentiu-se atraída, mas não tinha certeza se Richard sentia o mesmo por ela.

No fim da noite Richard perguntou:

— Você está livre amanhã à noite?

A resposta de Diane foi sem hesitação.

— Estou.

Na noite seguinte estavam jantando num restaurante discreto do SoHo.

— Fale de você, Richard.

— Não tenho muito a dizer. Nasci em Chicago. Meu pai era arquiteto e projetou prédios no mundo inteiro, e minha mãe e eu viajávamos com ele. Estudei numa dúzia de escolas no estrangeiro e aprendi a falar algumas línguas para me defender.

— O que você faz? Para viver.

— Trabalho no KIG, Kingsley International Group. É uma grande empresa voltada para a criação de projetos.

— Parece interessante.

— É fascinante. Nós fazemos pesquisa de tecnologia de ponta. Se tivéssemos um lema, seria algo como: "Se não temos a resposta agora, espere até amanhã."

DEPOIS DO JANTAR RICHARD levou Diane para casa. Na porta, ele segurou sua mão e disse:

— Eu gostei da noite. Obrigado.

E foi embora.

Diane ficou ali parada, olhando-o se afastar. *Fico feliz por ele ser um cavalheiro e não um lobo. Fico realmente feliz. Droga!*

DEPOIS DISSO, SAÍRAM JUNTOS toda noite, e a cada vez que via Richard, Diane sentia o mesmo calor.

Numa noite de sexta-feira Richard disse:

— Eu sou treinador de um time infantil de beisebol aos sábados. Gostaria de assistir a um jogo?

Diane assentiu.

— Adoraria, Sr. Treinador.

Na manhã seguinte Diane foi ver Richard trabalhar com os meninos entusiasmados. Ele era gentil, atencioso e paciente, e vibrou quando Tim Holm, de dez anos, pegou uma bola alta. E era óbvio que os meninos o adoravam.

Diane pensou: *Estou me apaixonando. Estou me apaixonando.*

ALGUNS DIAS depois Diane teve um almoço despreocupado com algumas amigas, e quando saíram do restaurante passaram pela barraca de uma cartomante cigana.

Num impulso, Diane falou:

— Vamos ver nosso futuro.

— Não posso, Diane. Eu tenho de voltar ao trabalho.

— Eu também.

— Eu tenho de pegar o Johnny.

— Por que você não vai, e depois conta o que ela disse?

— Tudo bem. Eu vou.

Cinco minutos depois Diane se viu sentada sozinha diante de uma velha de rosto encovado, com a boca cheia de dentes de ouro e um xale sujo sobre a cabeça.

É absurdo, pensou. *Por que estou fazendo isso?* Mas ela sabia por quê. Queria perguntar se ela e Richard teriam um futuro juntos. *É só pela diversão*, disse a si mesma.

Ficou olhando a velha pegar um baralho de tarô e começar a embaralhar as cartas, jamais levantando os olhos.

— Eu gostaria de saber se...

— Shhh. — A mulher virou uma carta. Era a imagem do Louco, vestido com roupas coloridas e carregando uma trouxa. A mulher examinou-a um instante. — Há muitos segredos para você saber. — Virou outra carta. — Esta é a Lua. Você tem desejos sobre os quais não tem certeza.

Diane hesitou e assentiu.

— Isso envolve um homem?

— Sim.

A velha virou outra carta.

— Esta é a carta dos amantes.

Diane sorriu.

— É um bom presságio?

— Veremos. — As próximas três cartas vão dizer. — O Enforcado. — Ela franziu a testa, hesitou e virou a outra carta. — O Diabo — murmurou.

— Isso é ruim? — perguntou Diane em tom despreocupado.

A cigana não respondeu.

Diane ficou olhando a velha virar outra carta. Ela balançou a cabeça. Sua voz tinha um tom rouco fantasmagórico.

— A carta da Morte.

Diane se levantou.

— Eu não acredito em nada disso — falou com raiva.

A velha ergueu os olhos e, quando falou, sua voz era cavernosa:

— Não importa no que você acredita. A morte está ao seu redor.

Capítulo 3

BERLIM, ALEMANHA

O *POLIZEIKOMMANDANT* OTTO Schiffer, dois policiais uniformizados e o superintendente do prédio de apartamentos, *Herr* Karl Goetz, estavam olhando o corpo nu e enrugado deitado no fundo da banheira que transbordava. Uma mancha fraca circulava o pescoço da mulher.

O *Polizeikommandant* pôs um dedo embaixo da torneira que pingava.

— Fria. — Ele cheirou a garrafa de bebida vazia ao lado da banheira e se virou para o superintendente do prédio. — O nome dela?

— Sonja Verbrugge. O marido é Franz Verbrugge. Ele é algum tipo de cientista.

— Ela morava neste apartamento com o marido?

— Há sete anos. Eram inquilinos maravilhosos. Sempre pagavam na data. Nunca deram problema. Todo mundo adorava... — ele percebeu o que iria dizer e parou.

— *Frau* Verbrugge trabalhava?

— Sim, no Cibercafé Cyberlin, onde as pessoas pagam para usar computadores para...

— O que levou o senhor a descobrir o corpo?

— Foi por causa da torneira de água fria da banheira. Eu tentei consertar várias vezes, mas ela nunca fechava completamente.

— E?

— E hoje cedo o inquilino do apartamento de baixo reclamou da água pingando no teto. Eu vim aqui, bati na porta, e quando não tive resposta abri com minha chave-mestra. Entrei no banheiro e achei... — Sua voz se embargou.

Um detetive entrou no banheiro.

— Nenhuma garrafa de bebida destilada nos armários, só vinho.

O *Kommandant* assentiu.

— Certo. — Em seguida apontou para a garrafa ao lado da banheira. — Mande procurar impressões digitais.

— Sim, senhor.

O *Kommandant* se virou para Karl Goetz.

— O senhor sabe onde *Herr* Verbrugge está?

— Não. Eu sempre o vejo de manhã, quando ele vai para o trabalho, mas... — Ele fez um gesto desamparado.

— Não o viu hoje?

— Não.

— Sabe se *Herr* Verbrugge estava planejando viajar?

— Não, senhor. Não sei.

O *Kommandant* se virou para o detetive.

— Fale com os outros inquilinos. Descubra se *Frau* Verbrugge parecia deprimida ultimamente, ou se discutia com o marido, e se bebia muito. Consiga toda informação que puder. — Em seguida olhou para Karl Goetz. — Vamos verificar o marido. Se pensar em alguma coisa que possa ser útil...

Karl Goetz falou hesitante:

— Não sei se é útil, mas um dos inquilinos me disse que havia uma ambulância estacionada na frente do prédio ontem à noite, e perguntou se alguém estava doente. Quando eu saí para ver o que estava acontecendo, a ambulância tinha ido embora. Isso ajuda?

— Vamos verificar.

— E... e quanto a ela... quanto ao corpo? — perguntou Karl Goetz, nervoso.

— O médico-legista está a caminho. Esvazie a banheira e jogue uma toalha em cima dela.

Capítulo 4

*I*NFELIZMENTE TENHO *más notícias... assassinado ontem à noite... nós achamos o corpo debaixo de uma ponte...*

Para Diane Stevens o tempo havia parado. Andava sem rumo pelo grande apartamento cheio de lembranças e pensava: *O conforto se foi... o calor se foi... sem Richard, isso aqui é só um monte de tijolos frios. Nunca vai ter vida de novo.*

Deixou-se afundar no sofá e fechou os olhos. *Richard, querido, no dia em que nós nos casamos você perguntou o que eu gostaria de ganhar como presente. Eu disse que não queria nada. Mas agora quero. Volte para mim. Não importa se eu não puder vê-lo. Só me abrace. Eu vou saber que você está aqui. Preciso sentir seu toque mais uma vez. Quero sentir você acariciando meus seios... quero imaginar que ouço sua voz dizendo que faço a melhor* paella *do mundo... quero ouvir sua voz pedindo que eu pare de puxar as cobertas da cama e de descobrir você... quero ouvir você dizer que me ama.* Tentou parar o súbito jorro de lágrimas, mas era impossível.

A PARTIR DO MOMENTO em que se conscientizou que Richard estava morto, Diane passou os dias seguintes trancada no apartamento escuro, recusando-se a atender ao telefone ou à porta. Parecia um animal ferido, escondendo-se. Queria ficar sozinha com sua dor. *Richard, tantas vezes eu quis dizer "eu te amo", para que você dissesse "eu te amo também!" Mas não quis parecer carente. Fui uma idiota. Agora estou carente.*

Por fim, quando o toque constante do telefone e o som incessante da campainha não quiseram parar, Diane abriu a porta.

Era Carolyn Ter, uma de suas amigas mais íntimas. Olhou para Diane e disse:

— Você está péssima. — Sua voz se suavizou. — Todo mundo está tentando falar com você, querida. Nós todos estamos morrendo de preocupação.

— Desculpe, Carolyn, mas eu simplesmente não consigo...

Carolyn abraçou Diane.

— Eu sei. Mas há um monte de amigos que querem ver você.

Diane balançou a cabeça.

— Não. É im...

— Diane, a vida de Richard terminou, mas a sua não. Não afaste as pessoas que amam você. Vou dar uns telefonemas.

AMIGOS DE DIANE e Richard começaram a telefonar e a vir ao apartamento, e Diane se pegou ouvindo a interminável ladainha de clichês da morte:

— Pense na coisa desse modo, Diane: Richard está em paz...

— Deus o chamou, querida...

— Eu sei que Richard está no céu, cuidando de você...

— Ele foi para um lugar melhor...

— Ele está com os anjos...

Diane queria gritar.

A TORRENTE de visitantes parecia interminável. Paul Deacon, o dono da galeria de arte que expunha o trabalho de Diane, veio ao apartamento. Abraçou-a e disse:

— Eu tentei falar com você, mas...

— Eu sei.

— Estou muito triste por causa do Richard. Ele era um cavalheiro raro. Mas Diane, você não pode se trancar desse modo. As pessoas estão esperando para ver mais do seu lindo trabalho.

— Não posso. Nada mais é importante, Paul. Nada. Eu acabei.

Ela não podia ser persuadida.

NO DIA SEGUINTE, quando a campainha tocou, Diane foi com relutância à porta. Espiou pelo olho mágico e parecia haver uma pequena multidão lá fora. Perplexa, abriu a porta. Havia uma dúzia de garotos no corredor.

Um deles estava segurando um pequeno buquê de flores.

— Bom dia, Sra. Stevens. — Ele entregou o buquê a Diane.

— Obrigada. — De repente ela se lembrou de quem eles eram. Eram do time infantil que Richard havia treinado.

Diane tinha recebido incontáveis cestas de flores, cartões de pêsames e *e-mails*, mas aquele foi o presente mais tocante de todos.

— Entrem — disse ela.

Os garotos entraram na sala.

— A gente só queria dizer como a gente está se sentindo mal.

— Seu marido era um cara incrível.

— Ele era legal de verdade.

— E era um técnico fantástico.

Diane mal podia controlar as lágrimas.

— Obrigada. Ele também achava vocês incríveis. Tinha muito orgulho de todos vocês. — Ela respirou fundo. — Querem um refrigerante ou...

Tim Holm, o garoto que aos dez anos tinha apanhado a bola alta, falou:

— Não, obrigado, Sra. Stevens. Nós só queríamos dizer que também vamos sentir falta dele. Nós fizemos uma vaquinha para as flores. Custaram doze dólares.

"De qualquer modo, a gente queria dizer como a gente ficou triste."

Diane olhou-os e disse em voz baixa:

— Obrigada, garotos. Eu sei o quanto Richard ficaria feliz por vocês terem vindo.

E ficou olhando enquanto eles murmuravam despedidas e iam embora.

Enquanto observava a partida dos garotos, lembrou-se da primeira vez em que tinha visto Richard como técnico. Ele falava com os meninos como se fosse da idade deles, em linguagem que eles entendiam, e eles o amavam por isso. *Foi o dia em que comecei a me apaixonar por ele.*

Lá fora, Diane podia ouvir o rugido dos trovões e as primeiras gotas de chuva começando a bater nas janelas, como lágrimas de Deus. *Chuva.* Tinha sido num fim de semana de férias...

— VOCÊ GOSTA DE piquenique? — perguntou Richard.

— Adoro.

Ele sorriu.

— Eu sabia. Vou preparar um pequeno piquenique para nós. Pego você amanhã ao meio-dia.

Era um dia lindo, ensolarado. Richard tinha montado um piquenique no meio do Central Park. Havia talheres de prata e toalhas de linho, e quando Diane viu o que havia na cesta de piquenique, riu. Rosbife... um presunto... queijos... dois patês grandes... várias bebidas e meia dúzia de sobremesas.

— Isso dá para um pequeno exército! Quem vai se juntar a nós? — E um pensamento espontâneo saltou em sua mente. *Um pastor*? Ruborizou.

Richard olhava para ela.

— Você está bem?

Bem? Eu nunca estive tão feliz.

— Estou, Richard.

Ele confirmou com a cabeça.

— Bom. Não vamos esperar o exército. Vamos começar.

Enquanto comiam, havia muita coisa do que falar, e cada palavra parecia uni-los ainda mais. Havia uma forte tensão sexual crescendo, e os dois podiam sentir. E no meio daquela tarde perfeita subitamente começou a chover. Em minutos estavam encharcados.

Richard falou pesaroso:

— Sinto muito. Eu deveria saber: o jornal disse que não choveria. Acho que estraguei o seu piquenique e...

Diane chegou perto dele e falou em voz baixa:

— Estragou?

E logo estava nos braços dele e seus lábios estavam apertados contra os dele, e ela podia sentir o calor atravessando seu corpo. Quando finalmente recuou, disse:

— A gente precisa tirar essas roupas molhadas.

Ele riu.

— Você está certa. Nós não queremos pegar um...

— Na sua casa ou na minha?

E de repente Richard ficou imóvel.

— Diane, você tem certeza? Estou perguntando porque... isso não é só uma transa de uma noite.

— Eu sei — disse Diane em voz baixa.

MEIA HORA depois estavam no apartamento de Diane, despindo-se, os braços de um ao redor do outro, e as mãos exploravam lugares hipnotizantes, e finalmente, quando não puderam mais agüentar, foram para a cama.

Richard foi gentil, terno, apaixonado e frenético, e tudo foi mágico, e a língua dele encontrou a dela e se moveu devagar, e pareciam ondas quentes batendo suaves numa praia de veludo, e então ele estava dentro dela, preenchendo-a.

Passaram o resto da tarde, e a maior parte da noite, falando e fazendo amor, e abriram os corações, e foi maravilhoso, além das palavras.

De manhã, enquanto Diane preparava o desjejum, Richard perguntou:

— Quer casar comigo, Diane?

E ela se virou para ele e disse em voz baixa:

— Ah, quero.

O CASAMENTO ACONTECEU um mês depois. A cerimônia foi calorosa e linda, com amigos e parentes parabenizando os noivos. Diane olhou para o rosto feliz de Richard e pensou na previsão ridícula da cartomante, e sorriu.

Tinham planejado uma lua-de-mel na França, na semana após o casamento, mas Richard ligou do trabalho.

— Surgiu um projeto novo e eu não posso me afastar. Tudo bem se a gente viajar daqui a alguns meses? Desculpe, neném.

— Claro que está tudo bem, querido.

— Quer almoçar fora comigo hoje?

— Adoraria.

— Você gosta de comida francesa. Eu conheço um restaurante francês ótimo. Pego você em meia hora.

Trinta minutos depois Richard estava do lado de fora, esperando Diane.

— Oi, querida. Tenho de encontrar um dos nossos clientes no aeroporto. Ele está indo para a Europa. Vamos nos despedir e depois almoçar.

Ela o abraçou.

— Ótimo.

Quando chegaram ao aeroporto Kennedy, Richard falou:

— Ele tem um avião particular. Vamos encontrá-lo no pátio.

Um guarda fez com que passassem para uma área restrita, onde havia um Challenger estacionado. Richard olhou em volta.

— Ele ainda não chegou. Vamos esperar no avião.

— Certo.

Subiram a escada e entraram na aeronave luxuosa. Os motores estavam ligados.

A aeromoça veio da cabine.

— Bom dia.

— Bom dia — disse Richard.

Diane sorriu.

— Bom dia.

Eles olharam a aeromoça fechar a porta do avião.

Diane olhou para Richard.

— Você acha que o seu cliente vai se atrasar muito?

— Não deve demorar.

O rugido dos jatos começou a ficar mais alto. O avião começou a taxiar.

Diane olhou pela janela, e seu rosto ficou pálido.

— Richard, a gente está andando.

Richard olhou Diane, surpreso.

— Tem certeza?

— Olhe pela janela. — Ela estava entrando em pânico. — Diga... diga ao piloto...

— O que você quer que eu diga?

— Para parar!

— Não posso. Ele já começou a decolar.

Houve um momento de silêncio e Diane olhou para Richard, atônita.

— Aonde estamos indo?

— Ah, eu não contei? Estamos indo a Paris. Você disse que gostava de comida francesa.

Ela ficou boquiaberta. Então sua expressão mudou.

— Richard, eu não posso ir a Paris agora! Não tenho roupas. Não tenho maquiagem. Não tenho...

— Ouvi dizer que existem lojas em Paris.

Ela o encarou um momento, depois abraçou-o.

— Ah, seu idiota. Eu amo você.

Ele riu.

— Você queria uma lua-de-mel. Conseguiu.

Capítulo 5

EM ORLY, uma limusine estava esperando para levá-los ao Hotel Plaza Athénée.

Quando chegaram, o gerente disse:

— Sua suíte está pronta, Sr. e Sra. Stevens.

— Obrigado.

Ficaram na suíte 310. O gerente abriu a porta, e Diane e Richard entraram. Diane parou, chocada. Meia dúzia de seus quadros estavam pendurados nas paredes. Ela se virou para Richard.

— Eu... como é que isso...?

Richard falou com inocência:

— Não faço idéia. Acho que eles também têm bom gosto.

Diane lhe deu um beijo longo, apaixonado.

PARIS ERA UM país das maravilhas. A primeira parada foi na Givenchy, para comprar roupas para os dois, depois na Louis Vuitton, para comprar malas onde pôr todas as roupas novas.

Fizeram uma caminhada preguiçosa pelo Champs-Elysées até a Place de la Concorde, e viram o célebre Arco do Triunfo, o Palais Bourbon e La Madeleine. Caminharam pela Place Vendôme e passaram o dia no

Museu do Louvre. Percorreram o jardim de esculturas do Museu Rodin e tiveram jantares românticos no Auberge de Trois Bonheurs, no Au Petit Chez Soi e no D'Chez eux.

A ÚNICA COISA que pareceu estranha a Diane foram os telefonemas que Richard recebia em horas fora do comum.

— Quem era? — perguntou Diane uma vez, às três da madrugada, quando Richard terminou uma conversa telefônica.

— Só negócios de rotina.

No meio da noite?

— DIANE! DIANE!

Foi sacudida para fora do devaneio. Carolyn Ter estava de pé ao lado dela.

— Você está bem?

— Eu... estou.

Carolyn abraçou Diane.

— Você só precisa de tempo. Faz poucos dias. — Ela hesitou. — A propósito, você fez os arranjos para o enterro?

Enterro. A palavra mais triste em qualquer língua. Trazia o som da morte, um eco de desespero.

— Eu... não... não pude...

— Deixe-me ajudá-la. Eu escolho um caixão e...

— Não! — A palavra saiu mais áspera do que Diane pretendia.

Carolyn estava olhando-a, perplexa.

Quando Diane falou de novo, sua voz estava trêmula.

— Você não vê? Esta é... esta é a última coisa que eu posso fazer por Richard. Quero que o enterro seja especial. Ele vai querer todos os amigos lá, para se despedir. — Lágrimas estavam correndo pelo seu rosto.

— Diane...

— Eu tenho de escolher o caixão de Richard para garantir que ele... que ele durma confortavelmente.

Não havia mais nada que Carolyn pudesse dizer.

NAQUELA TARDE O DETETIVE Earl Greenburg estava em sua sala quando recebeu o telefonema.

— Diane Stevens quer falar com você.

Ah, não. Greenburg se lembrou do tapa no rosto na última vez em que tinha falado com ela. *E agora, o quê? Ela provavelmente tem alguma reclamação.* Atendeu.

— Detetive Greenburg.

— Aqui é Diane Stevens. Estou ligando por dois motivos. O primeiro é para pedir desculpa. Eu me comportei muito mal, e lamento de verdade.

Ele ficou surpreso.

— Não precisa se desculpar, Sra. Stevens. Eu entendi o que a senhora estava sentindo.

Ele esperou. Houve um silêncio.

— A senhora disse que tinha dois motivos para ligar.

— É. A polícia está mantendo o... — sua voz embargou — o corpo do meu marido em algum lugar. Como posso pegar Richard de volta? Eu estou arranjando o... o enterro dele na Funerária Dalton.

O desespero na voz dela fez o policial se encolher.

— Sra. Stevens, acho que há alguma burocracia envolvida nisso. Primeiro o departamento de medicina legal tem de fazer um relatório da autópsia, e depois é preciso notificar aos vários... — Ele ficou pensativo um momento, depois tomou uma decisão. — Olha, a senhora já está com muita coisa na cabeça. Eu faço os arranjos. Tudo vai ser resolvido em dois dias.

— Ah. Eu... obrigada. Muito obrigada... — Sua voz se embargou e a ligação foi interrompida.

Earl Greenburg ficou ali sentado por longo tempo, pensando em Diane Stevens e na angústia que ela estava sentindo. Depois foi tratar da burocracia.

A FUNERÁRIA DALTON ficava no lado leste da Avenida Madison. Era um prédio impressionante de dois andares com fachada de mansão sulista. Dentro a decoração era de bom gosto e discreta, com luzes suaves e sussurros de cortinas claras.

Diane falou ao recepcionista:

— Eu tenho hora marcada com o Sr. Jones. Diane Stevens.

— Um momento.

O recepcionista falou num telefone, e instantes depois o gerente, um homem grisalho de rosto agradável, veio cumprimentar Diane.

— Eu sou Ron Jones. Nós conversamos pelo telefone. Sei como as coisas são difíceis num momento assim, Sra. Stevens, e o nosso trabalho é tirar o fardo de cima da senhora. Só diga o que quer e eu garantirei que seus desejos sejam cumpridos.

— Eu... eu nem sei o que pedir — disse Diane insegura.

Jones assentiu.

— Deixe-me explicar. Nossos serviços incluem um caixão, um serviço fúnebre para seus amigos, um lote num cemitério e o enterro. — Ele hesitou. — Pelo que li sobre a morte de seu marido nos jornais, Sra. Stevens, a senhora provavelmente vai querer o caixão fechado para o serviço fúnebre, de modo que...

— Não!

Jones olhou-a, surpreso.

— Mas...

— Eu quero aberto. Quero que Richard... possa ver todos os amigos, antes de... — Sua voz ficou no ar.

Jones olhava-a com simpatia.

— Sei. Então, se é que posso dar uma sugestão, nós temos um esteticista que faz um trabalho excelente onde... — ele falou com tato — ...for necessário. Tudo bem?

Richard odiaria isso, mas...

— Sim.

— Só mais uma coisa. Vamos precisar das roupas com as quais a senhora quer que seu marido seja enterrado.

Ela o encarou chocada.

— As... — Diane podia sentir as mãos frias de um estranho violando o corpo nu de Richard, e estremeceu.

— Sra. Stevens?

Eu mesma deveria vestir Richard. Mas não suportaria vê-lo como ele está. Quero lembrar...

— Sra. Stevens?

Diane engoliu em seco.

— Eu não tinha pensado... — Sua voz saiu estrangulada. — Desculpe. — Ela não podia continuar.

O homem a viu sair e sinalizar para um táxi.

QUANDO CHEGOU AO apartamento, Diane entrou no *closet* de Richard. Havia dois cabideiros cheios com seus ternos. Cada roupa guardava uma lembrança querida. Havia o terno castanho que Richard usou na noite em que os dois se conheceram na galeria de arte. *Gosto das suas curvas. Elas têm a delicadeza de um Rossetti ou de um Manet.* Será que ela poderia abrir mão daquele terno? Não.

Seus dedos tocaram o próximo. Era o paletó esporte cinza-claro que Richard tinha usado no piquenique, quando foram surpreendidos pela chuva.

Na sua casa ou na minha?

Isto não é só uma transa de uma noite.

Eu sei.

Como poderia não guardá-lo?

O próximo era o de risca-de-giz.

Você gosta de comida francesa. Eu conheço um restaurante francês ótimo.

O *blazer* azul-marinho... o paletó de veludo cotelê... Diane se envolveu com as mangas de um terno azul e o abraçou. *Eu nunca poderia me afastar de nenhum desses.* Cada um era uma lembrança querida.

— Não posso.

Soluçando, pegou um terno ao acaso e saiu correndo.

Na tarde seguinte havia um recado na secretária eletrônica de Diane: "Sra. Stevens, aqui é o detetive Greenburg. Queria dizer que tudo foi resolvido. Falei com a Funerária Dalton. A senhora pode ir em frente com seus planos... Houve uma ligeira pausa. Espero que fique bem... Até logo."

Diane ligou para Ron Jones na funerária.

— Eu soube que o corpo do meu marido chegou aí.

— Sim, Sra. Stevens. Já tenho alguém cuidando da parte cosmética, e recebemos as roupas que a senhora mandou. Obrigado.

— Eu pensei... será que o enterro pode ser na próxima sexta-feira?

— Sexta está ótimo. Até então teremos cuidado de todos os detalhes necessários. Eu sugeriria às onze da manhã.

Em três dias Richard e eu estaremos separados para sempre. Ou até eu me juntar a ele.

NA MANHÃ DE QUINTA-FEIRA Diane estava ocupada com os últimos detalhes do enterro, verificando a longa lista de convidados e os que iriam carregar o caixão, quando o telefone tocou.

— Sra. Stevens?

— Sim.

— Aqui é Ron Jones. Só queria lhe dizer que recebi seu comunicado e a mudança foi feita, como a senhora pediu.

Diane ficou perplexa.

— Comunicado...?

— Sim. O mensageiro o trouxe ontem, com sua carta.

— Eu não mandei nenhum...

— Francamente, fiquei meio surpreso, mas, claro, foi a sua decisão. Nós cremamos o corpo de seu marido há uma hora.

Capítulo 6

PARIS

KELLY HARRIS ERA um foguete que havia explodido no mundo da moda. Uma afro-americana perto dos trinta anos, pele cor de mel e um rosto que era o sonho de todo fotógrafo. Olhos castanhos suaves e inteligentes, lábios cheios e sensuais, pernas longas e lindas e um corpo cheio de promessas eróticas. Seu cabelo escuro era cortado curto, num desalinho deliberado, com alguns fios se esparramando na testa. No início daquele ano os leitores da *Elle* e da *Mademoiselle* tinham votado em Kelly como a Modelo Mais Linda do Mundo.

Quando terminou de se vestir, Kelly olhou a cobertura ao redor, como sempre, com deslumbre. O apartamento era espetacular. Ficava na exclusiva *rue* St. Louis en L'île, no Quarto *Arrondissement* de Paris. A entrada era uma porta dupla que dava num *hall* elegante com teto alto e lambri amarelo-claro, e a sala de estar era mobiliada com uma mistura eclética de móveis franceses e Régence. Do terraço, sobre o Sena, dava para ver a Notre-Dame.

Kelly estava ansiosa pelo próximo fim de semana. Seu marido iria levá-la para uma de suas surpresas.

Quero você linda, meu amor. Você vai adorar o lugar para onde vamos.

Kelly sorriu consigo mesma. Mark era o homem mais maravilhoso do mundo. Olhou o relógio de pulso e suspirou. *É melhor eu me mexer*, pensou. *O desfile começa em meia hora.* Alguns instantes depois saiu do apartamento e seguiu pelo corredor até o elevador. Nesse momento a porta de um apartamento vizinho se abriu e *Madame* Josette Lapointe saiu. Era uma mulher pequenina e gorducha, e sempre tinha uma palavra amigável para Kelly.

— Boa tarde, *Madame* Harris.

Kelly sorriu.

— Boa tarde, *Madame* Lapointe.

— Você está linda, como sempre.

— Obrigada. — Kelly apertou o botão do elevador.

A três metros dali, um homem corpulento, com roupas de trabalho, estava ajustando uma luminária de parede. Olhou para as duas mulheres, depois virou rapidamente a cabeça.

— Como vai o trabalho de modelo? — perguntou *Madame* Lapointe.

— Muito bem, obrigada.

— Preciso ver você num desfile uma hora dessas.

— Eu posso dar um jeito, quando a senhora quiser.

O elevador chegou, e Kelly e *Madame* Lapointe entraram. O homem com roupas de trabalho pegou um pequeno *walkie-talkie*, falou apressadamente e se afastou depressa.

Quando a porta do elevador começou a se fechar, Kelly ouviu o telefone tocando em seu apartamento. Hesitou. Estava com pressa, mas poderia ser Mark.

— Pode ir descendo — disse a *Madame* Lapointe.

Kelly saiu do elevador, procurou a chave, achou e entrou correndo no apartamento. Disparou até o telefone e atendeu.

— Mark?

Uma voz estranha falou:

— Nanette?

Kelly ficou desapontada.

— *Nous ne connaissons pas de personne qui répond à ce nom.*

— *Pardonnez-moi. C'est um erreur de téléphone.*

Número errado. Kelly desligou o telefone. Ao fazer isso houve um estrondo tremendo que abalou todo o prédio. Num instante houve um tumulto de vozes e gritos. Horrorizada, ela correu para o corredor para ver o que tinha acontecido. Os sons vinham de baixo. Desceu correndo a escada, e quando chegou à portaria, escutou vozes gritando agitadas no porão.

Apreensiva, desceu a escada até o porão e ficou parada, em choque, ao ver o elevador despedaçado e o corpo horrivelmente mutilado de *Madame* Lapointe. Sentiu que ia desmaiar. *Coitada. Há um minuto estava viva, e agora... E eu poderia estar ali com ela. Se não fosse aquele telefonema...*

Havia um bocado de gente em volta do elevador, e sirenes foram ouvidas à distância. *Eu deveria ficar*, pensou Kelly, *mas não posso. Tenho de ir.* Ela olhou para o corpo e sussurrou:

— Sinto muitíssimo, *Madame* Lapointe.

QUANDO KELLY CHEGOU ao salão de moda e entrou pela porta de serviço, Pierre, o nervoso coordenador de desfiles, estava esperando.

Ele agarrou-a.

— Kelly! Kelly! Você está atrasada! O desfile já começou e...

— Desculpe, Pierre. Houve... houve um acidente horrível.

Ele olhou-a, alarmado.

— Você está machucada?

— Não. — Kelly fechou os olhos um momento. A idéia de trabalhar depois do que tinha testemunhado era nauseante, mas não tinha opção. Era a estrela do desfile.

— Depressa! — disse Pierre. — *Vite*!

Kelly foi em direção ao camarim.

O DESFILE MAIS IMPORTANTE do ano estava acontecendo no salão original da Chanel, na *rue* Cambon, 31. Os *paparazzi* estavam nas primeiras filas. Todos os lugares estavam ocupados, com o fundo da sala cheio de gente em pé, ansiosa para ter os primeiros vislumbres das roupas da nova estação. O salão fora decorado com flores e tecidos drapeados, mas ninguém estava prestando atenção ao cenário. As verdadeiras atrações estavam na passarela comprida — um rio de cores, beleza e estilo em movimento. Ao fundo, música com um ritmo lento, sensual, acentuando os movimentos na passarela.

Enquanto deslizavam de um lado para o outro, as lindas modelos eram acompanhadas por uma voz no sistema de som, que fazia um comentário sobre as roupas.

Uma morena asiática começou a andar pela passarela.

— ...paletó de lã de seda com pespontos, calças de crepe *georgette* e blusa branca...

Uma loura esguia ondulava pela passarela.

— ...está usando blusa de gola rulê de caxemira preta com calças *cargo* de algodão branco...

Uma ruiva cheia de atitude apareceu.

— ...jaqueta de couro preta e calça de xantungue preta com blusa de tricô branca...

Uma modelo francesa:

— ...paletó de lã, calça de cetim azul-marinho e uma blusa *charmeuse* lilás...

E então o momento que todo mundo esperava. A modelo sueca tinha saído e a passarela estava deserta. A voz no alto-falante disse:

— E agora que chegou a estação quente, temos o prazer de mostrar nossa nova linha de moda de praia.

Houve um crescendo de antecipação, e então Kelly Harris apareceu deslumbrante. Usava um biquíni branco, um sutiã que mal cobria os seios jovens e firmes e com a parte de baixo grudada no corpo. Enquanto flutuava sensual pela passarela, o efeito era hipnotizante. Houve uma onda de aplausos. Kelly deu um leve sorriso de agradecimento, circulou pela passarela e desapareceu.

Nos bastidores, dois homens esperavam por ela.

— Sra. Harris, poderia nos dar um momento...?

— Desculpe — disse Kelly. — Eu tenho uma troca rápida. — E começou a se afastar.

— Espere! Sra. Harris! Somos da Polícia Judiciária. Sou o inspetor chefe Dune e este é o inspetor Steunou. Precisamos falar.

Kelly parou.

— Polícia? Falar o quê?

— Você é a Sra. Harris, não é?

— Sou. — Ela ficou apreensiva.

— Então sinto muito informar que... que seu marido morreu ontem à noite.

A boca de Kelly ficou seca.

— Meu marido...? Como...?

— Parece que cometeu suicídio.

Havia um estrondo nos ouvidos de Kelly. Ela mal podia entender o que o inspetor chefe estava dizendo.

— ...torre Eiffel... meia-noite... bilhete... muito lamentável... a mais profunda simpatia.

As palavras não eram reais. Eram pedaços de som sem sentido.

— *Madame...*

Neste fim de semana quero você linda, meu amor. Você vai adorar o lugar para onde vamos.

— Há algum engano. Mark não iria...

— Sinto muito. — O inspetor chefe estava olhando Kelly atentamente. — A senhora está bem, *madame*?

— Estou. — *Só que minha vida acabou.*

Pierre veio correndo até Kelly, trazendo um lindo biquíni listrado.

— *Chérie*, você precisa se trocar depressa. Não há tempo a perder. — E jogou o biquíni nos braços dela. — *Vite! Vite!*

Kelly deixou-o cair lentamente no chão.

— Pierre?

Ele estava olhando-a, surpreso.

— Sim?

— Vista você.

UMA LIMUSINE LEVOU Kelly de volta ao apartamento. O gerente da *maison* quis mandar alguém para ficar com ela, mas Kelly recusou. Agora, enquanto passava pela porta, viu o encarregado do prédio, Philippe Cendre, e um homem de macacão, rodeados por um grupo de moradores.

Uma moradora disse:

— Pobre *Madame* Lapointe. Que acidente terrível!

O homem de macacão levantou as duas pontas de um cabo grosso.

— Não foi acidente, *madame*. Alguém cortou o freio de segurança do elevador.

Capítulo 7

ÀS QUATRO DA MADRUGADA Kelly estava sentada numa poltrona, olhando atordoada pela janela, ouvindo uma babel de vozes. *Polícia Judiciária... precisamos conversar... torre Eiffel... bilhete de suicídio... Mark está morto... Mark está morto.* As palavras se tornaram um hino fúnebre pulsando no cérebro de Kelly.

Em sua mente o corpo de Mark estava caindo, caindo, caindo... Estendeu os braços para pegá-lo antes que ele se chocasse de novo com a calçada. *Você morreu por minha causa? Foi alguma coisa que eu fiz? Alguma coisa que eu não fiz? Alguma coisa que eu disse? Alguma coisa que eu não disse? Eu estava dormindo quando você partiu, querido, e não tive a chance de dizer adeus, de beijar você e dizer o quanto eu o amo. Preciso de você. Não posso suportar a vida sem você. Me ajude, Mark. Me ajude. Como você sempre ajudou...* Ela se recostou, lembrando-se de como tinha sido antes de Mark, nos terríveis primeiros tempos...

KELLY NASCERA na Filadélfia, filha natural de Ethel Hackworth, uma empregada negra que trabalhava para uma das famílias brancas mais importantes da cidade. O pai era juiz. Ethel tinha 17 anos e era linda, e Pete, o rapaz de 20 anos, belo, louro, filho da família Turner, sentiu-se atraído por ela. Seduziu-a, e um mês depois, Ethel soube que estava grávida.

Quando contou a Pete, ele disse:

— Isso... isso é maravilhoso. — E correu para o escritório do pai, para dar a má notícia.

O juiz Turner chamou Ethel ao seu escritório na manhã seguinte e disse:

— Não quero uma puta trabalhando nesta casa. Você está despedida.

Sem dinheiro, sem formação e sem habilidades profissionais, Ethel se empregou como faxineira num prédio industrial, trabalhando horas para sustentar a filha recém-nascida. Em cinco anos tinha economizado dinheiro suficiente para comprar uma casa velha, de tábuas, que transformou numa pensão para homens. Converteu os cômodos numa sala de estar, sala de jantar, quatro quartos pequenos e um pequeno cômodo conversível onde Kelly dormia.

A partir dessa época, uma série de homens viviam chegando e partindo.

— Eles são seus tios — dizia Ethel. — Não os incomode.

Kelly ficou satisfeita por ter uma família tão grande, até ter idade suficiente para saber que todos eram estranhos.

Quando tinha oito anos estava dormindo uma noite em seu pequeno quarto escuro quando foi acordada por um sussurro gutural.

— Shhh! Não faça barulho.

Kelly sentiu a camisola sendo levantada, e, antes que pudesse protestar, um dos seus "tios" estava em cima dela, com a mão em sua boca. Kelly pôde senti-lo abrindo suas pernas à força. Tentou lutar, mas ele segurou-a. Ela sentiu o membro do sujeito rasgando seu corpo e se encheu de uma dor excruciante. Ele foi implacável, penetrando com força, indo cada vez mais fundo, esfregando sua pele até machucar. Kelly podia sentir o sangue quente jorrando. Estava gritando em silêncio, com medo de desmaiar. Estava presa na escuridão aterrorizante do quarto.

Finalmente, depois do que pareceu uma eternidade, sentiu-o estremecer e depois recuar.

Ele sussurrou:

— Eu vou embora. Mas se algum dia você contar isso à sua mãe eu volto e mato ela. — E saiu.

A semana seguinte foi quase insuportável. Ela sofria o tempo todo, mas tratou do corpo lacerado do melhor modo possível, até que a dor foi passando. Queria contar à mãe o que havia acontecido, mas não ousava. *Se algum dia você contar à sua mãe, eu volto e mato ela.*

O incidente durou apenas alguns minutos, mas aqueles poucos minutos mudaram a vida de Kelly. Ela se transformou, de uma menininha que tinha sonhado em ter marido e filhos, em alguém que se sentia manchada e desgraçada. Resolveu que nunca mais deixaria um homem tocá-la. Outra coisa havia mudado em Kelly.

A partir daquela noite, ficou com medo de escuro.

Capítulo 8

QUANDO KELLY FEZ dez anos, Ethel colocou-a para trabalhar, ajudando na pensão. Kelly acordava às cinco da manhã para limpar os banheiros, lavar o chão da cozinha e ajudar a preparar o café da manhã para os inquilinos. Depois da escola lavava a roupa, passava pano no chão, varria e ajudava com o jantar. Sua vida se tornou uma rotina pavorosa, cheia de tédio.

Era ansiosa por ajudar a mãe, esperando uma palavra de elogio. Mas nunca havia. Sua mãe estava preocupada demais com os pensionistas para prestar atenção à filha.

Quando Kelly era bem pequena, um morador gentil leu para ela a história de *Alice no País das Maravilhas*, e Kelly ficou fascinada pelo modo como Alice escapou para uma toca de coelho mágica. *É disso que eu preciso*, pensava, *um modo de escapar. Não posso passar o resto da vida lavando banheiro, passando pano no chão e limpando a sujeira de estranhos.*

E um dia Kelly achou a toca de coelho mágica. Era a sua imaginação, que a levava a qualquer lugar aonde quisesse ir. Reescreveu sua vida...

Tinha um pai, e sua mãe e seu pai eram da mesma cor. Nunca ficavam com raiva nem gritavam com ela. Todos moravam numa casa linda.

A mãe e o pai a amavam. A mãe e o pai a amavam. A mãe e o pai a amavam...

QUANDO KELLY ESTAVA com quatorze anos sua mãe se casou com um dos pensionistas, um *barman* chamado Dan Berke, um sujeito carrancudo, de meia-idade, que sempre reclamava de tudo. Kelly não conseguia fazer nada que o agradasse.

— O jantar está péssimo...

— A cor desse vestido não combina com você...

— O abajur do quarto ainda está quebrado. Eu disse para você consertar...

— Você não terminou de limpar os banheiros...

O padrasto de Kelly era alcoólatra. A parede entre o quarto de Kelly e o da mãe e do padrasto era fina, e noite após noite a menina podia ouvir os sons de socos e gritos. De manhã Ethel aparecia usando maquiagem pesada que não conseguia cobrir os hematomas e os olhos roxos.

Kelly ficava arrasada. *A gente deveria sair daqui*, pensava. *Minha mãe e eu nos amamos.*

Uma noite, quando estava semi-acordada, escutou vozes altas no quarto ao lado.

— Por que você não se livrou da criança antes de ela nascer?

— Eu tentei, Dan. Não deu certo.

Kelly sentiu como se tivesse levado um chute na barriga. Sua mãe nunca a desejara. Ninguém a queria.

ACHOU OUTRA FUGA do pavor interminável da vida: o mundo dos livros. Tornou-se uma leitora insaciável, e passava todo o tempo que podia na biblioteca pública.

No fim da semana nunca sobrava dinheiro para Kelly, e ela arranjou trabalho como babá, invejando as famílias felizes que jamais teria.

AOS DEZESSETE ANOS ESTAVA se transformando na beldade que sua mãe já fora. Os garotos da escola começaram a convidá-la para sair. Ela sentia repulsa. Recusava todos.

Aos sábados, quando não havia aula e suas tarefas terminavam, ela corria até a biblioteca pública e passava a tarde lendo.

A Sra. Lisa Marie Houston, a bibliotecária, era uma mulher inteligente e simpática de modos calmos e amigáveis e cujas roupas eram tão despretensiosas quanto sua personalidade. Vendo Kelly com tanta freqüência na biblioteca, a Sra. Houston ficou curiosa.

Um dia falou:

— É bom ver uma pessoa jovem que gosta tanto de ler. Você passa muito tempo aqui.

Foi o passo inicial de uma amizade. À medida que as semanas se passavam, Kelly expôs seus medos, esperanças e sonhos para a bibliotecária.

— O que você gostaria de fazer da vida, Kelly?

— Ser professora.

— Acho que você seria uma professora maravilhosa. É a profissão mais recompensadora do mundo.

Kelly começou a falar, e parou. Estava se lembrando da conversa no café da manhã com a mãe e o padrasto há uma semana. Kelly tinha dito:

— *Eu preciso fazer faculdade. Quero ser professora.*

— *Professora?— Berke riu. — Que idéia idiota! Os professores não ganham chongas. Está me ouvindo? Chongas. Você pode ganhar mais varrendo o chão. De qualquer modo, sua velha e eu não temos dinheiro para mandar você para a faculdade.*

— *Mas me ofereceram uma bolsa, e...*

— *E daí? Você vai passar quatro anos desperdiçando o tempo. Esqueça. Com sua aparência, você poderia vender o rabo.*

Kelly tinha saído da mesa.

Agora disse à Sra. Houston:

— Há um problema. Eles não me deixam ir para a faculdade. — Sua voz estava embargada. — Eu vou passar o resto da vida fazendo o que faço agora!

— Claro que não. — O tom de voz da Sra. Houston era firme. — Quantos anos você tem?

— Faltam três meses para fazer dezoito.

— Logo você vai ter idade para tomar suas decisões. Você é uma jovem linda, Kelly. Sabe disso?

— Não. Na verdade, não. — *Como é que eu vou dizer a ela que me sinto um monstro? Não me sinto bonita.* — Eu odeio minha vida, Sra. Houston. Não quero ser como... quero ir embora desta cidade. Quero alguma coisa diferente, e nunca vou ter. — Estava se esforçando para controlar as emoções. — Nunca terei a chance de fazer alguma coisa, de ser alguém.

— Kelly...

— Eu nunca deveria ter lido todos aqueles livros. — Sua voz estava amarga.

— Por quê?

— Porque eles estão cheios de mentiras. Todas aquelas pessoas lindas, lugares chiques e mágicos... — Kelly balançou a cabeça. — Não existe magia.

A Sra. Houston examinou-a um momento. Era óbvio que a auto-estima de Kelly tinha sido tremendamente prejudicada.

— Kelly, *existe* magia, mas você tem de ser o mágico. Você tem de fazer a magia acontecer.

— Verdade? — O tom de Kelly era cínico. — Como eu faço isso?

— Primeiro nós precisamos saber quais são os nossos sonhos. Os seus são de uma vida cheia de empolgação, de gente interessante e lugares chiques. Na próxima vez em que você vier aqui, vou lhe mostrar como realizar seus sonhos.

Mentirosa.

NA SEMANA DEPOIS de ter se formado, Kelly voltou à biblioteca. A Sra. Houston disse:

— Kelly, você se lembra do que eu falei sobre fazer sua própria magia?

— Lembro — disse Kelly cheia de ceticismo.

A Sra. Houston enfiou a mão embaixo da mesa e pegou um punhado de revistas: *COSMOgirl, Seventeen, Glamour, Mademoiselle, Essence, Allure*... e lhe entregou.

Kelly olhou as revistas.

— O que eu devo fazer com isso?

— Você já pensou em ser modelo?

— Não.

— Olhe essas revistas. Então diga se elas lhe dão alguma idéia que possam trazer magia para a sua vida.

Ela está bem-intencionada, pensou Kelly, *mas não entende.*

— Obrigada, Sra. Houston, eu vou olhar.

Semana que vem vou começar a procurar emprego.

KELLY LEVOU AS revistas para a pensão, enfiou-as num canto e se esqueceu delas. Passou a tarde fazendo suas tarefas.

Quando começou a se preparar para dormir naquela noite, exausta, lembrou-se das revistas que a Sra. Houston tinha lhe dado. Pegou algumas, por curiosidade, e começou a folhear. Era outro mundo. As modelos se vestiam lindamente e tinham ao lado homens bonitos, elegantes, em Londres, Paris e lugares exóticos de todo o mundo. Kelly sentiu um súbito desejo. Colocou rapidamente um roupão e foi pelo corredor até o banheiro.

Examinou-se no espelho. Achou que talvez fosse bonita. Todo mundo dizia que ela era. *Mesmo que seja verdade, eu não tenho experiência.* Pensou no futuro em Filadélfia e olhou de novo para o espelho. *Todo mundo tem de começar em algum lugar. Você tem de ser o mágico, fazer sua própria magia.*

NA MANHÃ SEGUINTE, bem cedo, estava na biblioteca para falar com a Sra. Houston.

A Sra. Houston ergueu a cabeça, surpresa ao vê-la tão cedo.

— Bom dia, Kelly. Viu as revistas?

— Vi. — Kelly respirou fundo. — Gostaria de tentar ser modelo. O problema é que não tenho idéia de por onde começar.

A Sra. Houston sorriu.

— Eu tenho. Olhei a lista telefônica de Nova York. Você disse que queria sair desta cidade? — A Sra. Houston pegou na bolsa um papel datilografado e entregou a Kelly. — Esta é uma lista das doze principais agências de modelos em Manhattan, com endereço e telefone. — Ela apertou a mão de Kelly. — Comece por cima.

Kelly ficou pasma.

— Eu... eu não sei como agradecer...

— Eu lhe digo como. Deixe que eu veja sua foto nessas revistas.

DURANTE O JANTAR naquela noite, Kelly disse:

— Decidi que vou ser modelo.

Seu padrasto grunhiu.

— É a idéia mais estúpida que você teve até hoje. Qual é o seu problema? Todas as modelos são putas.

A mãe de Kelly suspirou.

— Kelly, não cometa o mesmo erro que eu. Eu também tive sonhos falsos. Eles vão matar você. Você é negra e pobre. Não vai chegar a lugar nenhum.

E foi nesse momento que Kelly tomou sua decisão.

ÀS CINCO HORAS da manhã seguinte Kelly arrumou a mala e foi para a estação rodoviária. Na bolsa havia duzentos dólares que tinha ganho trabalhando como babá.

A viagem de ônibus até Manhattan demorou duas horas, e Kelly passou esse tempo fantasiando sobre o futuro. Iria se tornar modelo profissional. "Kelly Hackworth" não parecia um nome profissional. *Sei o que vou fazer. Só vou usar o primeiro nome.* Ficou repetindo-o na mente. *E esta é nossa top model, Kelly.*

HOSPEDOU-SE NUM hotel barato e às nove horas passou pela porta da agência de modelos que estava no topo da lista que a Sra. Houston tinha lhe dado. Kelly estava sem maquiagem e usava um vestido amarrotado, porque não tinha como passar as roupas.

Não havia ninguém na recepção. Ela se aproximou de um homem sentado numa sala, trabalhando atrás de uma mesa.

— Com licença — disse Kelly.

O homem grunhiu alguma coisa sem levantar a cabeça.

Kelly hesitou.

— Eu queria saber se vocês precisam de uma modelo.

— Não — disse o homem. — Não estamos contratando.

Kelly suspirou.

— Obrigada de qualquer modo. — E se virou para sair.

O homem ergueu os olhos, e sua expressão mudou.

— Espera! Espera um minuto. Volte aqui. — Ele se levantou de um salto. — Meu Deus. De onde é que você veio?

Kelly encarou-o, perplexa.

— Filadélfia.

— Quero dizer... não importa. Você já trabalhou como modelo?

— Não.

— Não faz mal. Você vai aprender aqui, no trabalho.

A garganta de Kelly ficou subitamente seca.

— Isso significa que eu... que eu vou ser modelo?

Ele riu.

— Vou dizer uma coisa: nós temos clientes que vão ficar malucos quando virem você.

Ela mal podia acreditar. Esta era a maior agência de modelos que existia, e eles...

— Meu nome é Bill Lerner. Eu dirijo esta agência. Qual é o seu nome?

Esse era o momento com o qual Kelly vinha sonhando. Era a primeira vez que usaria seu novo nome profissional, de apenas uma palavra.

Lerner estava encarando-a.

— Você não sabe o seu nome?

Kelly se empertigou totalmente e disse cheia de confiança:

— Claro que sei. Kelly Hackworth.

Capítulo 9

O SOM DO AVIÃO voando baixo trouxe um sorriso aos lábios de Lois Reynolds. *Gary.* Ele estava atrasado. Lois tinha se oferecido para ir ao aeroporto encontrá-lo, mas ele tinha dito:

— *Não se preocupe, mana. Eu pego um táxi.*

— *Mas, Gary, eu vou adorar...*

— *Vai ser melhor se você ficar em casa e me esperar lá.*

— *Como quiser, mano.*

O IRMÃO SEMPRE TINHA sido a pessoa mais importante da vida de Lois. Sua infância e adolescência em Kelowna foram um pesadelo. Desde pequena sentia que o mundo estava contra ela: as revistas chiques, as modelos, as estrelas de cinema — e só porque ela era uma baixinha gorducha. Onde estava escrito que as garotas peitudas não podiam ser tão lindas quanto as esguias, magricelas? Lois Reynolds estudava constantemente seu reflexo no espelho. Tinha cabelos louros compridos, olhos azuis, feições pálidas e delicadas, e o que ela considerava um corpo agradavelmente rechonchudo. *Os homens podem andar por aí com a barriga de cerveja caindo em cima da calça e ninguém diz nada. Mas basta uma mulher ganhar uns quilinhos e vira objeto de escárnio. Que imbecil tem o direito de decidir que o corpo feminino ideal deve medir 90-65-90?*

Desde que conseguia se lembrar, os colegas de escola zombavam dela pelas costas — "bundona", "baleia", "leitoa". As palavras doíam fundo. Mas Gary sempre estivera ali para defendê-la.

Quando Lois se formou na Universidade de Toronto, estava farta das zombarias. *Se o Sr. Maravilhoso estiver procurando uma mulher de verdade, eu estou aqui.*

E UM DIA, inesperadamente, o Sr. Maravilhoso apareceu. Seu nome era Henry Lawson. Conheceram-se numa reunião social na igreja, e Lois se sentiu imediatamente atraída por ele. Era alto, magro e louro, com um rosto que sempre parecia pronto a sorrir e uma disposição que combinava com isso. Seu pai era o pastor. Lois passou a maior parte do tempo da festa com Henry, e enquanto conversavam soube que ele era dono de um bem-sucedido viveiro de plantas e amante da natureza.

— Se você não estiver ocupada amanhã de noite — disse ele — gostaria de levá-la para jantar.

Lois não hesitou.

— Sim, obrigada.

Henry Lawson levou-a ao Sassafraz, um dos melhores restaurantes de Toronto. O menu era hipnotizante, mas Lois pediu um prato leve porque não queria que Henry pensasse que ela era uma *gourmand*.

Henry notou que Lois estava comendo apenas uma salada, e disse:

— Isso não é suficiente para você.

— Eu estou tentando perder peso — mentiu Lois.

Ele pôs a mão sobre a dela.

— Eu não quero que você perca peso, Lois. Quero que continue como é.

Ela sentiu um arrepio súbito. Era o primeiro homem que lhe dizia isso.

— Vou pedir bife, batatas e uma salada César para você — disse Henry.

Era maravilhoso finalmente encontrar um homem que entendia e aprovava seu apetite.

AS SEMANAS SEGUINTES continuaram com uma série deliciosa de encontros. No fim de três semanas Henry disse:

— Eu amo você, Lois. Quero que seja minha mulher.

Palavras que ela pensava que nunca ouviria. Abraçou-o e disse:

— Também amo você, Henry. Quero ser sua mulher.

O CASAMENTO ACONTECEU na igreja do pai de Henry cinco dias depois. Gary e alguns amigos estavam lá, e foi uma bela cerimônia, oficiada pelo pai de Henry. Lois nunca havia se sentido tão feliz.

— Onde vocês vão passar a lua-de-mel? — perguntou o reverendo Lawson.

— No lago Louise — disse Henry. — É muito romântico.

— Perfeito para uma lua-de-mel.

Henry abraçou Lois.

— Espero que cada dia da nossa vida seja uma lua-de-mel.

Lois estava em êxtase.

IMEDIATAMENTE DEPOIS do casamento os dois partiram para o lago Louise. Era um oásis espetacular no Parque Nacional de Banff, no coração das Rochosas Canadenses.

Chegaram à tardinha com o sol brilhando sobre o lago.

Henry tomou Lois nos braços.

— Está com fome?

Ela o encarou e sorriu.

— Não.

— Nem eu. Por que não tiramos a roupa?

— Ah, sim, querido.

Dois minutos depois estavam na cama e Henry fazia um amor refinado com ela. Foi maravilhoso. Exaustivo. Empolgante.

— Ah, querido, eu amo tanto você.

— Eu também amo você, Lois. — Henry ficou de pé. — Agora devemos lutar contra o pecado da carne.

Lois o encarou, confusa.

— O quê?

— Fique de joelhos.

Ela riu.

— Você não está cansado, querido?

— Fique de joelhos.

Ela sorriu.

— Está bem.

Ela se ajoelhou e ficou olhando, perplexa, Henry tirar um cinto grande das calças. Ele foi até ela e, antes que Lois percebesse o que estava acontecendo, bateu o cinto com força em suas nádegas nuas.

Lois gritou e tentou se levantar.

— O que você está...?

Ele a empurrou para baixo.

— Eu lhe disse, querida. Nós precisamos lutar contra o pecado da carne. — Em seguida levantou o cinto e a golpeou de novo.

— Pára! Pára com isso!

— Fique aí. — A voz dele estava cheia de fervor.

Lois lutou para ficar de pé, mas Henry segurou-a com a mão forte e bateu de novo com o cinto.

Lois sentiu que seu traseiro tinha sido rasgado.

— Henry! Meu Deus! Pára com isso!

Por fim Henry se levantou e respirou fundo, estremecendo.

— Agora está tudo bem.

Para Lois era difícil se mexer. Podia sentir as feridas abertas soltando líquido. Conseguiu dolorosamente ficar de pé. Não podia falar. Só encarar horrorizada o marido.

— Sexo é pecado. Nós temos de lutar contra a tentação.

Ela balançou a cabeça, ainda sem fala, ainda não acreditando no que tinha acontecido.

— Pense em Adão e Eva, no início da queda da humanidade — continuou ele.

Lois começou a chorar, soluços enormes e embargados.

— Agora está tudo bem. — Ele tomou-a nos braços. — Está tudo bem. Eu amo você.

Lois respondeu insegura:

— Eu também, mas...

— Não se preocupe. Nós o dominamos.

O que significa que esta será a última vez que isso acontece, pensou Lois. *Provavelmente tem algo a ver com o fato de ele ser filho de pastor. Graças a Deus, acabou.*

Henry abraçou-a apertado.

— Eu amo você demais. Vamos sair para jantar.

NO RESTAURANTE, Lois mal conseguia se sentar. A dor era terrível, mas ela estava sem graça para pedir uma almofada.

— Eu faço o pedido — disse Henry. Escolheu uma salada para ele e uma refeição enorme para Lois. — Você precisa manter as forças, querida.

Durante o jantar Lois pensou no que tinha acontecido. Henry era o homem mais maravilhoso que ela conhecera. Estava pasma com aquele... *o que seria?*, pensou. Um *fetiche*? De qualquer modo, estava acabado. Ela podia pensar em passar o resto da vida cuidando daquele homem e sendo cuidada por ele.

Quando terminaram os pratos, Henry pediu uma sobremesa extra para Lois e disse:

— Eu gosto de mulher abundante.

Ela sorriu.

— Fico feliz por agradar a você.

Quando o jantar terminou, Henry falou:

— Vamos voltar para o quarto?

— Ótimo.

Quando voltaram ao quarto, despiram-se e Henry tomou Lois nos braços e a dor pareceu sumir. O amor foi doce e gentil, e ainda mais agradável do que antes.

Lois abraçou o marido e disse:

— Foi maravilhoso.

— É. Agora devemos expiar o pecado da carne. Fique de joelhos.

NO MEIO DA NOITE, quando Henry estava dormindo, Lois encheu uma mala de roupas em silêncio e fugiu. Pegou um avião para Vancouver e ligou para Gary. Durante o almoço contou o que tinha acontecido.

— Vou pedir o divórcio — disse ela. — Mas tenho de sair da cidade.

Gary pensou um momento.

— Eu tenho um amigo que é dono de uma agência de seguros, mana. É em Denver, a dois mil e quinhentos quilômetros daqui.

— Seria perfeito.

— Vou falar com ele.

DUAS SEMANAS DEPOIS Lois estava trabalhando na agência de seguros, num cargo de gerência.

Gary mantinha contato constante com Lois. Ela comprou um bangalô pequeno e charmoso com vista para as Rochosas, e de vez em quando seu irmão fazia uma visita. Passavam ótimos fins de semana juntos — esquiando, pescando ou simplesmente sentados no sofá, conversando.

— *Tenho muito orgulho de você, mana* — ele sempre dizia, e Lois também sentia orgulho das realizações de Gary. Ele conseguira um Ph.D. em ciência, estava trabalhando numa empresa internacional e pilotava aviões como *hobby*.

ENQUANTO LOIS estava pensando em Gary, ouviu uma batida na porta da frente. Ela olhou pela janela e reconheceu quem era. Tom Huebner, um piloto alto, de aparência rude, amigo de Gary.

Lois abriu a porta e Huebner entrou.

— Oi, Tom.

— Lois.

— Gary ainda não chegou. Acho que escutei o avião dele há pouco. Ele deve chegar a qualquer minuto. Gostaria de esperar ou...?

Tom estava encarando-a.

— Você não assistiu ao noticiário?

Lois balançou a cabeça.

— Não. O que está acontecendo? Espero que a gente não esteja entrando em outra guerra e...

— Lois, eu tenho más notícias. Muito más. — Sua voz estava tensa. — É sobre Gary.

Ela se enrijeceu.

— O que há com ele?

— Morreu num desastre de avião quando vinha para cá, visitar você. — Tom viu a luz sumir dos olhos dela. — Sinto muito. Eu sei o quanto vocês dois se amavam.

Lois tentou falar, mas estava sem fôlego.

— Como... como... como...?

Tom Huebner pegou sua mão e levou-a gentilmente até o sofá.

Lois sentou-se e respirou fundo.

— O que... o que aconteceu?

— O avião de Gary bateu numa montanha a alguns quilômetros de Denver.

Lois sentiu que ia desmaiar.

— Tom, eu gostaria de ficar sozinha.

Ele examinou-a, preocupado.

— Tem certeza, Lois? Eu poderia ficar e...

— Obrigada, mas, por favor, vá embora.

Tom Huebner ficou parado, indeciso, depois assentiu.

— Você tem o meu número. Ligue se precisar de mim.

Lois não o ouviu sair. Ficou ali sentada, em estado de choque. Era como se alguém tivesse dito que *ela* havia morrido. Sua mente começou a voltar para a infância dos dois. Gary sempre fora seu protetor, brigando com os garotos que zombavam dela e, à medida que ficaram mais velhos, acompanhando-a a jogos de beisebol, filmes e festas. A última vez em que tinha se encontrado com ele fora há uma semana, e ela reviu a cena na mente, desenrolando-se como um filme borrado pelas lágrimas.

Os dois estavam sentados à mesa da sala de jantar.

— Você não está comendo, Gary.

— Está delicioso, mana. Eu não estou com muita fome.

Ela o observou um momento.

— Algum problema?

— Você sempre sabe, não é?

— Tem alguma coisa a ver com seu trabalho.

— É. — Ele empurrou o prato para longe. — Acho que minha vida está em perigo.

Lois o encarou espantada.

— *O quê?*

— Mana, apenas meia dúzia de pessoas no mundo sabem o que está acontecendo. Na segunda-feira eu vou voltar para cá, para passar a noite. Na manhã de terça vou para Washington.

Lois ficou perplexa.

— Por que Washington?

— Para contar a eles sobre o Prima.

E Gary explicou.

AGORA GARY ESTAVA morto. *Acho que minha vida está em perigo*. Seu irmão não morrera num acidente. Fora assassinado.

Lois olhou para o relógio. Agora era tarde demais para fazer alguma coisa, mas de manhã daria o telefonema que vingaria o assassinato do irmão. Ia terminar o que Gary planejava fazer. Sentiu-se subitamente exausta. Foi necessário um esforço para se levantar do sofá. Não tinha jantado, mas pensar em comida deixou-a nauseada.

Foi para o quarto e caiu na cama, exausta demais para se despir. Ficou ali, atordoada, até finalmente adormecer.

SONHOU QUE ELA e Gary estavam num trem em alta velocidade e que todos os passageiros do vagão fumavam. Estava ficando quente, e a fumaça a fez tossir. Sua tosse a acordou, e ela abriu os olhos. Olhou em volta, chocada. O quarto estava pegando fogo, as chamas subindo pelas cortinas, o quarto cheio de fumaça. Saiu da cama cambaleando, engasgada. Tentando prender o fôlego, foi para a sala. Todo o cômodo estava engolfado em chamas e fumaça densa. Deu meia dúzia de passos em direção à porta, sentiu as pernas cederem e caiu no chão.

A última coisa de que Lois Reynolds se lembrou foi das chamas lambendo tudo e vindo em sua direção.

Capítulo 10

PARA KELLY, TUDO estava acontecendo num ritmo atordoante. Aprendeu rapidamente os aspectos mais importantes da profissão de modelo: a agência tinha arranjado cursos sobre projeção de imagem, postura e caminhada. Boa parte do trabalho de modelo consistia em atitude, e para Kelly isso significava representar, porque não se sentia bonita nem desejável.

A expressão "sensação instantânea" poderia ter sido inventada para Kelly. Ela projetava não somente uma imagem empolgante e provocadora, mas também um ar de intocabilidade que era um desafio para os homens. Em dois anos Kelly tinha subido ao degrau mais alto das modelos. Boa parte de seu tempo era passado em Paris, onde ficavam alguns dos clientes mais importantes da agência.

Uma vez, depois de um desfile em Nova York, Kelly foi ver a mãe antes de voltar a Paris. Ela parecia mais velha e mais acabada. *Tenho de tirá-la daqui*, pensou Kelly. *Vou comprar um bom apartamento para ela, e cuidar dela.*

Sua mãe pareceu satisfeita em vê-la.

— Fico feliz por você estar se saindo tão bem, Kelly. Obrigada pelos cheques de todo mês.

— De nada. Mamãe, há uma coisa que eu quero falar com você. Eu já fiz um plano. Quero que você saia daqui...

— Olha só quem veio fazer uma visita, é sua alteza. — O padrasto tinha acabado de entrar. — O que está fazendo aqui? Não deveria estar desfilando por aí vestindo roupas elegantes?

Terei de fazer isso outra hora, pensou Kelly.

Tinha mais uma visita a fazer. Foi à biblioteca pública onde havia passado tantas horas maravilhosas, e quando entrou segurando meia dúzia de revistas sua mente estava dançando com lembranças.

A Sra. Houston não estava à sua mesa. Kelly entrou e a viu parada num dos corredores entre as estantes, parecendo radiante num vestido justo, feito sob medida, colocando livros numa prateleira.

Quando ouviu a porta se abrir, a Sra. Houston falou:

— Já estou indo num instante. — E se virou. — Kelly! — Foi quase um grito. — Ah, Kelly.

As duas correram uma para a outra e se abraçaram.

A Sra. Houston recuou e olhou para Kelly.

— Não acredito que é você. O que está fazendo na cidade?

— Vim visitar mamãe, mas queria ver a senhora também.

— Tenho tanto orgulho de você! Você não faz idéia.

— Sra. Houston, lembra-se de quando eu perguntei como poderia lhe agradecer? A senhora disse que eu poderia agradecer deixando que visse minha foto numa revista de moda. Aqui. — E Kelly pôs a pilha de revistas de moda nos braços da Sra. Houston. Eram exemplares da *Elle*, *Cosmopolitan*, *Vanity Fair* e *Vogue*. Ela estava em todas as capas.

— São lindas. — A Sra. Houston estava rindo de orelha a orelha. — Quero mostrar uma coisa. — Ela foi atrás da mesa e pegou exemplares das mesmas revistas.

Kelly demorou um momento antes de falar.

— O que posso fazer para lhe agradecer? A senhora mudou minha vida.

— Não, Kelly. Você mudou sua vida. Eu só dei um empurrãozinho. E, Kelly...

— Sim?

— Graças a você eu passei a me ligar em moda.

COMO KELLY VALORIZAVA a privacidade, algumas vezes sua fama causava problemas. O ataque constante dos fotógrafos a irritava, e ela sentia uma espécie de fobia de ser abordada por desconhecidos. Gostava de ficar só...

Um dia, estava almoçando no Restaurant Le Cinq, no Hotel George V, quando um homem malvestido que ia passando parou para encará-la. Tinha a pele pálida e pouco saudável de quem ficava todo o tempo em lugares fechados. Estava com um exemplar da *Elle* aberta numa página de fotos de Kelly.

— Com licença — disse o estranho.

Kelly ergueu os olhos, chateada.

— Sim?

— Eu vi sua... eu li uma matéria sobre você, e diz que você nasceu em Filadélfia. — A voz dele foi ficando entusiasmada. — Eu também nasci lá, e quando vi suas fotos, achei que já a conhecia, e...

— Não conhece, e eu não gosto de estranhos me incomodando.

— Ah, desculpe. — Ele engoliu em seco. — Eu não queria... eu não sou estranho. Quero dizer... meu nome é Mark Harris, e trabalho no Kingsley International. Quando vi você aqui... pensei que talvez você não gostasse de almoçar sozinha e que nós dois poderíamos...

Kelly deu-lhe um olhar fulminante.

— Pensou errado. Agora gostaria de que você fosse embora.

Mark Harris estava gaguejando.

— Eu... eu não queria me intrometer. Só que... — Ele viu o olhar dela. — Vou indo.

Kelly o viu sair pela porta levando a revista. *Já vai tarde.*

KELLY TINHA ASSINADO um contrato para fazer uma semana de fotos para várias revistas de moda. No dia seguinte ao encontro com Mark

Harris, estava no camarim das modelos, vestindo-se, quando chegaram três dúzias de rosas. O cartão dizia: *Por favor, desculpe tê-la incomodado. Mark Harris.*

Kelly rasgou o cartão.

— Mande as flores para o hospital infantil.

Na manhã seguinte a camareira entrou de novo no camarim com um pacote.

— Um homem deixou isso para você, Kelly.

Era uma única orquídea. O cartão dizia: *Espero estar perdoado. Mark Harris.*

Kelly rasgou o cartão.

— Fique com a flor.

DEPOIS DISSO OS PRESENTES de Mark Harris vinham quase diariamente: um pequeno cesto de frutas, um anel que avalia o humor, um papai-noel de brinquedo. Kelly jogava tudo no cesto de lixo. O próximo presente foi diferente: era um lindo cachorrinho *poodle* com uma fita vermelha no pescoço e um cartão: *Esta é "Angel". Espero que você a ame tanto quanto eu. Mark Harris.*

Kelly ligou para Informações e pegou o número do Kingsley International Group. Quando a telefonista atendeu, ela perguntou:

— Mark Harris trabalha aí?

— *Oui, mademoiselle.*

— Posso falar com ele, por favor?

— Um momento.

Um minuto depois Kelly ouviu a voz familiar.

— Alô?

— Sr. Harris?

— Sim.

— Aqui é Kelly. Decidi aceitar seu convite para almoçar.

Houve um silêncio pasmo, e depois:

— Verdade? Isso... isso é maravilhoso.

Kelly podia sentir a empolgação na voz dele.

— No Laurent hoje, à uma hora?

— Vai ser fantástico. Muito obrigado. Eu...

— Eu faço a reserva. Adeus.

MARK HARRIS ESTAVA de pé, esperando junto a uma mesa no Laurent, quando Kelly entrou, carregando o cachorrinho.

O rosto de Mark se iluminou.

— Você... você veio. Eu não sabia se... e trouxe Angel.

— Trouxe. — Kelly enfiou o cachorro nos braços de Harris. — Ela pode almoçar com você — falou gelidamente e se virou para sair.

— Não entendo. Eu pensei...

— Bem, vou explicar pela última vez — disse Kelly rispidamente. — Quero que você pare de me incomodar. Entende isso?

O rosto de Mark Harris ficou de um vermelho vivo.

— Sim. Sim, claro. Desculpe. Eu não... eu não pretendia... eu só pensei... não sei o que... eu gostaria de explicar. Será que você poderia se sentar um momento?

Kelly começou a dizer "não", depois sentou-se, com um ar de desprezo no rosto.

— Sim?

Mark Harris respirou fundo.

— Eu realmente sinto muito. Não queria incomodá-la. Mandei aquelas coisas para me desculpar pela intromissão. Só queria uma chance de... quando vi sua foto, senti que conhecia você a vida inteira. E então, quando a vi pessoalmente, e você era ainda mais... — Ele estava gaguejando, totalmente sem graça. — Eu... eu deveria saber que alguém como você nunca iria se interessar por alguém como... eu... eu agi como um colegial estúpido. Estou muito sem jeito. É só que... não sabia como dizer como estava me sentindo, e... — Sua voz ficou no ar. Havia nele uma vulnerabilidade nua. — Eu não sou bom em... explicar meus sentimentos. Fui sozinho a vida toda. Ninguém nunca... quando eu tinha seis anos meus pais se divorciaram e houve uma batalha pela posse e guarda. Nenhum dos dois me queria.

Kelly estava olhando-o em silêncio. As palavras ressoavam em sua mente, trazendo de volta lembranças enterradas há muito.

Por que você não se livrou da criança antes de nascer?

Eu tentei. Não deu certo.

Ele continuou:

— Eu cresci em meia dúzia de lares adotivos, onde ninguém se incomodava...

Esses são seus tios. Não os incomode.

— Parece que eu não conseguia fazer nada certo.

O jantar está horrível... A cor desse vestido não combina com você... Você não terminou de limpar os banheiros...

— Eles queriam que eu largasse a escola para trabalhar numa garagem, mas eu... eu queria ser cientista. Eles diziam que eu era burro demais...

Kelly estava ficando cada vez mais envolvida no que ele dizia.

Eu quero ser modelo.

Todas as modelos são putas.

— Eu sonhava em ir para a faculdade, mas eles diziam que, para o tipo de trabalho que ia fazer, não precisava de faculdade.

Para que você precisa de faculdade? Com sua aparência, você pode vender o rabo...

— Quando ganhei uma bolsa para o MIT, meus pais adotivos disseram que eu provavelmente ia fracassar, e que ia acabar trabalhando na garagem...

Faculdade? Você vai desperdiçar quatro anos da vida...

Ouvir esse estranho era como ouvir uma narrativa de sua vida. Kelly ficou imóvel, profundamente tocada, com as mesmas emoções dolorosas do estranho sentado à sua frente.

— Quando terminei o MIT, fui trabalhar numa filial do Kingsley International Group em Paris. Mas estava muito solitário. — Houve uma pausa longa. — Em algum lugar, há muito tempo, li que a melhor coisa na vida era achar alguém para amar, alguém que amasse a gente... e acreditei.

Kelly ficou sentada, quieta.

Mark Harris continuou sem graça:

— Mas nunca achei essa pessoa e estava pronto para desistir. E então, naquele dia em que vi você... — Não pôde continuar.

Mark Harris se levantou, segurando Angel no colo.

— Estou morrendo de vergonha. Prometo nunca mais incomodar você. Adeus.

Kelly olhou-o começando a se afastar.

— Aonde você vai com a minha cachorrinha? — gritou.

Mark Harris se virou, confuso.

— Perdão?

— Angel é minha. Você me deu, não foi?

Mark ficou perplexo.

— É, mas você disse...

— Vou fazer um trato com você, Sr. Harris. Vou ficar com Angel, mas você terá direito a visitas.

Ele demorou um instante, e então seu sorriso iluminou o salão.

— Quer dizer que eu posso... você vai deixar que eu...?

E Kelly não podia imaginar que tinha acabado de se colocar como alvo para assassinato.

Capítulo 11

PARIS, FRANÇA

NA DELEGACIA DE POLÍCIA de Reuilly, na *rue* Hénard, no 12º *Arrondissement* de Paris, estava acontecendo um interrogatório. O superintendente da torre Eiffel estava sendo interrogado pelos detetives André Belmondo e Pierre Marais.

INVESTIGAÇÃO DO SUICÍDIO NA TORRE EIFFEL

Segunda, 6 de maio
10h
Depoente: René Pascal

BELMONDO: *Monsieur* Pascal, temos motivo para acreditar que Mark Harris, o homem que aparentemente caiu do deque de observação da torre Eiffel, foi assassinado.

PASCAL: Assassinado? Mas... disseram que foi um acidente e...

MARAIS: Ele não poderia ter caído por cima do parapeito por acidente. É alto demais.

BELMONDO: E nós descobrimos que a vítima não tinha tendências suicidas. De fato ele havia feito planos elaborados com a esposa para o fim de semana. Ela é Kelly, a modelo.

PASCAL: Sinto muito, senhores, mas não sei o que... por que fui trazido aqui?

MARAIS: Para nos ajudar a esclarecer algumas coisas. A que horas o restaurante fechou naquela noite?

PASCAL: Às dez horas. Por causa da tempestade o Jules Verne estava vazio, por isso eu decidi...

MARAIS: A que horas os elevadores foram fechados?

PASCAL: Geralmente eles funcionam até a meia-noite, mas naquela noite, como não havia turistas nem pessoas jantando, eu os fechei às dez horas.

BELMONDO: Inclusive o elevador para o deque de observação?

PASCAL: Sim, todos eles.

MARAIS: É possível alguém chegar ao deque de observação sem usar o elevador?

PASCAL: Não. Naquela noite tudo estava fechado. Não entendo do que isso se trata. Se...

BELMONDO: Vou lhe dizer do que se trata. *Monsieur* Harris foi jogado do deque de observação. Nós sabemos disso porque, quando examinamos o parapeito, vimos que a parte de cima foi arranhada, e o cimento entranhado nas solas dos sapatos dele combinava com o cimento raspado do parapeito. Se o andar estava fechado, e os elevadores não estavam funcionando, como ele chegou lá à meia-noite?

PASCAL: Não sei. Sem elevador seria... seria impossível.

MARAIS: Mas foi usado um elevador para levar *Monsieur* Harris à torre de observação, e para levar seu assassino — ou assassinos — e trazê-los de volta de novo.

BELMONDO: Um estranho poderia ligar os elevadores?

PASCAL: Não. Os ascensoristas nunca saem quando estão de serviço, e à noite os elevadores são trancados com uma chave especial.

MARAIS: Quantas chaves existem?
PASCAL: Três.
BELMONDO: Tem certeza de que o último elevador foi fechado às dez horas?
PASCAL: Tenho.
MARAIS: Quem estava trabalhando nele?
PASCAL: Toth. Gérard Toth.
MARAIS: Eu gostaria de falar com ele.
PASCAL: Eu também.
MARAIS: Perdão?
PASCAL: Toth não apareceu para trabalhar desde ontem à noite. Eu liguei para o apartamento dele. Ninguém atendeu. Consegui falar com o senhorio. Toth se mudou.
MARAIS: E não deixou o endereço novo?
PASCAL: Isso mesmo. Desapareceu no ar.

— "Desapareceu no ar?" Nós estamos falando do Grande Houdini ou de uma porra de ascensorista?

Quem falava era o secretário-geral Claude Renaud, encarregado do quartel-general da Interpol. Renaud era um homem baixo, dinâmico, de cinqüenta e poucos anos, que tinha subido na hierarquia da polícia durante um período de vinte anos.

Estava comandando um encontro na principal sala de reuniões do prédio de sete andares da Interpol, a polícia internacional que é a central de informação para 126 polícias de 78 países. O prédio ficava em St. Cloud, nove quilômetros e meio a oeste de Paris, e no quartel-general trabalhavam ex-detetives da Sûreté Nationale e da Préfecture de Paris.

Doze homens estavam sentados em volta da grande mesa de reuniões. Eles haviam interrogado o detetive Belmondo durante a última hora.

O secretário-geral Renaud falou irritado:

— Então você e o detetive Marais não conseguiram qualquer informação sobre como um homem foi assassinado numa área onde seria impossível ele estar, onde seus assassinos não poderiam chegar e de onde não podiam sair? É isso que você está me dizendo?

— Marais e eu falamos com todo mundo que...

— Não importa. Pode ir embora.

— Sim, senhor.

Eles ficaram olhando o detetive repreendido sair da sala.

O secretário-geral Renaud se voltou para o grupo.

— Durante suas investigações, algum de vocês já se deparou com um homem chamado Prima?

Eles ficaram pensando por um momento e depois sacudiram a cabeça.

— Não. Quem é Prima?

— Não sabemos. Seu nome estava rabiscado num bilhete encontrado no bolso da jaqueta de um homem morto em Nova York. Acreditamos que há ligação.

Ele suspirou.

— Senhores, nós temos aqui uma charada embrulhada num mistério dentro de um enigma. Nos quinze anos em que ocupo este cargo nós investigamos assassinos seriais, gangues internacionais, tumultos, parricídio e todo crime imaginável. — Ele fez uma pausa. — Mas em todos esses anos nunca encontrei algo assim. Vou mandar uma NOTIFICAÇÃO ao escritório de Nova York.

FRANK BIGLEY, O CHEFE dos detetives de Manhattan, estava lendo o documento mandado pelo secretário-geral Renaud, quando Earl Greenburg e Robert Praegitzer entraram em sua sala.

— Queria falar com a gente, chefe?

— Sim. Sentem-se.

Cada um ocupou uma cadeira.

O chefe Bigley levantou o documento.

— Isto é uma NOTIFICAÇÃO que a Interpol mandou hoje cedo. — Ele começou a ler. — Há seis anos um cientista japonês chamado Akira Iso cometeu suicídio enforcando-se em seu quarto de hotel em Tóquio. O Sr. Iso gozava de perfeita saúde, tinha acabado de receber uma promoção e, segundo disseram, estava muito animado.

— Japão? O que isso tem a ver com...?

— Deixe-me continuar. Há três anos Madeleine Smith, uma cientista suíça de 32 anos, abriu o gás em seu apartamento em Zurique e cometeu suicídio. Estava grávida e ia se casar com o pai do bebê. Amigos disseram que nunca a tinham visto mais feliz. — Ele ergueu os olhos para os dois detetives. — Nos últimos três dias: uma berlinense chamada Sonja Verbrugge se afogou na banheira. Na mesma noite Mark Harris, um americano, caiu do deque de observação da torre Eiffel. Um dia depois um canadense chamado Gary Reynolds bateu com seu Cessna numa montanha perto de Denver.

Greenburg e Praegitzer ouviam, cada vez mais perplexos.

— E ontem vocês dois encontraram o corpo de Richard Stevens na margem do East River.

Earl Greenburg encarava-o, pasmo.

— O que todos esses casos têm a ver conosco?

O chefe Bigley falou em voz baixa:

— Todos são o mesmo caso.

Greenburg continuava encarando-o.

— *O quê?* Vamos ver se eu entendi. Um japonês há seis anos, uma suíça há três anos e nos últimos dias uma alemã, um canadense e dois americanos. — Ele ficou quieto um momento. — Qual a conexão entre esses casos?

O chefe Bigley entregou a Greenburg a NOTIFICAÇÃO da Interpol Enquanto lia, os olhos de Greenburg se arregalaram. Ele ergueu os olhos e falou devagar:

— A Interpol acredita que uma empresa de projetos científicos, o Kingsley International Group, está por trás desses assassinatos? Isso é ridículo.

— Chefe — disse Praegitzer —, nós estamos falando da maior empresa de projetos científicos do mundo.

— Todas essas pessoas foram assassinadas, e todas tinham ligação com o KIG. A empresa é de propriedade de Tanner Kingsley. Ele é presidente e executivo-chefe do Kingsley International Group, chefe da Comissão Presidencial de Ciência, chefe do Instituto Nacional de Planejamento Avançado e do Departamento de Políticas de Defesa do Pentágono. Acho melhor você e Greenburg conversarem com o Sr. Kingsley.

Earl Greenburg engoliu em seco.

— Está bem.

— E Earl...

— Sim.

— Ande devagar e leve um porrete pequeno.

CINCO MINUTOS DEPOIS Earl Greenburg estava falando com a secretária de Tanner Kingsley. Quando terminou, virou-se para Praegitzer:

— Temos hora marcada para a terça-feira às dez da manhã. Neste momento o Sr. Kingsley está numa audiência de uma comissão do Congresso, em Washington.

NA AUDIÊNCIA COM a Comissão Especial do Senado para o Meio Ambiente, em Washington, D.C., um grupo de cinco senadores e três dúzias de espectadores e repórteres ouviam atentamente o testemunho de Tanner Kingsley.

Tanner Kingsley tinha quarenta e poucos anos, era alto e bonito, com olhos azul-escuros que irradiavam inteligência. Tinha um nariz romano, queixo forte e perfil que poderia estar cunhado numa moeda.

A chefe da comissão, a senadora Pauline Mary van Luven, era uma figura imponente, de uma autoconfiança quase agressiva. Olhou Tanner e disse em voz incisiva:

— Pode começar, Sr. Kingsley.

Tanner assentiu.

— Obrigado, senadora. — Em seguida se virou para os outros membros da comissão, e quando falou seu tom de voz era arrebatado. — Enquanto alguns políticos no governo continuam discutindo as conseqüências do aquecimento global e do efeito estufa, o buraco na camada de ozônio está crescendo rapidamente. Por causa disso, metade do mundo está enfrentando períodos de seca, e na outra metade há enchentes. No mar de Ross um *iceberg* do tamanho da Jamaica acabou de se romper por causa do aquecimento global. O buraco de ozônio no pólo sul chegou ao tamanho recorde de 26 milhões de quilômetros quadrados.

"Estamos testemunhando um número recorde de furacões, ciclones, tufões e tempestades assolando partes da Europa. Devido às mudanças radicais no clima, milhões de pessoas em países de todo o mundo estão diante da fome e da extinção. Mas isso são apenas palavras: *fome e extinção.* Parem de pensar nelas como palavras. Pensem no significado: homens, mulheres e crianças com fome, sem casas e diante da morte.

"No verão passado mais de vinte mil pessoas morreram numa onda de calor na Europa. — A voz de Tanner cresceu. — E o que nós fizemos a respeito? Nosso governo se recusou a ratificar o Protocolo de Kyoto, a cúpula ambiental global. A mensagem é que nós não ligamos a mínima para o que acontece no resto do mundo. Vamos simplesmente seguir em frente e fazer o que nos apraz. Será que somos tão obtusos, tão voltados para nós mesmos, que não podemos ver o que estamos fazendo com...?"

A senadora van Luven interrompeu:

— Sr. Kingsley, isto não é um debate. Peço que assuma um tom mais moderado.

Tanner respirou fundo e assentiu. E continuou num tom menos passional:

— Como todos sabemos, o efeito estufa é causado pela queima de combustíveis fósseis e outros fatores relacionados, completamente sob o nosso controle, e no entanto essas emissões chegaram ao ponto mais alto em meio milhão de anos. Elas estão poluindo o ar que nossos filhos e netos respiram. A poluição pode ser interrompida. E por que não é? Porque custaria muito dinheiro para as empresas. — Sua voz cresceu de novo. — Dinheiro! Quanto custa um sopro de ar puro comparado à vida de um ser humano? Um litro de gasolina? Dois litros? — Sua voz ficou ainda mais eloqüente. — Pelo que sabemos, esta terra é o único lugar habitável para nós, mas estamos envenenando o solo, o ar que respiramos e os oceanos o mais rápido que podemos. Se não pararmos...

A senadora van Luven interrompeu de novo:

— Sr. Kingsley...

— Desculpe, senadora. Eu estou com raiva. Não posso ver a destruição de nosso universo sem protestar.

Kingsley falou durante mais trinta minutos. Quando terminou, a senadora van Luven disse:

— Sr. Kingsley, gostaria de falar com o senhor na minha sala, por favor. A audiência está adiada.

A SALA DA SENADORA van Luven tinha sido mobiliada originalmente no típico estilo estéril, burocrático: uma escrivaninha, uma mesa, seis cadeiras e fileiras de arquivos, mas ela havia acrescentado seus toques femininos, com tecidos coloridos, pinturas e fotografias.

Quando Tanner entrou, havia duas pessoas na sala, além da senadora van Luven.

— Essas são minhas assistentes, Corinne Murphy e Karolee Trost.

Corinne Murphy, uma jovem ruiva e atraente, e Karolee Trust, uma loura pequenina, ambas de vinte e poucos anos, ocuparam lugares perto da senadora. Obviamente estavam fascinadas por Tanner.

— Sente-se, Sr. Kingsley — disse a senadora van Luven.

Tanner sentou-se. A senadora o examinou durante um momento.

— Francamente, não entendo o senhor.

— Ah, verdade? Estou surpreso, senadora. Achei que eu tinha sido perfeitamente claro. Sinto...

— Sei como se sente. Mas sua empresa, o Kingsley International Group, tem contratos para muitos projetos com o nosso governo, no entanto o senhor está questionando o governo na questão ambiental. Isso não é ruim para os negócios?

— Isto não tem a ver com negócios, senadora van Luven — disse Tanner friamente. — Tem a ver com a humanidade. Nós estamos vendo o início de uma desastrosa desestabilização global. Eu estou tentando fazer com que o Senado aloque verbas para corrigir isso.

A senadora van Luven falou com ceticismo:

— Algumas dessas verbas poderiam ir para a sua empresa, não é?

— Eu não ligo a mínima para quem vai receber o dinheiro. Só quero ver alguma ação antes que seja tarde demais.

Corinne Murphy falou calorosamente:

— Isso é admirável. O senhor é um homem fora do comum.

Tanner se virou para ela.

— Srta. Murphy, se com isso quer dizer que a maioria das pessoas parece acreditar que o dinheiro é mais importante do que a moral, lamento dizer que provavelmente está certa.

— Acho maravilhoso o que o senhor está tentando fazer — disse Karolee Trost.

A senadora van Luven lançou um olhar reprovador para cada uma das assistentes, depois se virou para Tanner.

— Não posso prometer nada, mas vou falar com meus colegas e ver o que eles pensam sobre a questão ambiental. Entro em contato com o senhor.

— Obrigado, senadora. Eu agradeceria muito. — Ele hesitou. — Talvez, quando a senhora estiver em Manhattan, eu possa levá-la ao KIG e mostrar nosso trabalho. Acho que vai achá-lo interessante.

A senadora van Luven assentiu, indiferente.

— Eu o informo.

A reunião estava terminada.

Capítulo 12

DESDE O MOMENTO EM que as pessoas ficaram sabendo da morte de Mark, Kelly Harris foi inundada por telefonemas, flores e *e-mails*. O primeiro telefonema foi de Sam Meadows, um colega de trabalho e amigo íntimo de Mark.

— Kelly! Meu Deus. Não acredito. Eu... não sei o que dizer, estou arrasado. Cada vez que me viro espero ver Mark. Kelly... há alguma coisa que eu possa fazer por você?

— Não, obrigada, Sam.

— Vamos ficar em contato. Eu quero ajudar do jeito que for possível.

Depois disso, veio uma dúzia de telefonemas de amigos de Mark e de modelos com quem Kelly trabalhava.

Bill Lerner, chefe da agência de modelos, telefonou. Deu os pêsames e depois disse:

— Kelly, eu sei que não é a hora certa, mas talvez seja bom você voltar ao trabalho. Nosso telefone está tocando sem parar. Quando você acha que vai estar pronta?

— Quando Mark voltar para mim.

E ela largou o aparelho.

*

E AGORA O telefone estava tocando de novo. Por fim Kelly atendeu.

— Sra. Harris?

Ela ainda era a Sra. Harris? Não havia mais Sr. Harris, mas ela sempre, sempre seria a mulher de Mark.

Falou com firmeza:

— Aqui é a Sra. Mark Harris.

— Aqui é do escritório de Tanner Kingsley.

O homem para quem Mark trabalha... trabalhava.

— Sim?

— O Sr. Kingsley apreciaria se a senhora pudesse vir vê-lo em Manhattan. Ele gostaria de ter um encontro com a senhora na sede da empresa. A senhora está livre?

Kelly estava livre. Tinha dito à agência para cancelar todos os seus compromissos. Mas ficou surpresa. *Por que Tanner Kingsley quer me ver?*

— Estou.

— Seria conveniente para a senhora deixar Paris na sexta-feira?

Nada jamais seria conveniente de novo.

— Sexta. Tudo bem.

— Bom. Haverá uma passagem da United Airlines esperando pela senhora no aeroporto Charles de Gaulle. — Ele lhe deu o número do vôo. — Um carro vai esperá-la em Nova York.

MARK TINHA FALADO com ela sobre Tanner Kingsley. Mark o considerava um gênio e um homem maravilhoso com quem trabalhar. *Talvez a gente compartilhe algumas lembranças do Mark.* O pensamento animou Kelly.

Angel veio correndo e pulou no seu colo. Kelly abraçou-a.

— O que vou fazer com você enquanto estiver fora? Mamãe ficaria com você, mas eu só vou ficar fora alguns dias.

De repente Kelly soube quem cuidaria de sua cadelinha.

*

KELLY DESCEU A ESCADA até o escritório do encarregado do prédio. Havia trabalhadores instalando um novo elevador, e ela se encolhia sempre que passava por eles.

O encarregado do prédio, Philippe Cendre, era um homem alto, atraente, com personalidade calorosa, e sua mulher e a filha sempre faziam o máximo para ser solícitas. Ao saber do que tinha acontecido com Mark ficaram arrasadas. O enterro de Mark aconteceu no cemitério Pére Lachaise, e Kelly convidara a família Cendre.

KELLY CHEGOU À PORTA do apartamento de Philippe e bateu. Quando ele abriu a porta, ela disse:

— Eu queria lhe pedir um favor.

— Entre. O que a senhora quiser, *Madame* Harris.

— Eu tenho de ir a Nova York por três ou quatro dias. Será que vocês poderiam cuidar de Angel enquanto estou fora?

— Se poderíamos? Ana Maria e eu vamos adorar.

— Obrigada. Isso é ótimo.

— E eu prometo fazer todo o possível para mimá-la.

Kelly sorriu.

— Tarde demais. Eu já a mimei até não poder mais.

— Quando a senhora vai?

— Na sexta.

— Muito bem. Eu cuido de tudo. Já contei que minha filha foi aceita na Sorbonne?

— Não. Que maravilha! Você deve estar muito orgulhoso.

— Estou. Ela começa dentro de duas semanas. Nós todos estamos muito empolgados. É um sonho que se realizou.

NA MANHÃ DE SEXTA-FEIRA, Kelly levou Angel ao apartamento de Philippe Cendre.

Kelly entregou algumas bolsas de papel ao encarregado do prédio.

— Aqui está a comida predileta de Angel e uns brinquedinhos...

Philippe recuou, e Kelly viu atrás dele uma pilha de brinquedos de cachorro no chão.

Kelly riu.

— Angel, você está em boas mãos. — E deu um último abraço na cadelinha. — Adeus, Angel. Muito obrigada, Philippe.

NA MANHÃ EM QUE Kelly ia viajar, Nicole Paradis, a recepcionista do suntuoso prédio, estava parada junto à porta para se despedir. Era uma mulher efusiva e grisalha, tão minúscula que, quando estava sentada atrás de sua mesa, só o topo da cabeça era visível.

Ela sorriu para Kelly e disse:

— Vamos sentir sua falta, *madame*. Por favor volte em breve.

Kelly segurou a mão dela.

— Obrigada. Eu volto logo, Nicole.

Alguns minutos depois estava a caminho do aeroporto.

Como sempre, o aeroporto Charles de Gaulle estava incrivelmente apinhado. Era um labirinto surrealista de balcões de passagens, lojas, restaurantes e gigantescas escadas rolantes que subiam e desciam como monstros pré-históricos.

Quando Kelly chegou, o gerente do aeroporto acompanhou-a até uma sala privativa. Quarenta e cinco minutos depois seu vôo foi anunciado. Quando Kelly foi para o portão de embarque, uma mulher parada perto observou-a entrar. No momento em que Kelly estava fora da vista, a mulher pegou o celular e deu um telefonema.

KELLY SENTOU-SE NA poltrona do avião, pensando constantemente em Mark, sem perceber que a maioria dos homens e mulheres olhavam-na disfarçadamente. *O que Mark estava fazendo no deque de observação da torre Eiffel à meia-noite? Com quem ia se encontrar? E por quê?* E a pior pergunta de todas: *Por que Mark cometeria suicídio? Nós éramos tão felizes juntos! Não acredito que ele tenha se matado. Não Mark... não Mark... não Mark...* Fechou os olhos e deixou o pensamento recuar...

ERA O PRIMEIRO encontro dos dois. Kelly havia se vestido para a noite com uma saia preta discreta e uma blusa branca de gola alta, para que Mark não imaginasse que ela estava tentando-o de algum modo. Esta seria apenas uma noite informal, amigável. Kelly descobriu que estava nervosa. Devido à coisa indizível que tinha lhe acontecido quando era criança, nunca havia se relacionado com nenhum homem, a não ser por motivos de trabalho ou eventos de caridade irrecusáveis.

Não é um encontro verdadeiro, Kelly ficava dizendo a si mesma. *Mark e eu só vamos ser amigos. Ele pode ser meu acompanhante pela cidade, e não vai haver nenhuma complicação romântica.* Enquanto estava pensando nisso, a campainha tocou.

Kelly respirou esperançosa e abriu a porta. Mark estava ali, sorrindo, segurando uma caixa e uma sacola de papel. Usava um terno cinza mal cortado, camisa verde, gravata vermelho-vivo e sapatos marrons. Kelly quase riu em voz alta. O fato de Mark não ter qualquer senso de estilo era cativante, de algum modo. Ela conhecera muitos homens cujo ego dependia do quanto se achavam elegantes.

— Entre — disse Kelly.

— Espero não estar atrasado.

— Não, de jeito nenhum. — Ele tinha chegado vinte e cinco minutos antes da hora.

Mark entregou a caixa.

— Isto é para você.

Era uma caixa de dois quilos de chocolate. Ao longo dos anos, Kelly recebera diamantes, peles e coberturas, mas jamais chocolates. *Exatamente o que toda modelo necessita*, pensou, achando divertido.

Ela sorriu.

— Obrigada.

Mark estendeu a sacola.

— E isso são petiscos para Angel.

Como se tivesse recebido a deixa, Angel disparou para dentro da sala e correu para Mark com o rabo balançando.

Mark pegou-a e fez um carinho.

— Ela se lembra de mim.

— Eu realmente quero lhe agradecer por ela. É uma companheira maravilhosa. Eu nunca tive um cachorrinho antes.

Mark olhou para Kelly e seus olhos disseram tudo.

A NOITE FOI surpreendentemente boa. Mark era um companheiro encantador, e Kelly ficou tocada com a empolgação óbvia que ele sentia por estar perto dela. Era inteligente e fácil de se conversar, e o tempo passou mais rápido do que ela havia previsto.

No fim da noite Mark disse:

— Espero que a gente possa fazer isso de novo.

— É. Eu gostaria.

— Qual é a coisa que você mais gosta de fazer, Kelly?

— Gosto de jogos de futebol. Você gosta de futebol?

Uma expressão vazia surgiu no rosto de Mark.

— Ah... é... sim. Eu... eu adoro.

Ele mente tão mal!, pensou Kelly. Uma idéia maliciosa lhe veio à cabeça.

— Tem um jogo no sábado à tarde. Você gostaria de ir?

Mark engoliu em seco e disse sem graça:

— Claro. Fantástico.

QUANDO OS DOIS CHEGARAM de volta ao prédio de Kelly, ela percebeu que estava tensa. Esse era sempre o momento de:

Que tal um beijo de boa-noite?...

Por que eu não entro um pouco e a gente toma um último drinque...

Você não quer passar a noite sozinha...

Lutar contra os amassos...

Quando chegaram à porta de Kelly, Mark olhou-a e disse:

— Sabe o que eu notei primeiro em você, Kelly?

Ela prendeu o fôlego. *Aí vem:*

Você tem uma bunda fantástica...

Eu adoro os seus peitos...

Gostaria de suas pernas lindas enroladas no meu pescoço...

— Não — disse ela gelidamente. — O que você notou primeiro?

— A dor nos seus olhos.

E antes que ela pudesse responder, Mark disse:

— Boa noite.

E Kelly ficou olhando-o ir embora.

Capítulo 13

QUANDO CHEGOU na tarde de sábado, Mark trouxe outra caixa de bombons e um grande saco de papel.

— O bombom é para você. Os petiscos, para Angel.

Kelly pegou as sacolas.

— Obrigada, e Angel também agradece.

Ela ficou olhando Mark fazer carinho em Angel, e perguntou inocentemente:

— Está ansioso pelo jogo?

Mark assentiu e disse entusiasmado:

— Ah, sim.

Kelly sorriu.

— Que bom. Eu também. — Ela sabia que Mark jamais tinha visto um jogo de futebol.

O ESTÁDIO DO PARIS ST. GERMAIN estava totalmente apinhado, com sessenta e sete mil torcedores ansiosos esperando a final do campeonato entre o Lyon e o Marseille.

Enquanto Kelly e Mark eram levados a seus lugares exatamente acima do meio do campo, Kelly disse:

— Estou impressionada. Esses lugares são difíceis de conseguir.

Mark sorriu e disse:

— Quando você ama o futebol tanto quanto eu, nada é impossível.

Kelly mordeu o lábio para não rir. Mal podia esperar o início do jogo.

ÀS QUATORZE HORAS os dois times entraram no estádio e ficaram em posição de sentido enquanto a banda tocava a "Marselhesa", o hino nacional francês. Enquanto os times do Lyon e do Marseille ficavam parados diante das arquibancadas para as apresentações, um jogador do Lyon se adiantou, usando o logotipo do Lyon com as cores do time, azul e branco.

Kelly decidiu ceder e dizer a Mark o que estava acontecendo. Inclinou-se para ele.

— Aquele é o goleiro. Ele vai...

— Eu sei — disse Mark. — Grégory Coupet. É o melhor goleiro da liga. Ganhou um campeonato contra o Bordeaux em abril passado. Ganhou a copa da UEFA e uma Liga dos Campeões no ano retrasado. Tem 31 anos, mede 1,82m e pesa 81 quilos.

Kelly olhou-o, pasma.

O locutor continuou:

— Atacantes: Sidney Gouvou...

— Número quatorze — disse Mark, entusiasmado. — Ele é incrível. Na semana passada, contra o Auxerre, fez um gol no último minuto do jogo.

Kelly ficou ouvindo, perplexa, enquanto Mark falava sobre todos os outros jogadores, com tom de conhecedor.

O jogo começou, e a multidão ficou louca.

— Olha. Ele começou dando uma bicicleta! — gritou Mark.

Era um jogo frenético, empolgante, e os goleiros dos dois times lutaram para impedir que os oponentes marcassem. Para Kelly era difícil se concentrar. Ficava olhando Mark, empolgada com o conhecimento dele. *Como é que eu pude me enganar tanto?*

No meio do jogo Mark exclamou:

— Gouvou vai dar um lençol! Ele conseguiu!

Alguns minutos depois Mark disse:

— Olha só! Carrière vai levar falta porque colocou a mão na bola.

E estava certo.

Quando o Lyon venceu, Mark estava eufórico.

— Que time fantástico!

Enquanto saíam do estádio, Kelly perguntou:

— Mark... há quanto tempo você se interessa por futebol?

Ele olhou-a sem jeito e disse:

— Há uns três dias. Estive pesquisando pelo computador. Como você se interessava tanto, eu achei que deveria aprender.

E Kelly ficou emocionada. Era incrível que Mark tivesse despendido tanto tempo e esforço só porque ela gostava de futebol.

Marcaram um encontro para o dia seguinte, depois de Kelly terminar um trabalho como modelo.

— Eu posso pegar você no camarim, e...

— Não! — Ela não queria que ele conhecesse as outras modelos.

Mark olhou-a, perplexo.

— Quero dizer... há uma regra de não permitir homens nos camarins.

— Ah.

Eu não quero me apaixonar por...

— SENHORAS E SENHORES, por favor apertem os cintos, levantem os encostos das poltronas e prendam as bandejas. Estamos nos aproximando do aeroporto Kennedy e vamos pousar em alguns minutos.

Kelly foi lançada de volta ao presente. Estava em Nova York para se encontrar com Tanner Kingsley, o homem para quem Mark havia trabalhado.

ALGUÉM TINHA INFORMADO à mídia. Quando o avião pousou, estavam esperando Kelly. Ela foi rodeada por repórteres com câmeras de televisão e microfones.

— Kelly, poderia olhar para cá?

— Pode dizer o que você acha que aconteceu com seu marido?

— Vai haver uma investigação policial?

— Você e seu marido estavam pensando em divórcio?

— Você vai se mudar de volta para os Estados Unidos?

— Como você se sentiu quando isso aconteceu?

A pergunta mais insensível de todas.

KELLY VIU UM homem de rosto agradável e alerta parado ao fundo. Ele sorriu e acenou, e ela sinalizou para ele se aproximar.

Ben Roberts era um dos mais populares e respeitados apresentadores de programas de entrevistas da televisão aberta. Tinha entrevistado Kelly, e os dois tornaram-se amigos. Ela ficou olhando Ben abrir caminho pela multidão de repórteres. Todos o conheciam.

— Ei, Ben! Kelly vai ao seu programa?

— Acha que ela vai falar sobre o que aconteceu?

— Posso tirar uma foto de você com Kelly?

Nesse meio tempo Ben tinha chegado junto de Kelly. A maré de repórteres apertava-os. Ben gritou:

— Vamos dar um tempo a ela, pessoal. Vocês podem falar com Kelly mais tarde.

Com relutância, os repórteres começaram a abrir caminho.

Ben segurou a mão de Kelly e disse:

— Nem posso dizer como lamento. Eu gostava demais do Mark.

— O sentimento era mútuo, Ben.

Enquanto Kelly e Ben iam para a área de bagagens, ele perguntou:

— Extra-oficialmente, o que você veio fazer em Nova York?

— Vim me encontrar com Tanner Kingsley.

Ben assentiu.

— Ele é um homem poderoso. Tenho certeza de que vai cuidar bem de você.

Chegaram ao balcão de bagagens.

— Kelly, se houver alguma coisa que eu possa fazer, me procure na emissora. — Ele olhou em volta. — Alguém vem pegá-la? Se não, eu...

Nesse momento um chofer uniformizado chegou perto de Kelly.

— Sra. Harris? Meu nome é Colin. O carro está aí fora. O senhor Kingsley reservou uma suíte no Hotel Metropolitan para a senhora. Se me der os tíquetes, eu pego sua bagagem.

Kelly se virou para Ben.

— Você me telefona?

— Claro.

DEZ MINUTOS DEPOIS Kelly estava a caminho do hotel. Enquanto costurava pelo tráfego, Colin disse:

— A secretária do senhor Kingsley vai telefonar marcando a hora. O carro estará à sua disposição sempre que precisar.

— Obrigada. — *O que eu estou fazendo aqui?*, perguntou-se Kelly.

Logo teria a resposta.

Capítulo 14

TANNER KINGSLEY ESTAVA lendo a manchete do jornal da tarde: "Tempestade de granizo no Irã". O resto da matéria dizia que tinha sido um "acontecimento anormal". A idéia de uma tempestade de granizo no verão, num clima quente, era bizarra. Tanner tocou o interfone. Quando a secretária entrou, ele disse:

— Kathy, recorte esse artigo e mande para a senadora van Luven, com um bilhete: "Uma atualização sobre o aquecimento global. Atenciosamente..."

— Agora mesmo, Sr. Kingsley.

Tanner Kingsley olhou o relógio. Os dois detetives deveriam chegar ao KIG dentro de meia hora. Olhou seu extravagante escritório. Ele havia criado tudo isso. O KIG. Pensou no poder que havia por trás daquelas três iniciais simples e em como as pessoas ficariam surpresas se soubessem da história espantosa do início humilde da empresa, há apenas sete anos. As lembranças do passado dispararam em sua mente...

Lembrou-se do dia em que desenhara o primeiro logotipo do KIG. *Bem elegante para uma empresa de nada*, tinha dito alguém, e Tanner, sozinho, havia transformado aquela empresa de nada numa potência mundial. Quando pensava no início, sentia que tinha realizado um milagre.

TANNER KINGSLEY NASCEU cinco anos depois de seu irmão Andrew, e isso determinou a direção de sua vida. Os pais se divorciaram, a mãe se casou de novo e foi embora. O pai era um cientista, e os dois garotos seguiram seus passos, tornando-se prodígios da ciência. O pai morreu de ataque cardíaco aos quarenta anos.

O fato de Tanner ser cinco anos mais novo do que o irmão era uma frustração constante. Quando Tanner ganhava o primeiro prêmio em sua aula de ciências, diziam: "Andrew foi o primeiro aluno desta matéria há cinco anos. Isso deve estar na família."

Quando Tanner venceu um concurso de oratória, o professor disse: "Parabéns, Tanner, você é o segundo Kingsley a ganhar este prêmio."

Quando entrou para a equipe de tênis: "Espero que você seja tão bom quanto seu irmão Andrew..."

Quando se formou: "Seu discurso de formatura foi muito inspirador. Fez com que eu me lembrasse muito do de Andrew..."

Ele havia crescido à sombra do irmão, e era irritante saber que ele só era considerado o segundo melhor porque Andrew tinha chegado primeiro.

HAVIA SEMELHANÇAS ENTRE os dois irmãos: ambos eram bonitos, inteligentes e talentosos, mas, à medida que cresciam, grandes diferenças se tornaram patentes. Enquanto Andrew era altruísta e discreto, Tanner era extrovertido, gregário e ambicioso. Andrew era tímido com as mulheres, ao passo que a aparência e o charme de Tanner as atraíam como um ímã.

Mas a diferença mais importante entre os irmãos eram seus objetivos na vida. Enquanto Andrew se preocupava profundamente em organizar eventos de caridade e ajudar os necessitados, a ambição de Tanner era ficar rico e poderoso.

ANDREW SE FORMOU NA faculdade com *summa cum laude*, e imediatamente aceitou a oferta de trabalhar numa empresa de criação de projetos. Ali ficou sabendo da colaboração significativa que uma organização assim poderia dar ao mundo, e cinco anos mais tarde decidiu abrir sua própria empresa de projetos, numa escala modesta.

Quando contou a idéia, Tanner ficou empolgado.

— Isso é brilhante! As empresas de criação de projetos conseguem contratos com o governo no valor de milhões, para não mencionar as firmas que contratam...

Andrew interrompeu:

— Minha idéia não é esta, Tanner. Eu quero usá-la para ajudar pessoas.

Tanner encarou-o.

— Ajudar pessoas?

— É. Existem dezenas de países do Terceiro Mundo que não têm acesso a métodos modernos de agricultura e de produção industrial. Existe um ditado que diz: se você dá um peixe a um homem, ele pode comer uma vez. Se você o ensina a pescar, ele pode comer pelo resto da vida.

Esse papo furado é velho demais, pensou Tanner.

— Andrew, países assim não podem pagar...

— Isso não importa. Nós vamos mandar especialistas aos países do Terceiro Mundo para ensinar técnicas modernas que vão mudar a vida das pessoas. Vamos chamar a nossa empresa de projetos de Kingsley Group. O que acha?

Tanner ficou pensativo um momento. Assentiu.

— Na verdade não é má idéia. Nós podemos começar com o tipo de países em que você está pensando e depois ir atrás do dinheiro grande: os contratos com o governo e...

— Tanner, vamos apenas nos concentrar em tornar o mundo um lugar melhor.

Tanner sorriu. Seria um meio-termo. Eles começariam como Andrew queria, e depois, gradualmente, levariam a empresa ao seu potencial verdadeiro.

— O que acha?

Tanner estendeu a mão.

— Ao nosso futuro, sócio.

Seis meses depois os dois irmãos estavam parados na chuva, do lado de fora de um pequeno prédio de tijolos com uma placa pequena e pouco impressionante onde estava escrito KINGSLEY GROUP.

— O que acha? — perguntou Andrew, orgulhoso.

— Bonito. — Tanner conseguiu esconder a ironia da voz.

— Esta placa vai trazer felicidade para muitas pessoas ao redor do mundo, Tanner. Eu já comecei a contratar alguns especialistas para ir a países do Terceiro Mundo.

Tanner começou a objetar e parou. Seu irmão não poderia ser apressado. Ele era teimoso. Mas a hora está chegando. A hora está chegando. Tanner olhou de novo para a placa e pensou que *algum dia estaria escrito KIG, Kingsley International Group*.

John Higholt, amigo de faculdade de Andrew, investira seis mil dólares para ajudar no início da empresa, e Andrew tinha levantado o resto do dinheiro.

Meia dúzia de pessoas foram contratadas e mandadas a Mombasa, à Somália e ao Sudão, para ensinar os nativos a melhorar suas vidas. Mas nenhum dinheiro estava entrando.

Para Tanner isso não fazia sentido.

— Andrew, nós podemos conseguir contratos com algumas grandes empresas e...

— Não é isso que nós fazemos, Tanner.

O que, diabos, nós fazemos?, perguntou-se Tanner.

— A Chrysler Corporation está procurando...

E Andrew sorriu e disse:

— Vamos fazer nosso trabalho de verdade.

Tanner precisou de todo o empenho para se controlar.

Andrew e Tanner tinham cada um seu próprio laboratório na empresa. Ambos estavam imersos em projetos pessoais. Freqüentemente Andrew trabalhava até tarde da noite.

Um dia de manhã, quando Tanner chegou, Andrew ainda estava na empresa. Ele viu Tanner chegar e levantou-se de um salto.

— Estou empolgado com essa nova experiência de nanotecnologia. Estou desenvolvendo um método para...

A mente de Tanner se desviou para uma coisa mais importante: a ruivinha gostosa que havia conhecido na véspera. Ela se aproximou dele no bar, tomou uma bebida, levou-o para seu apartamento e fez com que se divertisse muito. Quando ela segurou seu...

— ... eu acho que isso realmente vai fazer uma diferença. O que você acha, Tanner?

Apanhado de surpresa, Tanner falou:

— Ah. É, Andrew. Fantástico.

Andrew sorriu.

— Eu sabia que você ia ver as possibilidades.

Tanner estava mais interessado em sua própria experiência secreta. *Se a minha funcionar*, pensou, *vou ser dono do mundo.*

UMA NOITE, LOGO depois da formatura na faculdade, Tanner estava numa festa quando atrás dele uma voz feminina e agradável falou:

— Ouvi falar muito do senhor, Sr. Kingsley.

Tanner se virou cheio de expectativa e depois tentou esconder o desapontamento. Quem falava era uma jovem de aparência comum. Tudo que a impedia de ser simplória eram dois olhos castanhos intensos e um sorriso brilhante, ligeiramente cínico. A condição sine qua non para Tanner era a beleza física da mulher, estava claro que esta não chegava à altura.

Ao mesmo tempo que dizia: "Espero que não tenham sido coisas ruins", ele estava pensando numa desculpa para se livrar dela.

— Meu nome é Pauline Cooper. Meus amigos me chamam de Paula. Você namorou minha irmã, Ginny, na faculdade. Ela era louca por você.

Ginny, Ginny... Baixa? Alta? Morena? Loura? Tanner ficou sorrindo, tentando lembrar. Tinham sido tantas!

— Ginny queria casar com você.

Isso não ajudava. Muitas outras também queriam.

— Sua irmã era muito legal. Só que a gente não se...

Ela lançou um olhar irônico para Tanner.

— Corta essa. Você nem se lembra de Ginny.

Ele ficou sem graça.

— Bem, eu...

— Tudo bem. Estou chegando do casamento dela.

Tanner ficou aliviado.

— Ah. Então Ginny se casou.

— É, casou. — Houve uma pausa. — Mas eu não. Gostaria de jantar amanhã à noite?

Tanner olhou com mais atenção. Mesmo não estando à altura dos seus padrões, ela parecia ter um corpo bom e ser bem agradável. E sem dúvida era uma trepada fácil. Ele pensava nas mulheres usando conceitos de beisebol. Fazia um lançamento para uma mulher. Só. Se ela não marcasse ponto, estava fora.

Paula olhava-o.

— Eu pago.

Tanner riu.

— Eu cuido disso. Se você não for uma *gourmand* de classe mundial.

— Experimente.

Ele a encarou e disse em voz baixa:

— Vou experimentar.

NA NOITE SEGUINTE jantaram num restaurante chique de Manhattan. Paula estava vestindo uma blusa curta de seda branca, saia preta e sapatos altos. Enquanto Tanner a olhava entrar, achou-a muito mais bonita do que se lembrava. De fato, Paula tinha a postura de uma princesa de algum país exótico.

Tanner se levantou.

— Boa noite.

Ela segurou sua mão.

— Boa noite. — Havia nela um ar de segurança quase régio.

Quando estavam sentados, ela disse:

— Vamos recomeçar, certo? Eu não tenho uma irmã.

Tanner encarou-a, confuso.

— Mas você disse...

Ela sorriu.

— Eu só queria testar sua reação, Tanner. Ouvi muita coisa sobre você, por alguns amigos, e fiquei interessada.

Será que ela estava falando de sexo? Com quem ela teria falado? Poderiam ser tantos...

— Não tire conclusões apressadas. Não estou falando de sua habilidade com mulheres. Estou falando de sua inteligência.

Era como se ela estivesse lendo seus pensamentos.

— Então, você é... bem... interessada em mentes?

— Dentre outras coisas — disse ela em tom convidativo.

Esse ponto vai ser fácil de ganhar. Tanner estendeu a mão e segurou a dela.

— Você é realmente incrível. — Ele acariciou seu braço. — É muito especial. Nós vamos nos divertir um bocado esta noite.

Ela sorriu.

— Está com tesão, querido?

Tanner foi apanhado desprevenido com os modos diretos. Ela era uma coisinha ansiosa. Assentiu.

— Sempre, princesa.

Ela sorriu.

— Ótimo. Pegue a sua agendazinha e vamos tentar achar alguém que esteja disponível para você esta noite.

Tanner se imobilizou. Estava acostumado a curtir com as mulheres, mas nenhuma havia zombado dele antes. Encarou-a.

— O que você está dizendo?

— Que você vai ter de melhorar seu discurso, amor. Você faz alguma idéia de como ele é velho?

Tanner sentiu o rosto ficando vermelho.

— O que faz você achar que é um discurso pronto?

Ela o encarou.

— Ele provavelmente foi inventado por Matusalém. Quando falar comigo, eu quero que você diga coisas que nunca disse antes a nenhuma mulher.

Tanner olhou-a, tentando esconder a raiva.

Com quem ela acha que está lidando, algum moleque?

Ela era insolente demais. *Bola fora. Essa vaca dançou.*

Capítulo 15

A SEDE MUNDIAL DO Kingsley International Group ficava no sul de Manhattan, a dois quarteirões do East River. Ocupava dois hectares e consistia em quatro grandes prédios de concreto, junto com duas pequenas casas para funcionários, cercadas e vigiadas eletronicamente.

Às dez horas da manhã os detetives Earl Greenburg e Robert Praegitzer entraram no saguão do prédio principal. Era espaçoso e moderno, mobiliado com sofás, mesas e meia dúzia de poltronas.

O detetive Greenburg olhou para as revistas sobre uma das mesas: *Realidade Virtual, Terrorismo Nuclear e Radiológico, Mundo da Robótica...* Pegou um exemplar de *Engenharia Genética* e virou-o para Praegitzer.

— Você não fica cansado de ler essas coisas no consultório do seu dentista?

Praegitzer riu.

— É.

Os dois detetives se aproximaram da recepcionista e se identificaram.

— Nós temos hora marcada com o Sr. Tanner Kingsley.

— Ele está esperando os senhores. Vou pedir que alguém os acompanhe. — Ela entregou um crachá do KIG a cada um. — Por favor, devolvam na saída.

— Sem problema.

A recepcionista apertou uma campainha, e, num instante, surgiu uma jovem atraente.

— Esses senhores têm hora marcada com o Sr. Tanner Kingsley.

— Sim. Eu sou Retra Tyler, uma das assistentes do Sr. Kingsley. Me acompanhem, por favor.

Os dois detetives seguiram por um corredor comprido e estéril, com portas de escritórios muito bem fechadas de cada lado. No final do corredor ficava a sala de Tanner.

Na ante-sala, Kathy Ordonez, a jovem e inteligente secretária de Tanner, estava sentada atrás de uma mesa.

— Bom dia, senhores. Podem entrar.

Ela se levantou e abriu a porta do escritório particular de Tanner. Quando entraram, os dois detetives pararam para olhar, espantados.

A sala enorme era atulhada de equipamentos eletrônicos estranhos, e as paredes à prova de som estavam cheias de aparelhos de televisão finos como papel, mostrando cenas ao vivo de cidades de todo o mundo. Algumas telas mostravam salas de reuniões, escritórios e laboratórios movimentados, ao passo que outras mostravam suítes de hotel onde estavam acontecendo reuniões. Cada tela tinha seu próprio sistema de áudio, e mesmo que o volume estivesse praticamente inaudível, era estranho ouvir pequenos trechos de frases faladas simultaneamente numa dúzia de línguas.

Uma legenda aparecia na parte de baixo de cada tela, identificando a cidade: Milão... Johannesburgo... Zurique... Madri... Atenas... Na parede do outro lado havia uma estante com oito prateleiras cheias de volumes encadernados em couro.

Tanner Kingsley estava sentado atrás de uma mesa de mogno onde havia um painel com meia dúzia de botões coloridos. Estava vestido com elegância, num terno cinza feito sob medida, camisa azul-clara e gravata xadrez azul.

Levantou-se quando os dois detetives entraram.

— Bom dia, senhores.

— Bom dia — disse Earl Greenburg. — Nós somos...

— Eu sei quem são. Os detetives Earl Greenburg e Robert Praegitzer. — Eles se apertaram as mãos. — Sentem-se, por favor.

Os detetives se sentaram.

Praegitzer estava olhando para as imagens do mundo todo mudando rapidamente na profusão de telas de TV. Balançou a cabeça, admirado.

— E vá falar em tecnologia de ponta. Isso é...

Tanner levantou a mão.

— Isso não é simplesmente tecnologia de ponta, detetive. Este sistema estará no mercado daqui a dois ou três anos. Com ele podemos estabelecer teleconferências simultâneas em uma dúzia de países diferentes. As informações que chegam de nossos escritórios em todo o mundo são automaticamente classificadas e gravadas por esses computadores.

— Sr. Kingsley — perguntou Praegitzter. — Desculpe uma pergunta simplista. O que sua empresa faz, exatamente?

— Resumindo? Nós resolvemos problemas. Projetamos soluções para problemas que podem estar adiante. Algumas empresas de projetos científicos se concentram apenas em uma área: militar, econômica ou política. Nós lidamos com segurança nacional, comunicações, microbiologia, questões ambientais. O KIG funciona como um analista e crítico independente das conseqüências globais de longo alcance para vários governos.

— Interessante — disse Praegitzer.

— Oitenta e cinco por cento do nosso pessoal de pesquisa têm mestrado e mais de sessenta e cinco por cento têm Ph.D.

— É impressionante.

— Meu irmão Andrew fundou o Kingsley International Group para ajudar os países do Terceiro Mundo, de modo que também estamos muito envolvidos em projetos de desenvolvimento por lá.

Houve um trovão súbito e o clarão de um raio numa das telas de TV. Todos se viraram para olhar.

O detetive Greenburg falou:

— Eu não li alguma coisa sobre um experimento climático que vocês estão fazendo?

Tanner fez uma careta.

— Sim, é conhecido por aqui como a bobagem do Kingsley. É um dos poucos fracassos estrondosos na história do KIG. Era o projeto que eu mais esperava que desse certo. Em vez disso estamos acabando com ele.

— É possível controlar o clima? — perguntou Praegitzer.

Tanner balançou a cabeça.

— Apenas num grau limitado. Muitas pessoas tentaram. Já em 1900, Nikola Tesla fazia experimentos com o clima. Ele descobriu que a ionização da atmosfera poderia ser alterada por ondas de rádio. Em 1958 nosso Departamento de Defesa experimentou soltar agulhas de cobre na ionosfera. Dez anos depois houve o Projeto Popeye, em que o governo tentou estender a estação das monções no Laos, para aumentar a quantidade de lama na Trilha Ho Chi Minh. Eles usaram um agente à base de iodeto de prata, e geradores lançaram uma enorme quantidade dessa substância nas nuvens, para se transformar em sementes de gotas de chuva.

— Deu certo?

— Sim, mas apenas numa área reduzida. Existem vários motivos pelos quais ninguém vai poder controlar o clima. Um dos problemas é que o El Niño cria temperaturas quentes no oceano Pacífico que atrapalham o sistema ecológico do mundo, ao passo que La Niña cria temperaturas frias no Pacífico, e os dois combinados interferem de forma imprevisível e impossibilitam qualquer planejamento realista de controle climático. O hemisfério sul é cerca de oitenta por cento oceano, ao passo que o hemisfério norte é sessenta por cento oceano, causando outro desequilíbrio. Além disso, as correntes de ventos de alta altitude determinam o caminho das tempestades, e não há como controlar isso.

Greenburg assentiu, depois hesitou.

— Sabe por que estamos aqui, Sr. Kingsley?

Tanner examinou Greenburg um momento.

— Espero que esta seja uma pergunta retórica. Caso contrário eu iria achá-la ofensiva. O Kingsley International Group é um caldeirão de cérebros. Quatro dos meus empregados morreram ou desapareceram misteriosamente num período de vinte e quatro horas. Nós já iniciamos uma investigação particular. Temos sedes nas principais cidades do mundo, com mil e oitocentos empregados, obviamente é difícil para mim manter contato com todos eles. Mas o que fiquei sabendo até agora é que dois dos empregados que foram assassinados aparentemente estavam envolvidos em atividades ilegais. Isso custou a vida deles. Mas garanto que não vai custar a reputação do Kingsley International Group. Espero que os senhores resolvam isso rapidamente.

— Sr. Kingsley — disse Greenburg —, há outra coisa. Nós soubemos que há seis anos um cientista japonês chamado Akira Iso cometeu suicídio em Tóquio. Há três anos uma cientista suíça chamada Madeleine Smith cometeu suicídio em...

Tanner o interrompeu.

— Zurique. Nenhum deles cometeu suicídio. Foram assassinados.

Os dois detetives olharam-no surpresos. Praegitzer perguntou:

— Como sabe disso?

Havia um tom duro na voz de Tanner.

— Eles foram mortos por minha causa.

— Quando o senhor diz...

— Akira Iso era um cientista brilhante. Trabalhava para um conglomerado eletrônico japonês chamado Tokyo First Industrial Group. Eu conheci Iso numa convenção internacional em Tóquio. Nós nos demos bem. Achei que o KIG poderia oferecer uma atmosfera melhor do que a empresa em que ele trabalhava. Fiz uma oferta para ele trabalhar aqui, e Iso aceitou. Na verdade ele ficou bastante empolgado. — Tanner estava lutando para manter a voz firme. — Nós concordamos em deixar tudo em segredo até que ele pudesse legalmente sair da outra empresa. Mas ele obviamente falou com alguém, porque saiu uma nota em uma coluna de jornal, e... — Tanner parou de novo por um longo momento, depois continuou. — Um dia depois da matéria ter saído, Iso foi achado morto num quarto de hotel.

Robert Praegitzer perguntou:

— Sr. Kingsley, não poderia ter havido outros motivos para explicar a morte?

Tanner balançou a cabeça.

— Não. Eu não acreditei que ele tivesse cometido suicídio. Contratei investigadores e os mandei ao Japão, junto com um pessoal meu, para tentar descobrir o que tinha acontecido. Eles não conseguiram achar qualquer evidência de jogo sujo, e eu pensei que talvez estivesse errado, que possivelmente houvesse acontecido uma tragédia na vida de Iso, da qual eu não sabia.

— Então por que agora tem tanta certeza de que ele foi assassinado? — quis saber Greenburg.

— Como o senhor mencionou, uma cientista chamada Madeleine Smith aparentemente cometeu suicídio em Zurique há três anos. O que os senhores não sabem é que Madeleine Smith também queria sair da empresa em que trabalhava e vir para a nossa.

Greenburg franziu a testa.

— O que o faz pensar que as duas mortes têm ligação?

O rosto de Tanner parecia de pedra.

— Porque a empresa para a qual ela trabalhava é filial do mesmo Tokyo First Industrial Group.

Houve um silêncio perplexo.

— Há uma coisa que eu não entendo — disse Praegitzer. — Por que eles iriam assassinar uma empregada só porque ela queria se demitir? Se...

— Madeleine Smith não era somente uma empregada. Nem Iso. Os dois eram físicos brilhantes que estavam a ponto de resolver problemas que renderiam para a empresa uma fortuna maior do que os senhores podem imaginar. Por isso ela não queria perder nenhum dos dois.

— A polícia suíça investigou a morte de Madeleine Smith?

— Sim. E nós também. Mas, de novo, não pudemos provar nada. Na verdade, ainda estamos trabalhando em todas as mortes que ocorreram, e esperamos solucioná-las. O KIG tem conexões importantes por todo o mundo. Se eu conseguir uma informação útil, ficarei feliz em repassar aos senhores. Espero que façam o mesmo.

— É bastante justo — disse Greenburg.

Um telefone dourado tocou na mesa de Tanner.

— Com licença. — Ele foi até a mesa e pegou o telefone. — Alô... sim... a investigação está seguindo de modo satisfatório. De fato, neste momento dois detetives estão na minha sala, eles concordaram em cooperar conosco. — Tanner olhou para Praegitzer e Greenburg. — Certo... eu aviso quando tiver mais notícias. — Em seguida desligou.

Greenburg perguntou:

— Sr. Kingsley, vocês estão trabalhando com alguma coisa arriscada?

— Está perguntando se nós estamos trabalhando com alguma coisa suficientemente arriscada para que meia dúzia de pessoas seja assassinada? Detetive Greenburg, existem mais de cem empresas como a nossa no mundo, algumas trabalhando exatamente nos mesmos problemas que nós. Não estamos construindo bombas atômicas. A resposta à sua pergunta é "não".

A porta se abriu, e Andrew Kingsley entrou na sala carregando uma pilha de papéis. Tinha pouca semelhança com o irmão. Suas feições pareciam carregadas. Tinha cabelo grisalho e ralo, rosto enrugado, e andava ligeiramente encurvado. Enquanto Tanner Kingsley era cheio de vitalidade e inteligência, Andrew Kingsley parecia lento e apático. Falava com hesitação e parecia ter problema em juntar frases.

— Aqui estão aquelas... você sabe... aquelas anotações que você pediu, Tanner. Desculpe se eu não terminei... terminei antes.

— Está ótimo, Andrew. — Tanner se virou para os dois detetives. — Este é o meu irmão Andrew. Detetives Greenburg e Praegitzer.

Andrew olhou para eles, inseguro, e piscou.

— Andrew, quer falar com eles sobre o seu prêmio Nobel?

Andrew olhou para Tanner e disse vagamente:

— Sim, o prêmio Nobel... o prêmio Nobel...

Os dois ficaram olhando enquanto ele se virava e saía arrastando os pés.

Tanner suspirou.

— Como falei antes, Andrew foi o fundador desta empresa, um homem realmente brilhante. Recebeu o prêmio Nobel por uma de suas descobertas há sete anos. Infelizmente se envolveu numa experiência que deu errado e ela... mudou-o. — Seu tom de voz era amargo.

— Ele deve ter sido um homem notável.

— O senhor não faz idéia.

Earl Greenburg se levantou e estendeu a mão.

— Bem, não vamos mais ocupar o seu tempo, Sr. Kingsley. Manteremos contato.

— Senhores... — A voz de Tanner era de aço. — Vamos resolver esses crimes. Depressa.

Capítulo 16

TODOS OS JORNAIS DA MANHÃ traziam a mesma matéria. Uma seca na Alemanha havia causado pelo menos cem mortes e a perda de colheitas no valor de milhões de dólares.

Tanner tocou o interfone para Kathy.

— Mande esta matéria para a senadora van Luven com uma anotação: "Outra atualização sobre o aquecimento global. Atenciosamente..."

TANNER NÃO CONSEGUIA deixar de pensar na mulher que ele imaginou como sendo uma princesa. E quanto mais pensava na insolência da jovem e em como ela o havia ridicularizado, mais furioso ficava. *Vai ter de melhorar seu discurso, amor. Você faz alguma idéia de como ele é velho?... Está com tesão, querido?... Pegue a sua agendazinha e vamos tentar achar alguém que esteja disponível para você esta noite...* Era como se ele precisasse exorcizá-la. Decidiu que iria vê-la mais uma vez, para dar a resposta que ela merecia, e depois se esqueceria dela.

ESPEROU TRÊS dias e telefonou.

— Princesa?

— Quem é?

Ele estava pronto para bater o telefone. *Quantos caras chamam essa mulher de princesa?* Conseguiu manter a voz calma.

— Aqui é Tanner Kingsley.

— Ah, sim. Como vai? — O tom de voz era totalmente indiferente.

Cometi um erro, pensou Tanner. *Nunca deveria ter ligado.*

— Eu pensei que a gente poderia jantar de novo um dia desses, mas provavelmente você está ocupada, então vamos esquecer...

— Que tal hoje?

Tanner foi apanhado desprevenido outra vez. Mal podia esperar para dar uma lição a essa vaca.

QUATRO HORAS DEPOIS estava sentado diante de Paula Cooper num pequeno restaurante francês, a leste da avenida Lexington. Ficou surpreso ao ver como estava satisfeito por vê-la de novo. Tinha se esquecido de como ela era viva e animada.

— Senti saudades de você, princesa.

Ela sorriu.

— Ah, eu senti saudades de você também. Você é incrível. É muito especial.

Eram as palavras dele voltando, numa zombaria. *Desgraçada.*

Parecia que a noite seria uma repetição do encontro anterior. Nas outras noites românticas de Tanner, era sempre ele que controlava a conversa. Com a Princesa ficava com a sensação incômoda de que ela sempre estava um passo à sua frente. Tinha uma resposta rápida para tudo que ele dizia. Era espirituosa, rápida e não aceitava bobagens.

As mulheres que Tanner namorava eram lindas e dispostas, mas pela primeira vez na vida ele sentiu que talvez faltasse alguma coisa. Todas eram agradáveis, mas eram agradáveis *demais*. Não havia desafio. Paula, por outro lado...

*

— FALE DE VOCÊ — disse Tanner.

Ela deu de ombros.

— Meu pai era rico e poderoso, e eu cresci como uma moleca mimada, com empregados e mordomos, garçons para servir na piscina, estudei em Radcliffe e numa escola de boas maneiras, essa coisa toda. Então meu pai perdeu tudo e morreu. Eu trabalho como secretária executiva de um político.

— E gosta?

— Não. Ele é chato. — Os olhos de Paula encontraram os dele. — Estou procurando alguém mais interessante.

NO DIA SEGUINTE Tanner ligou de novo.

— Princesa?

— Eu esperava que você fosse ligar, Tanner. — A voz dela estava calorosa.

Tanner sentiu um pequeno *frisson* de prazer.

— Esperava?

— É. Aonde você vai me levar para jantar esta noite?

Ele riu.

— Onde você quiser.

— Eu gostaria do Maxim's, em Paris, mas topo ir a qualquer lugar se for com você.

Ela o apanhara desprevenido outra vez, mas por algum motivo suas palavras o aqueceram.

JANTARAM NO La Côte Basque, na rua 55, e durante todo o jantar Tanner ficava olhando para ela e imaginando por que se sentia tão atraído. Não era a aparência; a mente e a personalidade de Paula é que eram ofuscantes. Toda a sua essência chamejava de inteligência e autoconfiança. Era a mulher mais independente que ele já havia conhecido.

A conversa abordou uma infinidade de assuntos, e Tanner descobriu que ela tinha conhecimentos notáveis.

— O que você quer fazer da vida, princesa?

Ela examinou Tanner um momento antes de responder:

— Eu quero o poder, poder de fazer as coisas acontecerem.

Tanner sorriu.

— Então somos muito parecidos.

— Para quantas mulheres você já disse isso, Tanner?

Ele se pegou ficando com raiva.

— Quer parar? Quando eu digo que você é diferente de qualquer mulher que eu já...

— Que você já o quê?

Tanner estava exasperado.

— Você me frustra.

— Coitadinho. Se está frustrado, por que não vai tomar um banho...

A raiva recomeçou. Ele já estava cheio. Levantou-se.

— Não importa. Não adianta tentar...

— ...na minha casa.

Tanner mal podia acreditar no que estava ouvindo.

— Na sua casa?

— É, eu tenho um pequeno *pied-à-terre* na Park Avenue. Gostaria de me levar para casa?

Eles recusaram a sobremesa.

O pequeno *pied-à-terre* era um apartamento suntuoso, lindamente mobiliado. Tanner olhou em volta, espantado com o luxo e com a elegância. O apartamento combinava com ela: uma coleção de pinturas ecléticas, mesa comprida, lustre grande, canapé italiano, um jogo de seis poltronas Chippendale e um sofá. Foi tudo que Tanner teve tempo de ver antes que ela dissesse:

— Venha ver meu quarto.

O QUARTO ERA decorado em branco, todos os móveis brancos e um grande teto espelhado sobre a cama.

Tanner olhou em volta e disse:

— Estou impressionado. Esse é o quarto mais...

— Shh. — Paula começou a tirar a roupa dele. — Podemos conversar depois.

Quando ela terminou de tirar a roupa de Tanner, começou lentamente a se despir. Tinha um corpo que era uma perfeição erótica. Seus braços estavam envolvendo Tanner e ela estava comprimida contra ele, encostou os lábios no ouvido dele e sussurrou:

— Chega de preliminares.

Estavam na cama e ela se mostrava pronta para ele, e quando ele estava dentro dela Paula apertou os quadris e as coxas com força e depois relaxou, e apertou e relaxou, deixando Tanner cada vez mais excitado. Ficou mexendo o corpo ligeiramente, de modo que cada sensação era diferente para ele. Deu-lhe presentes voluptuosos que ele jamais havia imaginado, estimulando-o até um êxtase de excitação.

Bem mais tarde conversaram noite afora.

Depois disso ficavam juntos todas as noites. A Princesa vivia surpreendendo Tanner com seu humor e seu charme, e gradualmente, aos olhos dele, tornou-se linda.

UM DIA DE MANHÃ Andrew disse a Tanner:

— Nunca vi você sorrir tanto. É uma mulher?

Tanner confirmou com a cabeça.

— É.

— É sério? Você vai se casar com ela?

— Tenho pensado nisso.

Andrew olhou para Tanner um momento.

— Talvez você devesse dizer a ela.

Tanner apertou o braço de Andrew.

— Talvez eu diga.

Na noite seguinte Tanner e a Princesa estavam sozinhos no apartamento dela.

Tanner começou:

— Princesa, uma vez você pediu que eu dissesse uma coisa que nunca falei a nenhuma mulher.

— Sim, querido?

— Aqui está: quero que você se case comigo.

Houve um momento de hesitação, em seguida ela riu e voou para os braços dele.

— Ah, Tanner!

Ele a encarou.

— Isso é um sim?

— Eu quero casar com você, querido, mas... acho que nós temos um problema.

— Que problema?

— Eu já disse. Quero fazer alguma coisa importante. Quero ter poder suficiente para fazer com que as coisas aconteçam e para mudar coisas. E a raiz disso está no dinheiro. Como podemos ter um futuro juntos se você não tem futuro?

Tanner segurou a mão dela.

— Isso não é problema. Eu sou dono de metade de uma empresa importante, princesa. Um dia vou ganhar dinheiro suficiente para dar tudo que você quer.

Ela balançou a cabeça.

— Não. Seu irmão Andrew manda em você. Eu sei tudo sobre vocês dois. Ele não vai deixar a empresa crescer, e eu preciso de mais do que você pode me dar agora.

— Está errada. — Tanner refletiu um momento. — Quero que você conheça Andrew.

OS TRÊS ALMOÇARAM juntos no dia seguinte. Paula foi encantadora, e ficou óbvio que Andrew gostou dela imediatamente. Andrew costumava se preocupar com algumas mulheres com quem seu irmão saía. Esta era diferente. Tinha personalidade, era inteligente e espirituosa. Andrew olhou para o irmão, e seu movimento de cabeça significava "boa escolha".

Paula falou:

— Eu acho maravilhoso o que o KIG está fazendo, Andrew, ajudando tantas pessoas em todo o mundo. Tanner me contou tudo.

— Fico feliz por podermos fazer isso. E vamos fazer ainda mais.

— Quer dizer que a empresa vai se expandir?

— Não nesse sentido. Quero dizer que vamos mandar mais pessoas a mais países onde elas possam ser úteis.

Tanner falou rapidamente:

— Então vamos começar a arranjar contratos para projetos aqui e...

Andrew sorriu.

— Tanner é impaciente demais. Não há pressa. Vamos fazer primeiro o nosso objetivo, Tanner. Ajudar os outros.

Tanner olhou para a Princesa. Sua expressão era neutra.

No dia seguinte Tanner telefonou.

— Oi, princesa. A que horas eu pego você?

Houve um momento de silêncio.

— Querido, eu sinto muito. Não vou poder me encontrar com você hoje.

Tanner foi apanhado de surpresa.

— Alguma coisa errada?

— Não. Um amigo está na cidade e preciso me encontrar com ele.

Ele? Tanner sentiu uma pontada de ciúme.

— Entendo. Então amanhã à noite a gente...

— Não, amanhã eu não posso. Que tal na segunda?

Ela iria passar o fim de semana com o tal sujeito. Tanner desligou, preocupado e frustrado.

NA SEGUNDA-FEIRA à noite a Princesa pediu desculpas.

— Sinto muito pelo fim de semana, querido. É só que um velho amigo veio à cidade me ver.

Na mente de Tanner surgiu uma imagem do belo apartamento da Princesa. De modo algum ela poderia pagar aquilo com um salário.

— Quem é ele?

— Desculpe. Não posso dizer o nome. Ele... ele é conhecido demais e não gosta de publicidade.

— E você está apaixonada por ele?

Paula segurou a mão de Tanner e falou em voz baixa:

— Tanner, eu estou apaixonada por você. E só por você.

— Ele está apaixonado por você?

Ela hesitou.

— Está.

Tanner pensou: *Tenho de arranjar um jeito de dar tudo que ela quer. Não posso perdê-la.*

NA MADRUGADA SEGUINTE, às 4h58, Andrew Kingsley foi acordado pelo som do telefone.

— Telefonema para o senhor, da Suécia. Espere, por favor.

Um instante depois, uma voz com ligeiro sotaque sueco falou:

— Parabéns, Sr. Kingsley. O Comitê do Nobel o escolheu para receber o prêmio Nobel de Física deste ano, pelo seu trabalho inovador na área de nanotecnologia...

O prêmio Nobel! Quando a conversa terminou, Andrew se vestiu às pressas e foi direto para o escritório. No minuto em que Tanner chegou, Andrew foi correndo contar a novidade.

Tanner o abraçou.

— O Nobel! Isso é maravilhoso, Andrew! Maravilhoso!

E era. Porque agora todos os problemas de Tanner seriam resolvidos.

Cinco minutos depois Tanner estava falando com a Princesa.

— Sabe o que isso significa, querida? Agora que o KIG tem um prêmio Nobel, nós podemos pegar todos os negócios possíveis. Estou falando de grandes contratos com o governo e com corporações gigantescas. Eu poderei lhe dar o mundo.

— Isso é fabuloso, querido.

— Você se casa comigo?

— Tanner, eu quero me casar com você mais do que qualquer coisa no mundo.

Quando desligou, Tanner estava eufórico. Correu para o escritório do irmão.

— Andrew, eu vou me casar.

Andrew levantou os olhos e falou calorosamente:

— Que boa notícia! Quando vai ser?

— Vamos marcar logo. Todo o pessoal vai ser convidado.

NA MANHÃ SEGUINTE, quando Tanner entrou em seu escritório, Andrew estava esperando por ele. Usava uma flor na lapela.

— Para que isso?

Andrew riu.

— Estou me preparando para o seu casamento. Estou muito feliz por você.

— Obrigado, Andrew.

A notícia se espalhou rapidamente. Como o casamento não tinha sido oficialmente anunciado, ninguém disse nada a Tanner, mas havia olhares e sorrisos.

TANNER ENTROU na sala do irmão.

— Andrew, com o Nobel, todo mundo vai nos procurar, e com o dinheiro do prêmio...

Andrew interrompeu:

— Com o dinheiro do prêmio nós podemos contratar mais pessoas para mandar à Eritréia e a Uganda.

Tanner falou lentamente:

— Mas você vai usar esse prêmio para aumentar a empresa, não vai?

Andrew balançou a cabeça.

— Nós estamos fazendo o que nos propusemos a fazer, Tanner.

Tanner olhou para o irmão durante um longo momento.

— A empresa é sua, Andrew.

TANNER TELEFONOU para ela assim que tomou a decisão.

— Princesa, tenho de ir a Washington a negócios. Talvez você não tenha notícias minhas durante um dia ou dois.

Ela falou em tom provocador:

— Nada de louras, morenas ou ruivas.

— Sem chance. Você é a única mulher no mundo por quem estou apaixonado no mundo.

— E eu estou apaixonada por você.

*

NA MANHÃ SEGUINTE Tanner Kingsley estava no Pentágono, encontrando-se com o chefe do Estado-Maior do Exército, general Alan Barton.

— Achei sua proposta muito interessante — disse o general Barton. — Nós estávamos discutindo quem iríamos usar para o teste.

— Seus testes envolvem micronanotecnologia, e meu irmão acabou de ganhar o prêmio Nobel pelo trabalho nessa área.

— Nós sabemos disso muito bem.

— Ele está tão empolgado com isso que gostaria de fazer o trabalho de graça, simplesmente pelo bem de todos.

— Nós nos sentimos lisonjeados, Sr. Kingsley. Não temos muitos premiados com o Nobel oferecendo seus serviços. — Ele ergueu os olhos para se certificar de que a porta estava fechada. — Isto é altamente confidencial. Se funcionar, vai ser um dos componentes mais importantes dos nossos armamentos. A nanotecnologia molecular pode nos dar o controle do mundo físico ao nível dos átomos individuais. Até agora os esforços para fazer chips ainda menores foram bloqueados pela interferência eletrônica chamada de "conversa cruzada", quando os elétrons ficam descontrolados. Se essa experiência tiver sucesso, vai nos garantir armas de defesa e de ataque significativas.

— Não existe perigo nessa experiência, existe? — perguntou Tanner. — Não quero que nada aconteça com meu irmão.

— Não precisa se preocupar. Nós mandaremos todo o equipamento de que vocês precisarem, inclusive as roupas de segurança e dois dos nossos cientistas para trabalhar com seu irmão.

— Então podemos começar?

— Vocês têm luz verde.

Na volta para Nova York, Tanner pensava: *agora só preciso convencer Andrew.*

Capítulo 17

ANDREW ESTAVA EM sua sala, olhando para um folheto colorido enviado pelo Comitê do Nobel, junto com um bilhete: "Estamos ansiosos pela sua chegada." Havia fotos da enorme sala de concertos de Estocolmo com a platéia aplaudindo um laureado pelo Nobel que atravessava o palco para receber seu prêmio do rei Carl Gustav da Suécia. *E logo eu estarei lá,* pensou Andrew.

A porta se abriu, e Tanner entrou.

— Precisamos conversar.

Andrew pôs o folheto de lado.

— Sim, Tanner?

Tanner respirou fundo.

— Acabei de confirmar a participação do KIG para ajudar o exército numa experiência.

— Você *o quê*?

— O teste envolve criogenia. Eles precisam da sua ajuda.

Andrew balançou a cabeça.

— Não. Eu não posso me envolver nisso, Tanner. Não é o tipo de coisa que nós fazemos aqui.

— Isto não tem a ver com dinheiro, Andrew. Tem a ver com a defesa dos Estados Unidos. É muito importante para o exército. Você está fazendo isso pelo seu país. Pelo bem do povo. Eles precisam de você.

Tanner passou mais uma hora persuadindo-o. Finalmente Andrew cedeu.

— Certo. Mas é a última vez que nós saímos dos trilhos, Tanner. Concorda?

Tanner sorriu.

— Concordo. Nem posso dizer como sinto orgulho de você.

LIGOU PARA A PRINCESA e deixou um recado na secretária eletrônica.

— Voltei, querida. Nós vamos fazer uma experiência muito importante. Ligo para você quando terminar. Amo você.

DOIS TÉCNICOS DO exército chegaram para colocar Andrew a par do progresso que tinham feito até agora. A princípio Andrew se mostrou relutante, mas à medida que discutiam o projeto foi ficando cada vez mais empolgado. Se os problemas pudessem ser resolvidos, seria um avanço enorme.

Uma hora depois Andrew observava um caminhão do exército passar pelo portão do KIG, acompanhado por dois carros oficiais, com soldados armados. Saiu para receber o coronel encarregado do grupo.

— Aqui está, Sr. Kingsley. O que fazemos com isso?

— A partir daqui deixe por minha conta — disse Andrew. — Só descarreguem e nós cuidamos de tudo.

— Sim, senhor. — O coronel se virou para os dois soldados que estavam parados atrás do caminhão. — Vamos descarregar. E tenham cuidado. *Muito* cuidado.

Os homens entraram no caminhão e com todo o cuidado pegaram uma caixa metálica pequena e reforçada.

Em minutos, dois assistentes estavam levando a caixa para um laboratório, sob a supervisão de Andrew.

— Naquela mesa — disse ele —, com muito cuidado. — Ficou olhando enquanto os dois a colocavam no lugar. — Ótimo.

— Bastava um de nós para carregar. É muito leve.

— Vocês não acreditariam se soubessem como é pesada — disse Andrew.

Os dois assistentes o encararam perplexos.

— O quê?

Andrew balançou a cabeça.

— Não é nada.

Dois especialistas em química, Perry Stanford e Harvey Walker, tinham sido selecionados para trabalhar no projeto com Andrew.

Os dois já estavam com as pesadas roupas de proteção necessárias para a experiência.

— Vou me vestir — disse Andrew. — Já volto.

Ele seguiu pelo corredor até uma porta fechada e abriu. Dentro havia suportes com roupas que pareciam trajes espaciais, junto com máscaras contra gases, óculos, sapatos especiais e luvas grossas.

Andrew entrou na sala para colocar sua roupa, e Tanner estava ali para lhe desejar boa sorte.

QUANDO ANDREW VOLTOU ao laboratório, Stanford e Walker o aguardavam. Os três lacraram a sala meticulosamente até ficar totalmente estanque, depois trancaram a porta com cuidado. Todos podiam sentir a empolgação no ar.

— Tudo pronto?

Stanford assentiu.

— Pronto.

— Pronto — disse Walker.

— Máscaras.

Colocaram as máscaras de proteção contra gases.

— Vamos começar — disse Andrew. Cuidadosamente levantou a tampa da caixa metálica. Dentro havia seis pequenos frascos acomodados sobre almofadas protetoras. — Tenham cuidado. Essas coisinhas estão a 222 graus abaixo de zero. — Sua voz estava abafada pela máscara contra gases.

Stanford e Walker ficaram olhando enquanto Andrew levantava o primeiro frasco com cuidado e o abria. O frasco começou a sibilar, e o vapor que saiu se transformou numa nuvem congelada que pareceu saturar a sala.

— Tudo bem. — disse Andrew. — Bom, a primeira coisa que temos de fazer... a primeira coisa... — Seus olhos se arregalaram. Estava sufocando, o rosto ficando branco como giz. Tentou falar, mas nenhuma palavra saiu.

Stanford e Walker ficaram olhando horrorizados o corpo de Andrew tombar no chão. Walker tampou rapidamente o frasco e fechou a caixa. Stanford correu até a parede e apertou um botão ativando um ventilador gigante que expulsou o vapor gelado do laboratório.

Quando o ar estava limpo, os dois cientistas abriram a porta e levaram Andrew às pressas para fora. Andando pelo corredor, Tanner viu o que estava acontecendo, e um olhar de pânico surgiu em seu rosto.

Correu até os dois homens e olhou para o irmão.

— Que diabo está acontecendo?

— Houve um acidente e... — disse Stanford.

— Que tipo de acidente? — Tanner estava gritando feito um louco. — O que vocês fizeram com meu irmão? — Pessoas estavam começando a se juntar ao redor deles. — Chamem uma ambulância. Não. Não temos tempo para isso. Vamos levá-lo ao hospital num dos nossos carros.

VINTE MINUTOS DEPOIS Andrew estava numa maca na emergência do hospital St. Vincent, em Manhattan. Havia uma máscara de oxigênio pulsando em seu rosto e um tubo de soro ligado ao braço. Dois médicos se curvavam sobre ele.

Tanner estava andando freneticamente de um lado para outro.

— Vocês precisam dar um jeito nisso — gritou. — Agora!

Um dos médicos falou:

— Sr. Kingsley, devo pedir que saia da sala.

— Não — gritou Tanner. — Vou ficar aqui com meu irmão. — Ele foi até a maca onde Andrew estava deitado, inconsciente, segurou sua mão e apertou. — Anda, irmão. Acorda. Nós precisamos de você.

Não houve resposta.

Lágrimas encheram os olhos de Tanner.

— Você vai ficar bem. Não se preocupe. Nós vamos trazer os melhores médicos do mundo. Você vai ficar bem. — Em seguida se virou para os médicos. — Quero um quarto particular e enfermeiras particulares vinte e quatro horas por dia, e quero uma cama extra no quarto. Eu vou ficar com ele.

— Sr. Kingsley, nós gostaríamos de terminar o exame.

— Vou esperar no corredor — disse Tanner em tom de desafio.

ANDREW FOI LEVADO rapidamente para vários exames de ressonância magnética e tomografias, além de exames de sangue. Uma tomografia mais sofisticada, por emissão de pósitrons, foi marcada. Depois ele foi levado para um quarto, atendido por três médicos.

Tanner estava no corredor, sentado numa cadeira, esperando. Quando um dos médicos finalmente saiu do quarto de Andrew, Tanner levantou-se num salto.

— Ele vai ficar bem, não vai?

O médico hesitou.

— Nós vamos transferi-lo imediatamente para o Centro Médico Walter Reed, do exército, em Washington, para outros diagnósticos, mas francamente, Sr. Kingsley, não temos muitas esperanças.

— Que diabo você está falando? — Tanner estava gritando. — Claro que ele vai ficar bem. Há apenas alguns minutos ele estava naquele laboratório.

O médico já ia repreendê-lo, mas ergueu a cabeça e viu que os olhos de Tanner estavam cheios de lágrimas.

Tanner foi até Washington na ambulância aérea com o irmão inconsciente. Durante todo o vôo ficou falando com ele.

— Os médicos disseram que você vai ficar bem... Vão lhe dar alguma coisa para você ficar bem... você só precisa descansar um pouco. — Abraçou o irmão. — Você tem de ficar bom a tempo de nós irmos à Suécia pegar o seu prêmio Nobel.

NOS TRÊS DIAS SEGUINTES Tanner dormiu numa cama no quarto de Andrew e ficou ao lado do irmão o máximo que os médicos permitiam. Estava na sala de espera do Walter Reed quando um dos médicos se aproximou.

— Como ele está? Ele...? — Tanner viu a expressão no rosto do médico. — O que é?

— Infelizmente é muito ruim. Seu irmão tem sorte em estar vivo. O que quer que fosse aquele gás experimental, era extremamente tóxico.

— Nós podemos trazer médicos de...

— Não adianta. Infelizmente as toxinas já afetaram as células do cérebro.

Tanner se encolheu.

— Mas não existe uma cura para... para o que ele tem?

O médico falou em tom cáustico:

— Sr. Kingsley, o exército ainda nem tem nome para isso, e o senhor quer saber se existe cura? Não. Sinto muito. Infelizmente ele... ele nunca mais vai ser o mesmo.

Tanner ficou imóvel, os punhos fechados, o rosto branco.

— Seu irmão está acordado. O senhor pode entrar, mas só por alguns minutos.

Quando Tanner entrou no quarto, os olhos de Andrew estavam abertos. Ele olhou para o visitante com expressão vazia.

O telefone tocou e Tanner atendeu. Era o general Barton.

— Sinto muitíssimo pelo que aconteceu com...

— Seu desgraçado! Você disse que meu irmão não correria perigo.

— Não sei o que deu errado, mas garanto...

Tanner bateu o telefone. Ouviu a voz do irmão e se virou.

— Onde... onde eu estou? — murmurou Andrew.

— No hospital Walter Reed, em Washington.

— Por quê? Quem está doente?

— Você, Andrew.

— O que aconteceu?

— Alguma coisa deu errado com a experiência.

— Eu não lembro...

— Tudo bem. Não se preocupe. Você vai ser bem atendido. Eu garanto.

Os olhos de Andrew se fecharam. Tanner deu uma última olhada no irmão deitado na cama e saiu do quarto.

A PRINCESA MANDOU FLORES para o hospital. Tanner quis ligar para ela, mas sua secretária disse:

— Ah, ela telefonou. Teve de sair da cidade. Disse que liga para o senhor assim que voltar.

Uma semana depois Andrew e Tanner estavam de volta a Nova York. A notícia do que tinha acontecido com Andrew provocara tumulto no KIG. Sem ele no comando, será que a empresa continuaria existir? Quando a notícia do acidente se tornasse pública, certamente prejudicaria a reputação do KIG.

Isso não importa, pensou Tanner. *Eu vou transformar essa empresa no maior centro de projetos científicos do mundo. Agora posso dar à Princesa mais do que ela já sonhou. Dentro de alguns anos...*

A secretária de Tanner tocou o interfone.

— Há um motorista de limusine querendo falar com o senhor.

Tanner ficou perplexo.

— Mande entrar.

Um chofer uniformizado entrou segurando um envelope.

— Tanner Kingsley?

— Sim.

— Pediram que eu entregasse isso pessoalmente.

Ele estendeu o envelope e saiu.

Tanner olhou para o envelope e riu. Reconheceu a letra da Princesa. Ela havia planejado algum tipo de surpresa para ele. Abriu ansioso. O bilhete dizia:

> *Não vai dar certo, querido. Neste momento preciso de mais do que você pode me dar, de modo que estou me casando com alguém que pode fazer isso. Eu amo você e sempre amarei. Sei que você vai achar difícil acreditar, mas o que estou fazendo é pelo bem de nós dois.*

O rosto de Tanner ficou pálido. Ele olhou o bilhete por longo tempo e depois largou-o, desanimado, no cesto de lixo.

Seu triunfo chegara tarde demais.

Capítulo 18

NO DIA SEGUINTE, Tanner estava sentado em silêncio à sua mesa quando a secretária tocou o interfone.

— Há uma comissão aqui para falar com senhor.

— Uma comissão?

— Sim, senhor.

— Mande que entrem.

Supervisores de vários departamentos do KIG entraram na sala de Tanner.

— Gostaríamos de falar com o senhor, Sr. Kingsley.

— Sentem-se.

Eles se sentaram.

— Qual é o problema?

Um dos chefes de seção começou:

— Bem, nós estamos meio preocupados. Depois do que aconteceu com seu irmão, o KIG vai continuar funcionando?

Tanner balançou a cabeça.

— Não sei. Neste momento ainda estou em estado de choque. Não acredito no que aconteceu com Andrew. — Ele ficou pensativo um momento. — Vou dizer o que farei. Não posso prever nossas chances, mas vou fazer todos os esforços possíveis para garantir que continuemos de pé. É uma promessa. Manterei vocês informados.

Houve murmúrios de agradecimento, e Tanner ficou olhando os homens saírem.

NO DIA EM QUE Andrew saiu do hospital, Tanner o colocou numa pequena casa para funcionários dentro da propriedade, onde poderiam cuidar dele, e lhe deu uma sala ao lado da sua. Os empregados ficaram pasmos ao ver o que havia acontecido com Andrew. Ele havia se transformado de um cientista brilhante e alerta num zumbi. Durante a maior parte do dia Andrew ficava sentado na sua cadeira, olhando pela janela, meio adormecido, mas parecia feliz em estar de volta ao KIG, mesmo fazendo pouca idéia do que estava acontecendo. Todos os empregados ficavam emocionados ao ver como Tanner cuidava bem do irmão e como era solícito e atencioso.

A ATMOSFERA NO KIG mudou da noite para o dia. Quando Andrew estava no comando, o ambiente era quase informal. Agora, de repente, o lugar era mais formal e administrado mais como uma empresa do que como uma entidade filantrópica. Tanner mandou emissários para conseguir clientes. Os negócios começaram a crescer num ritmo extraordinário.

A NOTÍCIA DO BILHETE de despedida da Princesa havia se espalhado rapidamente pelo KIG. Os empregados tinham se preparado para o casamento e ficaram imaginando como Tanner receberia esse golpe. Houve muita especulação sobre o que ele faria depois do chute.

Dois dias depois de Tanner ter recebido a carta saiu uma nota nos jornais anunciando que sua futura noiva tinha se casado com Edmond Barclay, um magnata bilionário da mídia. As únicas mudanças em Tanner Kingsley pareciam ser um aumento no mau humor e uma ética profissional ainda mais forte do que antes. Todos os dias pela manhã ele passava duas horas sozinho, trabalhando num projeto envolto em segredo.

UMA NOITE TANNER foi convidado para falar na MENSA, a sociedade de pessoas com QI elevado. Como muitos funcionários do KIG eram sócios, ele aceitou.

Quando entrou na sede da empresa, na manhã seguinte, estava acompanhado por uma das mulheres mais lindas que seus empregados já tinham visto. Era de aparência latina, com olhos escuros, pele morena e um corpo sensacional.

Tanner apresentou-a aos funcionários.

— Esta é Sebastiana Cortez. Ela discursou ontem à noite no MENSA. Foi brilhante.

De repente toda a atitude de Tanner ficou mais leve. Levou Sebastiana para sua sala e os dois não reapareceram durante mais de uma hora. Após saírem, almoçaram na sala de jantar privativa de Tanner.

Um dos empregados procurou o nome de Sebastiana Cortez na Internet. Ela era ex-miss Argentina e morava em Cincinnati, onde era casada com um empresário importante.

Quando Sebastiana e Tanner voltaram para a sala dele depois do almoço, a voz de Tanner pôde ser ouvida na recepção pelo interfone, que tinha sido deixado ligado.

— Não se preocupe, querida. Vamos achar um jeito de fazer com que dê certo.

As secretárias começaram a se juntar em volta do interfone, ouvindo ansiosas a conversa.

— Nós precisamos ter muito cuidado. Meu marido é ciumento.

— Tudo bem. Eu vou fazer os arranjos para mantermos contato.

Não era preciso ser gênio para deduzir o que estava acontecendo. As secretárias mal podiam conter os risos.

— É uma pena você ter de voltar para casa agora.

— Eu também acho. Gostaria de poder ficar, mas... não posso.

QUANDO TANNER e Sebastiana saíram da sala, eram a própria imagem do decoro. Os empregados adoraram a idéia de que Tanner não imaginava que eles sabiam o que estava acontecendo.

Um dia depois de Sebastiana ter partido, Tanner mandou que um telefone folheado a ouro fosse instalado em sua sala, com um codificador digital. Sua secretária e seus assistentes tinham ordem para jamais atendê-lo.

A partir daí Tanner falava ao telefone dourado quase todo dia, e ao fim de cada mês passava fora um fim de semana prolongado, e voltava cheio de vigor. Jamais contava aos funcionários onde tinha estado, mas eles sabiam.

Duas auxiliares de Tanner estavam conversando, e uma delas disse à outra:

— A expressão "encontro clandestino" faz você pensar em alguma coisa?

A vida amorosa de Tanner tinha recomeçado, e a mudança nele era notável. Todo mundo estava feliz.

Capítulo 19

AS PALAVRAS FICAVAM ecoando no cérebro de Diane Stevens. *Aqui é Ron Jones. Só queria lhe dizer que recebi seu comunicado e que a mudança foi feita, como a senhora pediu... nós cremamos o corpo de seu marido há uma hora.*

Como a funerária podia ter cometido esse erro? Perdida em seu sofrimento, será que ela teria ligado e pedido que eles cremassem Richard? Nunca. E Diane não tinha mandado nenhum comunicado. Nada daquilo fazia sentido. Alguém da funerária tinha cometido um erro, confundido o nome de Richard com algum corpo de nome semelhante.

Eles haviam mandado uma urna com as cinzas de Richard. Diane ficou parada, olhando. Richard estaria mesmo ali?... Seu riso estaria ali?... Os braços que a envolviam... os lábios quentes apertados contra os seus... a mente tão brilhante e divertida... a voz que dizia "eu amo você"... será que todos os sonhos, paixões e milhares de outras coisas dele estavam naquela pequena urna?

Os pensamentos de Diane foram interrompidos pelo toque do telefone.

— Sra. Stevens?

— Sim...

— Aqui é do escritório de Tanner Kingsley. O Sr. Kingsley gostaria de marcar uma hora para a senhora vir se encontrar com ele.

ISSO TINHA SIDO há dois dias, e agora Diane estava passando pela entrada do KIG e se aproximando da recepção.

A recepcionista disse:

— Em que posso ajudá-la?

— Meu nome é Diane Stevens. Tenho hora marcada com Tanner Kingsley.

— Ah, Sra. Stevens! Nós todos sentimos muito pelo que aconteceu com o Sr. Stevens. Que coisa terrível! Terrível.

Diane engoliu em seco.

— É.

TANNER ESTAVA FALANDO com Retra Tyler.

— Eu tenho duas reuniões daqui a pouco. Vamos fazer uma sondagem completa nas duas.

— Sim, senhor.

Ele ficou olhando a assistente se afastar.

O interfone tocou.

— A Sra. Stevens está aqui, Sr. Kingsley.

Tanner apertou um dos botões no painel eletrônico em sua mesa e Diane Stevens apareceu numa tela de televisão. O cabelo louro estava preso num coque e ela usava uma saia de risca-de-giz branca e azul-marinho, com blusa branca. Estava pálida.

— Mande-a entrar, por favor.

Ele viu Diane passar pela porta e se levantou para recebê-la.

— Obrigado por ter vindo, Sra. Stevens.

Diane assentiu.

— Bom dia.

— Sente-se, por favor.

Diane ocupou uma cadeira na frente da mesa dele.

— Não preciso dizer que todos nós ficamos chocados com o assassinato brutal do seu marido. Pode ter certeza de que o responsável será levado à justiça o mais rápido possível.

Cinzas...

— Se não se importa, eu gostaria de lhe fazer algumas perguntas.

— Sim?

— Seu marido costumava falar de trabalho com a senhora?

Diane balançou a cabeça.

— Na verdade, não. Era uma parte separada de nossa vida, porque era técnica demais.

Na sala de vigilância no fim do corredor, Retra Tyler tinha ligado uma máquina de reconhecimento de voz, um analisador de tensão na voz e um gravador de TV, e estava registrando a cena que acontecia na sala de Tanner.

— Sei como deve ser difícil para a senhora falar disso — disse Tanner. — Mas o que sabe sobre a conexão do seu marido com drogas?

Diane encarou-o, pasma demais para falar. Finalmente, encontrou a própria voz.

— O que... o que o senhor está perguntando? Richard jamais teria alguma coisa a ver com drogas.

— Sra. Stevens, a polícia achou um bilhete ameaçador da Máfia no bolso dele, e...

A idéia de Richard envolvido com drogas era impensável. Será que Richard poderia ter tido uma vida secreta da qual ela não soubesse nada? *Não, não, não.*

O coração de Diane começou a bater forte, e ela sentiu o sangue subindo ao rosto. *Eles o mataram para* me *punir.*

— Sr. Kingsley, Richard não...

O tom de voz de Tanner era simpático, mas ao mesmo tempo decidido.

— Lamento fazer com que a senhora passe por isso, mas pretendo chegar ao fundo do que aconteceu com seu marido.

Eu sou o fundo, pensou Diane, arrasada. *Sou eu que você está procurando. Richard morreu porque eu testemunhei contra Altieri.* Ela estava começando a respirar com dificuldade.

Tanner Kingsley observava-a. Falou:

— Não vou tomar mais o seu tempo, Sra. Stevens. Dá para ver como está perturbada. Nós conversaremos de novo mais tarde. Talvez a senhora se lembre de algo. Se pensar em qualquer coisa que possa ser útil, eu agradeceria se me telefonasse. — Tanner enfiou a mão numa gaveta e pegou um cartão de visita gravado em relevo. — Aqui está o número do meu celular. A senhora pode falar comigo a qualquer hora do dia ou da noite.

Diane pegou o cartão. Tudo que havia nele era o nome de Tanner e um número.

Ela se levantou com as pernas tremendo.

— Peço desculpas por ter feito a senhora passar por isso. Nesse meio tempo, se eu puder fazer alguma coisa, qualquer coisa de que a senhora precisar, estou ao seu dispor.

Diane mal podia falar.

— Obrigada. Eu... obrigada. — Ela se virou e saiu do escritório, aturdida.

Quando chegou à recepção, escutou a mulher atrás da mesa falando com outra pessoa:

— Se eu fosse uma pessoa supersticiosa, acharia que alguém colocou uma maldição no KIG. E agora o *seu* marido, Sra. Harris. Todos nós ficamos muito chocados ao saber da coisa pavorosa que aconteceu com ele. Morrer assim é uma coisa medonha.

As palavras pareceram malignamente familiares a Diane. O que tinha acontecido com o marido daquela mulher? Diane se virou para ver com quem a recepcionista estava falando. Era uma jovem afro-americana de beleza estonteante, vestindo calça preta e suéter de gola rulê, de seda. No dedo havia um grande anel de esmeralda e um anel de diamante, de casamento. Diane teve a sensação súbita de que era importante falar com ela.

Quando começou a se aproximar, a secretária de Tanner apareceu.

— O Sr. Kingsley vai recebê-la agora.

E Diane viu Kelly Harris desaparecer na sala de Tanner.

TANNER SE LEVANTOU para receber Kelly.

— Obrigado por ter vindo, Sra. Harris. O vôo foi bom?

— Sim, obrigada.

— Gostaria de alguma coisa? Café ou...?

Kelly balançou a cabeça.

— Sei como deve ser um momento difícil para a senhora, mas preciso fazer algumas perguntas.

NA SALA DE VIGILÂNCIA, Retra Tyler estava vendo Kelly na tela de TV e gravando a cena.

— A senhora tinha um relacionamento íntimo com seu marido? — perguntou Tanner.

— Muito íntimo.

— Diria que ele era honesto com a senhora?

Kelly o encarou, perplexa.

— Nós não tínhamos segredo. Mark era o ser humano mais honesto e aberto que eu já conheci. Ele... — Kelly estava achando difícil continuar.

— Ele costumava falar do trabalho com a senhora?

— Não. O que Mark fazia era muito... complicado. Nós não falávamos muito sobre isso.

— A senhora e Mark têm muitos amigos russos?

Kelly o encarou, confusa.

— Sr. Kingsley, não sei o que essas perguntas...

— O seu marido contou que iria fazer um grande acordo e que iria ganhar muito dinheiro?

Kelly estava ficando perturbada.

— Não. Se isso estivesse acontecendo, Mark teria contado.

— Alguma vez Mark falou sobre Olga?

Kelly sentiu um súbito mau presságio.

— Sr. Kingsley, exatamente do que se trata isso?

— A polícia de Paris encontrou um bilhete no bolso de seu marido. Mencionava uma recompensa em troca de informação, e estava assinado com: "Amor, Olga."

Kelly ficou sentada, pasma.

— Eu... eu não sei o que...

— Mas a senhora disse que ele falava de tudo com a senhora?

— Sim, mas...

— Pelo que pudemos descobrir, parece que seu marido estava envolvido com essa mulher e...

— Não! — Kelly estava de pé. — Não é do meu Mark que nós estamos falando. Eu disse, nós não tínhamos segredos.

— A não ser o segredo que causou a morte do seu marido.

De repente Kelly sentiu que iria desmaiar.

— O senhor... o senhor deve me desculpar, Sr. Kingsley. Não estou me sentindo bem.

Num instante ele estava se desculpando.

— Entendo. Eu quero ajudar como puder. — Tanner entregou seu cartão de visitas impresso em relevo.

— A senhora pode me encontrar nesse número a qualquer momento, Sra. Harris.

Kelly assentiu, incapaz de falar, e saiu da sala desorientada.

A MENTE DE KELLY estava fervilhando quando ela saiu do prédio.

Quem era Olga? E por que Mark estaria envolvido com os russos? Por que ele...

— Com licença. Sra. Harris?

Kelly se virou.

— Sim?

Uma loura atraente estava parada do lado de fora do prédio.

— Meu nome é Diane Stevens. Gostaria de falar com você. Há uma cafeteria do outro lado da rua e nós...

— Desculpe. Eu... eu não posso falar agora. — Kelly começou a se afastar.

— É sobre o seu marido.

Kelly parou abruptamente e se virou.

— Mark? O que é que tem?

— Não podemos conversar num lugar mais discreto?

NA SALA DE TANNER, a voz de sua secretária veio pelo interfone.

— O Sr. Higholt está aqui.

— Mande-o entrar.

Um instante depois Tanner o recebia.

— Boa tarde, John.

— Boa? Esta é uma tarde *infernal*, Tanner. Parece que todo mundo na nossa empresa está sendo assassinado. Que diabo está acontecendo?

— É o que nós estamos tentando descobrir. Não acredito que a morte súbita de três dos nossos funcionários seja coincidência. Alguém está querendo prejudicar a reputação desta empresa, mas essas pessoas serão encontradas e presas. A polícia concordou em cooperar conosco, e eu tenho homens rastreando os movimentos dos empregados que foram mortos. Eu gostaria que você ouvisse as entrevistas que acabei de gravar. São as viúvas de Richard Stevens e Mark Harris. Você está pronto?

— Vá em frente.

— Esta é Diane Stevens. — Tanner apertou um botão e sua entrevista com Diane Stevens apareceu na tela. No canto direito havia um gráfico, traçando linhas para cima e para baixo enquanto Diane falava.

O que a senhora sabe sobre a ligação do seu marido com as drogas?

O que... o que o senhor está perguntando? Richard jamais teria alguma coisa a ver com drogas.

As imagens do gráfico permaneceram estáveis.

Tanner apertou o botão de avanço.

— Esta é a Sra. Mark Harris, cujo marido foi empurrado ou caiu do topo da torre Eiffel.

Uma imagem de Kelly apareceu na tela de TV.

Alguma vez Mark falou sobre Olga?

Sr. Kingsley, exatamente do que se trata isso?

A polícia de Paris encontrou um bilhete no bolso de seu marido. Mencionava uma recompensa em troca de informação, e estava assinado com: "Amor, Olga."

Eu... eu não sei o que...

Mas a senhora não disse que conversavam sobre tudo?

Disse, mas...

Pelo que pudemos descobrir, parece que seu marido estava envolvido com essa mulher e...

Não! — Kelly estava de pé. — Não é do meu Mark que nós estamos falando. Eu disse, nós não tínhamos segredos.

As linhas do gráfico de análise de tensão na voz permaneceram estáveis. A imagem de Kelly desapareceu.

— O que era aquela linha na tela? — perguntou John Higholt.

— É um analisador de tensão na voz, um CVSA. Ele registra micro-tremores na voz humana. Se a pessoa estiver mentindo, as modulações de freqüência de áudio aumentam. É tecnologia de ponta. Não precisa de fios, como um polígrafo. Estou convencido de que as duas mulheres falaram a verdade. Elas devem ser protegidas.

John Higholt franziu a testa.

— O que quer dizer? Protegidas de quê?

— Acho que elas correm perigo, que subconscientemente têm mais informações do que imaginam. As duas eram muito chegadas aos maridos. Estou convencido de que em algum momento alguma coisa reveladora pode ter sido dita, alguma coisa que elas não perceberam na hora, mas está em seus bancos de memória. As chances são de que, se começarem a pensar a respeito, vão se lembrar. No momento em que isso acontecer, a vida delas pode correr perigo, porque quem matou os maridos pode estar planejando matá-las. Eu pretendo garantir que nada de mal lhes aconteça.

— Você vai mandar segui-las?

— Isso era antigamente, John. Hoje existem equipamentos eletrônicos. Coloquei o apartamento de Stevens sob vigilância — câmeras, telefones, microfones — tudo. Estamos usando toda a tecnologia à nossa disposição para protegê-la. No momento em que alguém tentar atacá-la, nós saberemos.

John Higholt ficou pensativo um momento.

— E Kelly Harris?

— Ela está num hotel. Infelizmente não pudemos entrar na suíte para preparar o local. Mas tenho homens vigiando o saguão, e se parecer que existe algum problema, eles cuidarão disso. — Tanner hesitou. — Quero que o KIG ofereça uma recompensa de cinco milhões de dólares para informações que levem à prisão de...

— Espere um minuto, Tanner. Isso não é necessário. Nós vamos resolver a coisa e...

— Muito bem. Se o KIG não fizer isso, eu pessoalmente ofereço uma recompensa de cinco milhões de dólares. Meu nome está identificado com esta empresa. — Sua voz endureceu. — Quero que quem está por trás disso seja apanhado.

Capítulo 20

NO CAFÉ DO outro lado da rua, em frente à sede do KIG, Diane Stevens e Kelly Harris estavam sentadas num canto reservado. Kelly esperava que Diane falasse.

Diane não sabia direito por onde começar. *Qual foi a coisa medonha que aconteceu com seu marido, Sra. Harris? Ele foi assassinado, como Richard?*

Kelly falou com impaciência:

— E então? Você disse que queria falar sobre o meu marido. Você conhecia Mark?

— Eu não o conhecia, mas...

Kelly ficou furiosa.

— Você disse que...

— Eu disse que queria falar sobre ele.

Kelly se levantou.

— Eu não tenho tempo para isso. — E começou a se afastar.

— Espere! Eu acho que talvez nós duas tenhamos o mesmo problema, e que possamos ajudar uma à outra.

Kelly parou.

— De que você está falando?

— Por favor, sente-se.

Com relutância, Kelly voltou ao seu lugar no reservado.

— Continue.

— Eu queria perguntar se...

Um garçom se aproximou da mesa com um cardápio.

— O que desejam, senhoras?

Estar longe daqui, pensou Kelly.

— Nada.

— Dois cafés — disse Diane.

Kelly olhou para Diane e disse cheia de desafio:

— Chá para mim.

— Sim, senhora. — O garçom saiu.

Diane falou:

— Eu acho que você e eu...

Uma menininha chegou à mesa e disse a Kelly:

— Pode me dar um autógrafo?

Kelly a encarou.

— Você sabe quem eu sou?

— Não, mas mamãe disse que a senhora é importante.

— Não sou.

Diane olhou para Kelly, perplexa.

— Será que eu deveria saber quem você é?

— Não. — E acrescentou objetiva: — E não gosto de gente xeretando minha vida. De que se trata isso, Sra. Stevens?

— Diane, por favor. Eu ouvi a secretária dizer que aconteceu uma coisa terrível com o seu marido e...

— É, ele foi assassinado. — *Você e Mark conversaram sobre Olga?*

— Meu marido também foi assassinado. E os dois trabalhavam para o KIG.

— É isso? — disse Kelly, impaciente. — Bem, milhares de outras pessoas também trabalham. Se duas delas pegaram resfriados, você diria que foi uma epidemia?

Diane se inclinou para a frente.

— Olha, é importante. Em primeiro lugar...

— Sinto muito. Eu não estou no clima para ouvir isso — disse Kelly e pegou a bolsa.

De repente a voz de Diane ecoou no café.

— *Havia quatro homens na sala...*

Espantadas, Diane e Kelly se viraram para a origem do som. A voz de Diane vinha de um aparelho de TV sobre o balcão. Ela estava no tribunal, no banco das testemunhas.

— *...um deles estava numa cadeira, amarrado. O Sr. Altieri parecia estar interrogando-o enquanto os outros dois estavam parados ao lado. O Sr. Altieri pegou uma arma, gritou alguma coisa e... e atirou na nuca do homem.*

O apresentador apareceu na tela.

— *Esta foi Diane Stevens testemunhando no julgamento de assassinato onde foi acusado o chefão da Máfia Anthony Altieri. O júri acaba de dar o veredicto de inocente.*

Diane ficou sentada, pasma. *Inocente?*

— *O assassinato aconteceu há quase dois anos e Anthony Altieri foi acusado de matar um de seus empregados. Apesar do testemunho de Diane Stevens, o júri acreditou em outros testemunhos que a contradisseram.*

Kelly estava olhando para o aparelho, incrédula. Uma nova testemunha apareceu no banco.

Jake Rubenstein, o advogado de Altieri, perguntou:

— *Dr. Russell, o senhor tem consultório em Nova York?*

— *Não. Eu só trabalho em Boston.*

— *No dia em questão o senhor tratou o Sr. Altieri devido a um problema cardíaco?*

— *Sim. Mais ou menos às nove da manhã. Eu o mantive sob observação durante o dia inteiro.*

— *Então ele não poderia ter estado em Nova York em 14 de outubro?*

— *Não.*

Outra testemunha apareceu na tela:

— *Poderia nos dizer qual é a sua ocupação, senhor?*

— *Sou gerente do Boston Park Hotel.*

— *O senhor estava de serviço em 14 de outubro passado?*

— *Sim, estava.*

— *Aconteceu alguma coisa incomum naquele dia?*

— *Sim. Eu recebi um telefonema urgente da suíte de cobertura pedindo que mandasse um médico imediatamente.*

— *O que aconteceu em seguida?*

— *Eu liguei para o Dr. Joseph Russell e ele veio imediatamente. Fomos à suíte de cobertura para verificar o hóspede, Anthony Altieri.*

— *O que o senhor viu ao chegar lá?*

— *O Sr. Altieri estava deitado no chão. Eu pensei que ele iria morrer no nosso hotel.*

Diane tinha empalidecido.

— Eles estão mentindo — disse com voz rouca. — Os dois.

Anthony Altieri estava sendo entrevistado. Parecia frágil e doente.

— *O senhor tem algum plano para o futuro imediato, Sr. Altieri?*

— *Agora que a justiça foi feita, só vou dar um tempo.* — Altieri deu um sorriso débil. — *Talvez resolver algumas dívidas antigas.*

Kelly estava pasma. Virou-se para Diane.

— Você testemunhou contra *ele*?

— Sim. Eu o vi matar...

As mãos trêmulas de Kelly derramaram um pouco de chá, e derrubaram um saleiro.

— Vou sair daqui.

— Por que você está tão nervosa?

— Por que eu estou nervosa? Você tentou mandar o chefão da Máfia para a cadeia e ele está livre, e vai resolver dívidas antigas, e você quer saber por que *eu* estou nervosa? *Você* deveria estar nervosa. — Kelly se levantou e jogou dinheiro sobre a mesa. — Eu pago a conta. É melhor economizar seu dinheiro para as despesas de viagem, Sra. Stevens.

— Espere! A gente ainda não falou dos nossos maridos nem...

— Esqueça! — Kelly foi para a porta e Diane seguiu-a com relutância.

— Acho que você está reagindo com exagero.

— Acha mesmo?

Quando chegaram à saída Kelly disse:

— Não entendo como você pôde ser tão estúpida a ponto de...

Um homem idoso, que vinha entrando de muletas, escorregou e começou a cair. Por um instante Kelly estava em Paris, e era Mark quem estava caindo, e ela se abaixou para salvá-lo, e ao mesmo tempo Diane se moveu para segurar o velho. Nesse instante, do outro lado da rua, soaram dois disparos altos, e as balas se chocaram contra a parede onde as duas tinham estado. A explosão trouxe Kelly instantaneamente de volta à realidade. Ela estava em Manhattan e tinha acabado de tomar chá com uma louca.

— Meu Deus! — exclamou Diane. — Nós...

— Não é hora de rezar. Vamos dar o fora daqui!

Kelly empurrou Diane para o meio-fio onde Colin esperava de pé, perto da limusine. Ele abriu a porta do carro e as duas se jogaram no banco de trás.

— O que foi aquele barulho? — perguntou Colin.

As duas mulheres ficaram ali sentadas, encolhidas, nervosas demais para falar.

Por fim Kelly disse:

— É... deve ter sido um cano de descarga estourando. — Ela se virou para Diane, que estava lutando para recuperar a compostura. — Espero que eu não esteja reagindo com exagero — disse com sarcasmo. — Vou lhe dar uma carona. Onde você mora?

Diane respirou fundo e deu a Colin o endereço de seu prédio. As duas seguiram num silêncio de pedra, abaladas pelo que tinha acabado de acontecer.

Quando o carro parou diante do prédio, Diane se virou para Kelly.

— Não quer entrar? Eu estou meio trêmula. Acho que pode acontecer mais alguma coisa.

Kelly falou peremptória:

— Eu tenho a mesma sensação, mas não vai acontecer comigo. Adeus, Sra. Stevens.

Diane olhou para Kelly um momento, começou a dizer alguma coisa, depois balançou a cabeça e saiu do carro.

Kelly ficou olhando Diane entrar no saguão e depois em seu apartamento do primeiro andar. Deu um suspiro de alívio.

— Aonde gostaria de ir, Sra. Harris? — perguntou Colin.

— De volta ao hotel, Colin, e...

Houve um grito alto vindo do apartamento. Kelly hesitou um instante, depois abriu a porta do carro e correu para dentro do prédio. Diane tinha deixado a porta do apartamento escancarada. Estava imóvel no meio do quarto, tremendo.

— O que aconteceu?

— Alguém... alguém entrou aqui. A pasta de Richard estava nesta mesa, e sumiu. Estava cheia dos papéis dele. Deixaram a aliança dele no lugar.

Kelly olhou em volta, nervosa.

— É melhor chamar a polícia.

— É. — Diane se lembrou do cartão que o detetive Greenburg tinha deixado na mesa do corredor. Foi até lá e pegou. Um minuto depois estava ao telefone, dizendo: — Detetive Earl Greenburg, por favor.

Houve uma breve pausa.

— Greenburg.

— Detetive Greenburg, aqui é Diane Stevens. Aconteceu uma coisa aqui. Será que o senhor poderia vir ao meu apartamento e... obrigada.

Diane respirou fundo e se virou para Kelly.

— Ele está vindo. Será que você se incomodaria em esperar até...

— Eu me incomodaria. Esse problema é seu. Não quero fazer parte dele. E talvez você devesse mencionar que alguém tentou matá-la agora mesmo. Eu estou indo para Paris. Adeus, Sra. Stevens.

Diane ficou olhando Kelly sair e ir para a limusine.

— Para onde? — perguntou Colin.

— De volta ao hotel, por favor.

Onde ela estaria em segurança.

Capítulo 21

QUANDO VOLTOU ao seu quarto de hotel, Kelly ainda estava nervosa com o que tinha acontecido. A experiência de chegar perto de ser morta fora aterrorizante. *A última coisa de que eu preciso neste momento é de uma loura maluca tentando fazer com que eu seja assassinada.*

Kelly se deixou afundar no sofá para se acalmar, e fechou os olhos. Tentou meditar e se concentrar num mantra, mas não adiantou. Estava abalada demais. Havia um sentimento de vazio e solidão por dentro. *Mark, sinto muita falta de você. As pessoas disseram que, com o tempo, eu iria ficar melhor. Não é verdade, querido. A cada dia isso piora.*

O som de um carrinho de comida sendo empurrado pelo corredor fez Kelly perceber que não tinha comido o dia inteiro. Não estava com fome, mas sabia que precisava manter as forças.

Ligou para o serviço de quarto.

— Quero uma salada de camarão e chá quente, por favor.

— Obrigado. Vai chegar em vinte e cinco a trinta minutos, Sra. Harris.

— Ótimo. — Kelly desligou o aparelho. Ficou sentada, repassando na mente o encontro com Tanner Kingsley, e sentiu como se tivesse mergulhado num pesadelo arrepiante. O que estava acontecendo?

Por que Mark nunca mencionou Olga? Seria um relacionamento profissional? Um caso? Mark, querido, quero que você saiba que, se teve um caso, eu o perdôo, porque o amo. Sempre vou amar. Você me ensinou a amar. Eu era fria e você me aqueceu. Você devolveu meu orgulho e fez com que eu me sentisse mulher.

Pensou em Diane. *Aquela intrometida colocou minha vida em risco. Devo ficar longe dela. Isso não vai ser difícil. Amanhã estarei em Paris, com Angel.*

Seu devaneio foi interrompido pelo som de uma batida na porta.

— Serviço de quarto.

— Já vou. — Enquanto ia para a porta, Kelly parou, perplexa. Tinha feito o pedido há alguns minutos. *É cedo demais.* — Só um momento — gritou.

— Sim, senhora.

Pegou o telefone e ligou para o serviço de quarto.

— Meu pedido ainda não chegou.

— Nós estamos trabalhando nele, Sra. Harris. Deve chegar em quinze ou vinte minutos.

Kelly desligou o aparelho, com o coração martelando. Ligou para a telefonista.

— Há... há um homem tentando entrar no meu quarto.

— Vou mandar um segurança agora mesmo, Sra. Harris.

Dois minutos depois ela ouviu outra batida. Foi até a porta, cautelosa.

— Quem é?

— Segurança.

Kelly olhou o relógio. *Depressa demais.*

— Já vou indo. — Ela correu até o telefone e ligou de novo para a telefonista. — Eu liguei para falar sobre o segurança. Ele...

— Ele está indo, Sra. Harris. Deve chegar dentro de um ou dois minutos.

— Qual é o nome dele? — Sua voz estava estrangulada de medo.

— Thomas.

Kelly podia ouvir sussurros baixos no corredor. Apertou o ouvido contra a porta, até que as vozes sumiram. Ficou ali parada, cheia de um medo cego.

Um minuto depois houve uma batida na porta.

— Quem é?

— Segurança.

— Bill? — perguntou Kelly. E prendeu o fôlego.

— Não, Sra. Harris. É Thomas.

Kelly abriu rapidamente a porta e deixou que ele entrasse.

— Alguns... alguns homens tentaram entrar aqui.

— A senhora os viu?

— Não. Eu... eu ouvi. Poderia me levar até um táxi?

— Certamente, Sra. Harris.

Kelly estava tentando se obrigar a ficar calma. Havia muita coisa acontecendo depressa demais.

Thomas ficou perto de Kelly quando entraram no elevador.

Quando chegaram ao saguão, Kelly olhou em volta, mas não conseguiu ver nada suspeito. Junto com o segurança foi para fora e, quando chegaram ao ponto de táxi, ela disse:

— Muito obrigada.

— Vou me certificar de que tudo esteja bem quando a senhora voltar. Quem tentou invadir seu quarto já foi embora.

Kelly entrou no táxi. Enquanto olhava pelo vidro traseiro, viu dois homens correndo até uma limusine estacionada.

— Para onde? — perguntou o motorista.

A limusine seguiu atrás do táxi. Adiante, na esquina, um policial direcionava o trânsito.

— Vá direto em frente — disse Kelly.

— Certo.

Quando se aproximaram do sinal verde, Kelly falou ansiosa:

— Quero que o senhor diminua a velocidade e espere até o sinal ficar amarelo, depois vire rapidamente à esquerda.

O motorista olhou pelo retrovisor.

— *O quê?*

— Não atravesse o sinal até que ele fique amarelo. — Ela viu a expressão no rosto do motorista.

Kelly forçou um sorriso.

— Estou tentando ganhar uma aposta.

— Ah. — *Só dá passageiro maluco.*

Quando o sinal mudou de verde para amarelo, Kelly disse:

— Agora!

O táxi virou rapidamente à esquerda enquanto o sinal ficava vermelho. Atrás deles o tráfego foi parado pelo policial. Os homens na limusine se entreolharam, frustrados.

Quando o táxi tinha andado um quarteirão, Kelly disse:

— Ah, eu esqueci uma coisa. Tenho de sair aqui.

O motorista parou junto ao meio-fio. Kelly saiu do carro e jogou algum dinheiro para ele.

— Tome.

O homem viu Kelly entrar correndo num prédio de consultórios médicos. *Espero que ela esteja indo se consultar com um psiquiatra.*

Na esquina, no momento em que o sinal ficou verde, a limusine virou à esquerda. O táxi estava dois quarteirões à frente, e os homens dispararam atrás.

Cinco minutos depois Kelly sinalizou para outro táxi.

NO APARTAMENTO DE Diane Stevens o detetive Greenburg estava dizendo:

— Sra. Stevens, a senhora conseguiu olhar a pessoa que atirou?

Diane balançou a cabeça.

— Não, tudo aconteceu rápido demais...

— Quem quer que tenha sido, foi sério. A balística tirou as balas da parede. Eram de calibre 45, capazes de atravessar coletes à prova de bala. A senhora teve sorte. — Ele hesitou. — Quem quer que tenha sido, foi enviado por Tony Altieri.

Diane engoliu em seco.

Eu só vou dar um tempo, resolver algumas dívidas antigas.

— Estamos checando isso.

Diane assentiu.

Greenburg examinou-a um momento.

— Quanto à pasta que desapareceu, a senhora faz alguma idéia do que havia dentro?

— Não tenho certeza. Richard a levava ao laboratório todo dia de manhã e trazia para casa à noite. Eu vi alguns dos papéis uma vez, e eram muito técnicos.

Greenburg pegou a aliança de casamento que estava sobre a mesa.

— E a senhora disse que seu marido nunca tirava a aliança?

— É... isso mesmo.

— Nos dias antes da morte, seu marido agiu de forma diferente do normal, como se pudesse estar sofrendo algum tipo de pressão, ou como se estivesse preocupado com alguma coisa? A senhora se lembra de alguma coisa que ele tenha dito na última noite em que o viu?

Era de manhã cedo. Os dois estavam na cama. Richard acariciou sua coxa suavemente e disse:

— Hoje eu vou trabalhar até tarde, mas guarde uma ou duas horas para mim, quando eu chegar em casa, querida.

Ela tocou-o onde ele gostava de ser tocado e falou:

— Convencido.

— Sra. Stevens...

Diane foi jogada de volta à realidade.

— Não. Não houve nada incomum.

— Arranjarei proteção para a senhora. E se...

A campainha da porta tocou.

— A senhora está esperando alguém?

— Não.

Greenburg assentiu.

— Eu atendo.

Ele foi até a porta e abriu. Kelly Harris entrou feito um foguete, esbarrando no detetive.

Kelly marchou até Diane.

— Nós precisamos conversar.

Diane encarou-a, surpresa.

— Achei que você estava indo para Paris.

— Fiz um desvio.

Greenburg tinha se juntado às duas.

— Este é o detetive Earl Greenburg. Kelly Harris.

Kelly se virou para Greenburg.

— Alguém acabou de tentar invadir meu quarto de hotel, detetive.

— A senhora informou à segurança do hotel?

— Sim. Os homens tinham sumido. Um segurança me escoltou até a saída.

— A senhora faz alguma idéia de quem eles eram?

— Não.

— Quando diz que alguém tentou invadir, quer dizer que tentaram forçar a porta?

— Não, eles... só ficaram do lado de fora. Fingiram que eram do serviço de quarto.

— A senhora tinha pedido serviço de quarto?

— Tinha.

Diane interveio.

— Então talvez você tenha imaginado coisas por causa do que aconteceu hoje cedo, e...

Kelly falou com rispidez:

— Escute, eu disse: não quero fazer parte disso, nem ter nada a ver com você. Vou fazer as malas e voltar a Paris hoje de tarde. Diga aos seus amigos da Máfia para me deixar em paz.

Os dois olharam Kelly se virar e ir embora.

— De que se trata? — perguntou Greenburg.

— O marido dela foi... foi assassinado. Ele trabalhava na mesma empresa de Richard, o Kingsley International Group.

QUANDO KELLY VOLTOU ao saguão do hotel, foi até a recepção.

— Eu estou de saída. Poderia me fazer uma reserva no próximo avião para Paris?

— Certamente, Sra. Harris. Alguma companhia aérea específica?

— Só me tire daqui.

Kelly atravessou o saguão do hotel, entrou num elevador e apertou o botão do quarto andar. Quando a porta começou a se fechar, dois homens a abriram e entraram. Kelly examinou-os um instante, depois recuou rapidamente para o saguão. Esperou até que a porta do elevador se fechasse, em seguida foi para a escada e começou a subir. *Não vale a pena me arriscar*, pensou.

Quando chegou ao quarto andar, havia um homem enorme bloqueando o caminho.

— Com licença — disse Kelly. E tentou passar por ele.

— Shh! — Ele estava apontando uma arma com silenciador.

Kelly ficou pálida.

— O que você...

— Cala a boca. Aposto que você tem exatamente o número certo de buracos, dona. Se não quer um a mais, fique quieta. Quero dizer... muito quieta. Nós dois vamos descer.

O homem estava sorrindo, mas quando Kelly olhou mais de perto, viu que um corte de faca no lábio superior tinha puxado sua boca para cima, num riso fixo. Ele tinha os olhos mais frios que Kelly já vira.

— Vamos.

Não! Eu não vou morrer por causa daquela vaca.

— Espera um minuto. Você pegou a mulher err...

Ela sentiu a arma se chocar com tanta força contra suas costelas que quis gritar.

— Eu mandei calar a boca! Vamos descer.

Ele estava segurando o braço de Kelly num aperto doloroso, com a arma escondida na mão às costas dela.

Kelly estava lutando contra a histeria.

— Por favor — disse em voz fraca —, eu não sou a... — A dor, quando ele acertou o cano da arma nas suas costas, foi excruciante. Ele estava apertando seu braço com tanta força que ela podia sentir o sangue sendo preso.

Desceram a escada. Chegaram ao saguão. O lugar estava apinhado, e enquanto Kelly tentava decidir se pediria ajuda, o sujeito disse:

— Nem pense nisso.

E chegaram do lado de fora. Havia um furgão parado junto ao meio-fio. Dois carros adiante um policial estava preenchendo uma multa de estacionamento. O seqüestrador de Kelly levou-a até a porta de trás do furgão.

— Entre — ordenou ele.

Kelly olhou para o policial.

— Está bem — falou numa voz alta, furiosa. — Eu entro, mas quero lhe dizer uma coisa. O que você pediu para eu fazer vai lhe custar mais cem dólares. Eu acho nojento.

O policial tinha se virado para olhar.

O grandalhão estava encarando Kelly.

— Que diabo você está...

— Se não vai pagar, esqueça, seu sacana pão-duro.

Kelly começou a andar rapidamente na direção do policial. O homem ficou olhando. Seus lábios estavam sorrindo, mas os olhos eram mortais.

Ela olhou para trás e viu o policial indo na direção do bandido. Kelly entrou num táxi que esperava.

Quando o sujeito começou a entrar no furgão, o policial disse:

— Só um minuto, senhor. É contra a lei neste estado contratar prostitutas.

— Eu não estava...

— Deixe-me ver seus documentos. Qual é o seu nome?

— Harry Flint.

Flint ficou olhando enquanto o táxi de Kelly acelerava. *Aquela puta! Eu vou matar essa mulher. Bem devagar.*

Capítulo 22

KELLY SAIU RAPIDAMENTE de um táxi na frente do apartamento de Diane, entrou pela portaria e apertou a campainha com força.

A porta foi aberta pelo detetive Greenburg.

— Em que posso...?

Kelly viu Diane na sala de estar e passou pelo detetive.

— O que está acontecendo? — perguntou Diane. — Você disse que...

— *A senhora* me diga o que está acontecendo. Já mandei que avisasse seus amigos mafiosos para me deixarem em paz. Eles tentaram me pegar de novo. Por que seus coleguinhas da Máfia estão tentando me matar?

— Eu... não faço idéia. Eles não iriam... talvez tenham nos visto juntas e pensado que nós éramos amigas e...

— Bem nós *não* somos amigas, Sra. Stevens. Me tire disso.

— Do que você está falando? Como é que eu...

— Do mesmo modo como me colocou nisso. Quero que diga ao seu coleguinha, Altieri, que a senhora e eu acabamos de nos conhecer, e que a senhora não sabe nada de mim. Eu não vou deixar alguém me matar por causa de uma coisa estúpida que a senhora fez.

— Eu não posso...

— Ah, sim, pode sim. A senhora vai falar com Altieri, e vai falar *agora*. Eu só saio daqui depois disso.

— O que você está pedindo é impossível — disse Diane. — Sinto muito se a envolvi nisso, mas... — Ela ficou pensativa por um longo momento, depois se virou para Greenburg. — O senhor acha que, se eu falar com Altieri, ele pode nos deixar em paz?

— É uma pergunta interessante — disse Greenburg. — Ele poderia, sobretudo se achar que nós o estamos vigiando. Gostaria de falar com ele pessoalmente?

— Não, eu...

Kelly interrompeu:

— Ela quer dizer que sim.

A CASA DE ANTHONY ALTIERI era uma construção clássica em estilo colonial, de pedra e madeira, em Hunterdon County, Nova Jersey. A casa enorme ficava no fim de uma rua sem saída, em seis hectares de terra rodeada por uma cerca de ferro enorme. No terreno havia árvores altas que davam sombra, pequenos lagos e um jardim colorido.

Havia um guarda numa guarita atrás do portão da frente. Quando o carro com Greenburg, Kelly e Diane chegou, o segurança veio encontrá-los.

Ele reconheceu Greenburg.

— Boa tarde, tenente.

— Olá, Caesar. Queremos falar com o Sr. Altieri.

— O senhor tem um mandado?

— Não é esse tipo de visita. É social.

O guarda olhou para as duas mulheres.

— Esperem aqui. — Ele entrou na cabine. Alguns minutos depois saiu e abriu o portão. — Podem entrar.

— Obrigado. — Greenburg dirigiu o carro até a frente da casa.

Enquanto os três saíam do carro, um segundo segurança apareceu.

— Sigam-me.

Ele os levou para dentro. A grande sala de estar era uma eclética combinação de antiguidades e móveis modernos e franceses. Apesar de o dia estar quente, havia um fogo crepitando na enorme lareira de pedra. O trio acompanhou o segurança passando pela sala de estar e entrou num grande quarto escurecido. Anthony Altieri estava na cama, ligado a um aparelho de respiração. Estava pálido, magro e parecia ter envelhecido tremendamente desde a última vez em que comparecera ao tribunal. Havia um padre e uma enfermeira ao seu lado.

Altieri olhou para Diane, Kelly e Greenburg, depois se virou de novo para Diane. Quando falou, sua voz saiu rouca e áspera.

— Que diabo você quer?

— Sr. Altieri — respondeu Diane —, quero que o senhor deixe a Sra. Harris e a mim em paz. Chame seus homens de volta. Já basta ter matado o meu marido e...

Altieri interrompeu:

— Do que você está falando? Eu nunca sequer ouvi falar do seu marido. Li sobre aquele bilhete idiota que foi achado no corpo dele. — O mafioso deu um riso de desprezo. — *Ele vai nadar com os peixes*. Alguém andou assistindo muito à *Família soprano*. Vou lhe dizer uma coisa de graça, senhora. Nenhum italiano escreveu aquilo. Eu não estou atrás de você. Não ligo a mínima se você viver ou morrer. Não estou atrás de ninguém. Eu... — Ele se encolheu de dor. — Estou ocupado fazendo as pazes com Deus. Eu... — E começou a engasgar.

O padre se virou para Diane.

— Acho melhor vocês saírem agora.

O detetive Greenburg perguntou:

— O que é?

— Câncer — disse o padre.

Diane olhou para o homem na cama. *Eu não estou atrás de você. Não ligo a mínima se você viver ou morrer. Estou ocupado fazendo as pazes com Deus*. Ele estava dizendo a verdade.

E Diane se sentiu cheia de um pânico súbito, ofuscante.

*

NA VOLTA DA CASA de Altieri o detetive Greenburg parecia preocupado.

— Devo dizer a vocês que acho que Altieri falou a verdade.

Kelly assentiu com relutância.

— Eu também. O homem está morrendo.

— Vocês sabem de algum motivo para alguém estar querendo matar vocês duas?

— Não — disse Diane. — Se não for Altieri... — Ela balançou a cabeça. — Não faço idéia.

Kelly engoliu em seco.

— Nem eu.

O DETETIVE GREENBURG acompanhou Diane e Kelly de volta ao apartamento de Diane.

— Vou trabalhar nisso agora — disse ele. — Mas vocês vão estar seguras aqui. Dentro de quinze minutos haverá um carro da polícia na frente do prédio pelas próximas vinte e quatro horas, e veremos o que podemos descobrir até lá. Se precisarem de mim, liguem.

E foi embora.

DIANE E KELLY SE entreolharam num silêncio incômodo.

— Quer um pouco de chá? — perguntou Diane.

Kelly falou perversamente:

— Café.

Diane olhou-a um momento, irritada, e suspirou.

— Está bem.

Diane entrou na cozinha para começar a fazer o café. Kelly andou pela sala, olhando as pinturas nas paredes.

Quando Diane saiu da cozinha, Kelly estava examinando um dos quadros dela.

— Stevens. — Ela se virou para Diane. — Você pintou isso?

Diane assentiu.

— Sim.

— Bonito — disse Kelly, num tom de quem não dava importância.

Os lábios de Diane ficaram tensos.

— É? Você conhece muito sobre arte?

— Não muito, Sra. Stevens.

— De quem você gosta? Grandma Moses, imagino.

— Ela é interessante.

— E que outros pintores primitivos tocam o seu coração?

Kelly se virou para Diane.

— Para ser honesta, prefiro as formas curvilíneas, não representativas. Há exceções, claro. Na *Vênus de Urbino*, de Ticiano, a diagonal do corpo é de tirar o fôlego, e...

Na cozinha puderam ouvir o som do café passando na máquina.

— O café está pronto — disse Diane, interrompendo.

FICARAM SENTADAS frente a frente na sala de jantar, taciturnas, deixando o café esfriar.

Diane rompeu o silêncio.

— Você consegue pensar em algum motivo para alguém estar tentando nos matar?

— Não. — Kelly ficou em silêncio um momento. — A única ligação que nós temos é que nossos maridos trabalhavam no KIG. Talvez eles estivessem envolvidos em algum projeto secreto. E quem os matou acha que eles podem nos ter contado alguma coisa.

Diane empalideceu.

— É...

As duas se entreolharam, consternadas.

EM SUA SALA, Tanner olhava a cena no apartamento de Diane, numa das telas da parede. Seu chefe de segurança estava parado ao lado.

— *Não. A única ligação que nós temos é que nossos maridos trabalhavam no KIG. Talvez eles estivessem envolvidos em algum projeto secreto. E quem os matou acha que eles podem nos ter contado alguma coisa.*

— *É...*

O APARTAMENTO DE Diane Stevens tinha sido grampeado com imagem e som de último tipo. Como Tanner tinha dito ao seu sócio, a casa estava cheia de tecnologia de ponta. Havia sistemas de vídeo escondidos em cada cômodo do apartamento, com uma *web-camera* do tamanho de um botão entre os livros, cabos de fibra ótica passando debaixo das portas e uma máquina fotográfica sem fio. No sótão, um servidor de vídeo do tamanho de um *laptop* tinha sido instalado para controlar seis câmeras. Ligado ao servidor havia um *modem* sem fio que permitia que o equipamento funcionasse com tecnologia de celular.

ENQUANTO TANNER se inclinava para a frente, olhando a tela com atenção, Diane falou:

— *Nós temos de descobrir em que nossos maridos estavam trabalhando.*

— *Certo. Mas vamos precisar de ajuda. Como fazemos isso?*

— *Vamos ligar para Tanner Kingsley. Ele é o único que pode nos ajudar, e está tentando descobrir quem está por trás disso.*

— *Vamos.*

— VOCÊ PODE PASSAR a noite aqui — disse Diane. — Estaremos seguras. Há um carro da polícia lá fora. — Ela foi até a janela e puxou a cortina. Não havia carro algum.

Ficou olhando por longo tempo e sentiu um súbito arrepio.

— Estranho — disse Diane. — Deveria haver uma radiopatrulha ali Deixe-me dar um telefonema

Diane pegou o cartão do detetive Greenburg na bolsa, foi ao telefone e ligou.

— Detetive Greenburg, por favor. — Ela ouviu um momento. — Tem certeza? Sei. Então será que eu poderia falar com o detetive Praegitzer?... — Houve outro momento de silêncio. — Sim, obrigada. — E desligou lentamente o aparelho.

Kelly olhou para Diane.

— O que foi?

— Os detetives Greenburg e Praegitzer foram transferidos para outra delegacia.

Kelly engoliu em seco.

— Isso é que é coincidência, não é?

— E eu acabei de me lembrar de uma coisa.

— O quê?

— O detetive me perguntou se Richard tinha feito ou dito alguma coisa fora de sua rotina ultimamente. Houve uma coisa que eu esqueci de mencionar. Richard ia a Washington, encontrar-se com alguém. Algumas vezes eu viajava com ele, mas dessa vez ele insistiu que seria melhor ir sozinho.

Kelly olhava-a com expressão surpresa.

— Estranho. Mark me disse que tinha de ir a Washington, e que tinha de ir sozinho.

— Precisamos descobrir por quê.

Kelly foi até a janela e puxou a cortina.

— Ainda não tem nenhum carro. — E se virou para Diane. — Vamos sair daqui.

— Está bem. Eu conheço um hotelzinho em Chinatown, chamado The Mandarin. Ninguém vai pensar em nos procurar naquele lugar. Vamos ligar para o Sr. Kingsley de lá.

*

EU CONHEÇO UM hotelzinho em Chinatown, chamado The Mandarin. Ninguém vai pensar em nos procurar naquele lugar. Vamos ligar para o Sr. Kingsley de lá.

Tanner se virou para seu chefe de segurança, Harry Flint, que tinha o eterno sorriso sádico.

— Mate-as.

Capítulo 23

HARRY FLINT VAI cuidar direitinho das mulheres, pensou Tanner com satisfação. Flint nunca havia falhado com ele.

Tanner achava divertido pensar em como Flint entrara em sua vida. Há anos seu irmão Andrew, arauto dos corações sofridos do mundo, tinha inaugurado uma casa para prisioneiros recém-libertados, para ajudá-los a se ajustar à vida fora da cadeia. Em seguida iria arranjar emprego para eles.

Tanner tinha um plano mais útil para os ex-bandidos, porque acreditava que não existia isso de ex-bandido. Através de suas fontes particulares conseguia informações sigilosas sobre os prisioneiros recém-libertados, e se eles tinham as qualificações de que precisava, iam direto da casa de adaptação trabalhar para Tanner, fazendo o que ele chamava de "tarefas particulares delicadas".

Tinha arranjado para um ex-bandido chamado Vince Carballo vir trabalhar no KIG. Carballo era um homem enorme com uma barba hirsuta e olhos azuis que pareciam adagas. Tinha uma longa ficha criminal. Fora julgado por assassinato. As provas contra ele eram avassaladoras, mas um membro do júri insistiu teimosamente em inocentá-lo, e o caso terminou sem decisão. Apenas algumas pessoas sabiam que a filhinha do jurado tinha desaparecido, e que fora deixado um bilhete: *Se você ficar quieto, o destino de sua filha será determinado pelo veredicto do júri.* Era o tipo de homem que Tanner admirava.

ALÉM DISSO, TANNER tinha ouvido falar de um ex-prisioneiro chamado Harry Flint. Investigou totalmente a vida de Flint, e decidiu que ele era perfeito para as suas necessidades.

Harry Flint nascera em Detroit, numa família de classe média. Seu pai era um vendedor amargurado e fracassado que passava o tempo em casa reclamando. Era como um militar severo, e diante da menor infração do filho gostava de espancá-lo usando uma régua, um cinto ou qualquer outra coisa que estivesse à mão, como se quisesse levar o menino ao sucesso através de pancada, para compensar sua própria incapacidade.

A mãe do garoto trabalhava como manicure numa barbearia. Enquanto o pai de Harry era tirânico, a mãe era dedicada e o mimava, e à medida que o jovem Harry crescia, sentia-se emocionalmente dividido entre os dois.

Os médicos tinham dito à mãe de Harry que ela era velha demais para ter filhos, por isso ela considerou a gravidez um milagre. Depois de Harry nascer, ela o acarinhava e vivia abraçando-o, dando palmadinhas, beijando-o, até que Harry começou a se sentir esmagado por aquele amor. Quando ficou mais velho, odiava ser tocado.

AOS QUATORZE ANOS Harry Flint acuou um rato no porão e o esmagou com os pés. Enquanto olhava o rato morrer lentamente, dolorosamente, teve uma revelação. Subitamente percebeu que tinha o poder espantoso de tirar a vida, de matar. Isso o fez se sentir como Deus. Era onipotente, poderosíssimo. Precisava sentir aquilo de novo, e começou a perseguir pequenos animais pela vizinhança, e eles se tornaram sua presa. Não havia nada de pessoal ou malicioso no que estava fazendo. Só estava usando um talento dado por Deus.

Vizinhos furiosos, cujos bichos de estimação estavam sendo torturados e mortos, reclamaram às autoridades, e uma armadilha foi preparada. A polícia colocou um *terrier* escocês no gramado da frente de uma casa, com uma guia para impedi-lo de fugir. Ficaram vigiando o local, e uma noite, enquanto a polícia olhava, Harry Flint se aproximou. Abriu a boca do cachorro e começou a enfiar dentro uma bombinha acesa. A polícia atacou. Quando Harry Flint foi revistado, tinha no bolso uma pedra ensangüentada e uma faca de cortar carne, com lâmina de doze centímetros.

Foi mandado ao reformatório Challenger Memorial para passar doze meses.

Uma semana depois de ter chegado Flint atacou um dos outros garotos, mutilando-o terrivelmente. O psiquiatra que o examinou deu o diagnóstico de paranóia esquizofrênica.

— Ele é psicótico — alertou o médico aos guardas encarregados. — Tenham cuidado. Mantenham-no longe dos outros.

Quanto terminou de cumprir a pena Harry Flint estava com quinze anos e foi solto sob condicional. Voltou à escola. Vários de seus colegas olhavam-no como um herói. Tinham se envolvido em pequenos crimes como roubo de bolsas, carteiras e lojas, e logo Flint se tornou seu líder.

Numa briga de rua uma noite, uma faca cortou um dos cantos da boca de Flint, dando-lhe um meio sorriso eterno.

À medida que os garotos cresciam, passaram a puxar carros, invadir e roubar casas. Um dos ladrões se tornou violento e um dono de loja foi morto. Harry Flint foi julgado por assalto à mão armada e cumplicidade com assassinato, e condenado a dez anos de prisão. Foi o prisioneiro mais maligno que o diretor da cadeia já vira.

Havia algo nos olhos de Flint que fazia os outros prisioneiros o deixarem em paz. Aterrorizava-os constantemente, mas ninguém ousava denunciá-lo.

Um dia, quando passava pela cela de Harry Flint, um guarda olhou para dentro, sem acreditar. O companheiro de cela de Flint estava caído no chão, numa poça de sangue. Fora espancado até a morte.

O guarda olhou para Flint, e havia um sorriso em seu rosto.

— Certo, seu sacana. Desta você não vai escapar. Nós podemos começar a esquentar a cadeira para você.

Flint o encarou e lentamente levantou o braço esquerdo. Uma faca de açougueiro, ensangüentada, estava cravada nele.

— Legítima defesa — disse Flint com a voz fria.

O prisioneiro na cela em frente à de Flint jamais contou a ninguém que o viu espancar violentamente o companheiro até a morte, depois tirar uma faca de açougueiro de baixo de seu próprio colchão e cravá-la no braço.

A CARACTERÍSTICA QUE Tanner mais admirava em Flint era que ele gostava demais do trabalho.

Tanner se lembrava da primeira vez em que Flint havia provado como poderia ser útil. Foi durante uma viagem de emergência a Tóquio.

— DIGA AO PILOTO para esquentar os motores do Challenger. Nós vamos ao Japão. Dois passageiros.

A notícia tinha chegado numa hora ruim, mas precisava de uma solução imediata, e era delicada demais para ser deixada na mão de qualquer outra pessoa. Tanner pediu a Akira Iso para se encontrar com ele em Tóquio, e se hospedar no Hotel Okura.

Enquanto o avião atravessava o oceano Pacífico, Tanner planejava sua estratégia. Quando o avião pousou ele havia bolado uma situação sem possibilidades de erro.

A viagem de carro saindo do aeroporto Narita demorou uma hora, e Tanner ficou espantado ao ver como Tóquio nunca parecia mudar. Em épocas de prosperidade ou de depressão a cidade sempre parecia ter o mesmo rosto impassível.

AKIRA ISO ESTAVA esperando por ele no Restaurante Fumiki Mashimo. Iso tinha cinqüenta e poucos anos, era uma figura magra, de cabelos grisalhos e olhos castanhos brilhantes. Levantou-se para cumprimentar Tanner.

— É uma honra conhecê-lo, Sr. Kingsley. Francamente, fiquei surpreso ao receber seu comunicado. Não posso imaginar por que viria tão longe para me ver.

Tanner sorriu.

— Sou portador de boas notícias que achei importantes demais para ser discutidas pelo telefone. Acho que vou torná-lo um homem muito feliz e muito rico.

Akira Iso olhava-o com curiosidade.

— Sim?

Um garçom de paletó branco tinha vindo à mesa.

— Antes de falar de negócios, por que não fazemos o pedido?

— Como quiser, Sr. Kingsley. O senhor conhece a comida japonesa ou eu devo fazer o pedido para o senhor?

— Obrigado. Eu posso pedir. Gosta de sushi?

— Sim.

Tanner se virou para o garçom.

— Vou querer *hamachi-temaki, kaibashira* e *ama-ebi.*

Akira Iso sorriu.

— Parece bom. — E olhou para o garçom. — Vou querer o mesmo.

Enquanto comiam, Tanner falou:

— O senhor trabalha para uma empresa muito boa, o Tokyo First Industrial Group.

— Obrigado.

— Há quanto tempo trabalha lá?

— Dez anos.

— É muito tempo. — Ele encarou Akira Iso e continuou: — Talvez seja hora de mudar.

— Por que eu faria isso, Sr. Kingsley?

— Porque vou lhe fazer uma oferta que o senhor não pode recusar. Não sei quanto o senhor ganha, mas estou disposto a pagar o dobro para o senhor deixar sua empresa e vir trabalhar no KIG.

— Sr. Kingsley, isso não é possível.

— Por quê? Se for por causa de um contrato, eu posso conseguir...

Akira Iso pousou os pauzinhos na mesa.

— Sr. Kingsley, no Japão, quando trabalhamos numa empresa, é como uma família. E quando não podemos mais trabalhar, eles cuidam de nós.

— Mas o dinheiro que eu estou oferecendo...

— Não. *Aisha seishin.*

— O quê?

— Significa que colocamos a lealdade acima do dinheiro. — Akira Iso olhou-o curiosamente. — Por que o senhor me escolheu?

— Porque ouvi coisas muito lisonjeiras a seu respeito.

— Acho que o senhor fez uma longa viagem por nada, Sr. Kingsley. Eu nunca deixaria o Tokyo First Industrial Group.

— Valeu a tentativa.

— Sem ressentimentos?

Tanner se inclinou para trás e riu.

— Claro. Eu gostaria que todos os meus empregados fossem tão leais como o senhor. — Ele se lembrou de alguma coisa. — A propósito, eu trouxe um presentinho para o senhor e sua família. Um empregado meu irá levá-lo. Ele estará no seu hotel dentro de uma hora. O nome dele é Harry Flint.

UMA CAMAREIRA DA NOITE achou o corpo de Akira Iso pendurado num gancho do armário. O veredicto oficial foi de suicídio.

Capítulo 24

O HOTEL MANDARIN era um velho prédio de dois andares no coração de Chinatown, a três quarteirões da rua Mott.

Quando Kelly e Diane saíram do táxi, Diane viu um grande cartaz do outro lado da rua, com uma foto de Kelly num lindo vestido de noite, segurando um frasco de perfume. Diane olhou o cartaz, surpresa.

— Então você é isso.

— Errada — disse Kelly. — Isso é o que eu faço, Sra. Stevens. Não é o que eu sou. — Ela se virou, entrou no saguão seguida por uma Diane exasperada.

Havia um empregado chinês atrás de uma mesa no pequeno saguão do hotel, lendo um exemplar do *The China Post*.

— Nós gostaríamos de um quarto para esta noite — disse Diane.

O funcionário olhou para as duas mulheres vestidas com elegância e quase falou em voz alta: *Aqui?* Ficou de pé.

— Perfeitamente. — Em seguida olhou mais atentamente as roupas de grife. — São cem dólares por noite.

Kelly o encarou, chocada.

— Cem...?

— Tudo bem — disse Diane rapidamente.

— Adiantados.

Diane abriu a bolsa, pegou algumas notas e deu ao funcionário. Ele lhe entregou uma chave.

— Quarto Dez, indo direto pelo corredor, à esquerda. As senhoras têm bagagem?

— Ela está vindo — disse Diane.

— Se precisarem de alguma coisa, basta perguntar por Ling.

— Ling? — perguntou Kelly.

— Sim. Ela é a camareira.

Kelly lhe deu um olhar cético.

— Está bem.

As duas mulheres seguiram pelo corredor pavoroso e mal iluminado.

— Você pagou demais — disse Kelly.

— Quanto vale um teto seguro sobre sua cabeça?

— Não sei se este lugar é uma boa idéia.

— Terá de ser, até que a gente pense numa coisa melhor. Não se preocupe. O Sr. Kingsley vai cuidar de nós.

Quando chegaram ao número Dez, Diane destrancou a porta e entrou. O quartinho tinha a aparência — e o cheiro — de estar desocupado há muito tempo. Havia duas camas com colchas amarrotadas e duas cadeiras velhas perto de uma mesa cheia de marcas.

Kelly olhou em volta.

— Pode ser pequeno, mas sem dúvida é feio. Aposto que nunca foi limpo. — Ela tocou uma almofada e viu a poeira subir. — Imagino há quanto tempo Ling faleceu.

— É só por esta noite. Vou ligar agora para o Sr. Kingsley.

Kelly ficou olhando Diane ir ao telefone e ligar para o número que estava no cartão dado por Tanner Kingsley.

Foi atendida imediatamente.

— Tanner Kingsley.

Diane suspirou aliviada.

— Sr. Kingsley, aqui é Diane Stevens. Sinto incomodá-lo, mas a Sra. Harris e eu precisamos de sua ajuda. Alguém está tentando nos matar, e não fazemos idéia do que está acontecendo. Estamos fugindo.

— Fico muito satisfeito por ter ligado, Sra. Stevens. Pode relaxar. Acabamos de descobrir quem está por trás disso. As senhoras não terão mais nenhum problema. Posso garantir que a partir de agora a senhora e a Sra. Harris ficarão perfeitamente em segurança.

Diane fechou os olhos um instante. *Graças a Deus.*

— O senhor pode dizer quem...

— Eu conto tudo quando nos encontrarmos. Fiquem onde estão. Eu mandarei alguém pegá-las dentro de trinta minutos.

— Isso é... — A ligação foi interrompida. Diane desligou o telefone e se virou para Kelly, rindo. — Boas notícias! Nossos problemas terminaram.

— O que ele disse?

— Ele sabe quem está por trás disso e falou que a partir de agora estamos em segurança.

Kelly deu um suspiro profundo.

— Fantástico. Agora posso voltar a Paris e retomar a vida.

— Ele vai mandar alguém nos pegar em meia hora.

Kelly olhou o quarto sujo.

— Certamente vai ser difícil abandonar tudo isso.

Diane se virou para ela e disse pensativa:

— Vai ser estranho.

— O quê?

— Voltar para uma vida sem Richard. Não posso imaginar como poderei...

— Então não volte — disse Kelly rispidamente. *Não me leve para aí, moça, senão eu desmorono. Nem posso pensar nisso. Mark era toda a minha vida, minha única razão de viver...*

Diane olhou o rosto sem expressão de Kelly e pensou: *ela é como uma obra de arte sem vida: linda e fria.*

KELLY ESTAVA SENTADA numa das camas, de costas para Diane. Fechou os olhos diante da dor que sentia por dentro e lentamente... lentamente... lentamente...

ESTAVA ANDANDO pela margem esquerda do Sena com Mark, falando de tudo e de nada, sentindo que nunca estivera tão completamente confortável com outra pessoa.

Falou a Mark:

— Amanhã à noite há um *vernissage*, se você quiser...

— Ah, desculpe, Kelly. Amanhã à noite eu estou ocupado.

Kelly sentiu uma inesperada pontada de ciúme.

— Vai a outro encontro? — E tentou manter o tom de voz leve.

— Não. Não. Vou sozinho. É um banquete... — Ele viu o olhar de Kelly. — Eu... quero dizer, é um jantar só para cientistas. Você ficaria chateada.

— É mesmo?

— Acho que sim. Vão... vão falar um monte de coisas que você talvez nunca tenha ouvido e...

— Acho que eu já ouvi todas — disse Kelly, ressentida. — Por que não faz um teste?

— Bom, eu realmente não acho...

— Eu sou uma garota adulta. Vá em frente.

Ele suspirou.

— Certo. Anatripsologia... malacostracologia... aneroidógrafo... termoag...

— Ah — disse Kelly, apanhada no contrapé. — Esse tipo de coisa.

— Eu sabia que você não iria se interessar. Eu...

— Está errado. Eu me interesso. — *Porque você se interessa.*

O BANQUETE ACONTECEU no Hotel Príncipe de Gales, e acabou sendo um acontecimento importante. Havia trezentas pessoas no salão de baile, dentre eles alguns dos dignitários mais importantes da França. Um dos convidados na mesa da frente, onde Kelly e Mark estavam sentados, era um homem bonito, de personalidade calorosa e envolvente.

— Sou Sam Meadows — disse ele a Kelly. — Ouvi muito sobre você.

— Eu ouvi muito sobre *você* — respondeu Kelly. — Mark disse que você é o mentor e melhor amigo dele.

Sam Meadows sorriu.

— Fico honrado em ser amigo dele. Mark é uma pessoa muito especial. Nós trabalhamos juntos há muito tempo. Ele é o sujeito mais dedicado...

Mark estava ouvindo, sem graça.

— Querem um pouco de vinho? — interrompeu.

O mestre-de-cerimônias apareceu no palco, e os discursos começaram. Mark estava certo ao dizer que a noite seria desinteressante para Kelly. Estavam sendo distribuídos prêmios técnicos científicos, e para Kelly era como se todos os oradores estivessem falando em suaíli. Mas via o entusiasmo no rosto de Mark, e ficou feliz por estar ali.

Quando os pratos do jantar foram retirados, o presidente da Academia Francesa de Ciência apareceu no palco. Começou elogiando as realizações científicas da França no ano anterior, e somente no fim do discurso, quando levantou uma estatueta dourada e chamou o nome de Mark Harris, Kelly percebeu que Mark era o astro da noite. Ele fora modesto demais para lhe contar. *Por isso tentou me convencer a não vir.* Kelly viu Mark subir ao palco enquanto a platéia aplaudia calorosamente.

— Ele nunca me disse uma palavra sobre isso — contou Kelly a Sam Meadows.

Meadows sorriu.

— O Mark é assim. — Ele examinou Kelly um momento. — Você sabe que ele está loucamente apaixonado por você. Quer se casar com você. — Ele fez uma pausa e disse incisivamente: — Espero que ele não se magoe.

Enquanto ouvia, Kelly sentiu um súbito jorro de culpa. *Não posso casar com Mark. Ele é um grande amigo, mas não estou apaixonada. O que eu estive fazendo? Não quero magoá-lo. É melhor parar de me encontrar com ele. Como é que vou dizer...?*

— VOCÊ OUVIU ALGUMA palavra do que eu disse?

A voz irritada de Diane tirou Kelly do devaneio. O lindo salão de baile desapareceu e ela estava num quarto sujo de hotel com uma mulher que desejaria nunca ter conhecido.

— O quê?

Dianne falou ansiosa:

— Tanner Kingsley disse que alguém vem nos pegar aqui em meia hora.

— Você já falou isso. E daí?

— Ele não perguntou onde nós estávamos.

— Provavelmente acha que nós ainda estamos no seu apartamento.

— Não. Eu disse que nós estávamos fugindo.

Houve um momento de silêncio. Os lábios de Kelly se franziram num longo e silencioso "Ah".

Viraram-se para olhar o relógio na mesinha-de-cabeceira.

O RECEPCIONISTA CHINÊS ergueu os olhos quando Flint entrou no saguão do Hotel Mandarin.

— Em que posso ajudá-lo? — Ele viu o sorriso de Flint e sorriu de volta.

— Minha mulher e uma amiga dela acabaram de se hospedar aqui. Minha mulher é loura. A amiga dela é uma negra gostosa. Em que quarto elas estão?

— Quarto Dez, mas infelizmente não posso deixá-lo entrar. O senhor terá de telef...

Flint levantou uma pistola Ruger calibre 45 equipada com silenciador e pôs uma bala na testa do recepcionista. Em seguida empurrou o corpo para baixo do balcão e foi pelo corredor, com a arma ao lado do corpo. Quando chegou ao número Dez, recuou, deu dois passos para a frente e arrombou a porta com o ombro, entrando no quarto.

O quarto estava vazio, mas pela porta fechada do banheiro Flint pôde ouvir o som de um chuveiro aberto. Foi até a porta do banheiro e empurrou-a. O chuveiro estava totalmente aberto, e a cortina fechada balançava suavemente. Flint disparou dois tiros contra a cortina, esperou um momento e depois abriu-a.

Não havia ninguém.

NUMA LANCHONETE do outro lado da rua Diane e Kelly tinham visto o furgão de Flint chegar, e o viram entrar no hotel.

— Meu Deus — disse Kelly. — Esse é o homem que tentou me seqüestrar.

Esperaram. Quando Flint saiu alguns minutos depois, seus lábios estavam sorrindo, mas o rosto era uma máscara de fúria.

Kelly se virou para Diane.

— Lá vai o Godzilla. Qual será nosso próximo passo?

— Temos de sair daqui.

— E ir para onde? Eles vão estar vigiando os aeroportos, as estações de trem, as rodoviárias...

Diane ficou pensativa um momento.

— Eu conheço um lugar onde eles não podem nos tocar.

— Deixe-me adivinhar. A espaçonave que trouxe você para cá.

Capítulo 25

O LETREIRO DE NÉON diante do prédio dizia *Wilton Hotel para Mulheres.*

No saguão, Kelly e Diane estavam se registrando com nomes falsos. A mulher atrás do balcão entregou uma chave a Kelly.

— Suíte 424. Vocês têm bagagem?

— Não. Nós...

— Ela se extraviou — interveio Diane. — Vai chegar de manhã. A propósito, nossos maridos vão nos pegar daqui a pouco. Poderia mandá-los ao nosso quarto e...

A recepcionista balançou a cabeça.

— Sinto muito. Não permitimos a entrada de homens.

— Ah? — Diane deu um sorriso complacente a Kelly.

— Se vocês quiserem se encontrar com eles aqui embaixo...

— Não faz mal. Eles terão de se virar sem nós.

A SUÍTE 424 ERA lindamente mobiliada, com uma sala de estar com sofá, poltronas, mesas e um canapé, e no quarto duas confortáveis camas de casal.

Diane olhou em volta.

— Isso é agradável, não é?

— O que nós estamos fazendo? — perguntou Kelly acidamente. — Tentando entrar para o Livro Guinness de Recordes, um hotel diferente a cada meia hora?

— Você tem algum plano melhor?

— Isto não é um plano — disse Kelly com escárnio. — É um jogo de "gato e rato", e nós somos os ratos.

— Se a gente pensar direito, os homens do maior grupo de cérebros do mundo estão tentando nos matar.

— Então não pense.

— É mais fácil falar do que fazer. No KIG há mais gênios do que nas Mil e uma Noites.

— Bem, teremos de ser mais geniais do que eles.

Kelly franziu a testa.

— Precisamos de algum tipo de arma. Você sabe usar um revólver?

— Não.

— Droga. Nem eu.

— Não importa. Nós não temos um revólver.

— Que tal caratê?

— Não, mas eu era da equipe de debates na faculdade — disse Diane secamente. — Talvez eu possa argumentar com eles para não nos matarem.

— Está bem.

Diane foi até a janela e olhou para o tráfego na rua 34. De repente seus olhos se arregalaram e ela ofegou.

— Ah!

Kelly correu para o seu lado.

— O que foi? O que você viu?

A voz de Diane ficou seca.

— Um... um homem passou. Ele se parecia com Richard. Por um momento eu... — Ela se virou de costas para a janela.

Kelly falou cheia de desprezo:

— Gostaria que eu mandasse chamar os caça-fantasmas?

Diane começou a responder mas parou. *De que adianta? A gente logo vai sair daqui.*

Kelly olhou para Diane e pensou: *Por que não cala a boca e vai pintar alguma coisa?*

FLINT FALAVA AO celular com Tanner, que estava furioso.

— Desculpe, Sr. Kingsley. Elas não estavam no quarto do Mandarin. Tinham ido embora. Deviam saber que eu estava indo.

Tanner ficou apoplético.

— Aquelas vacas querem disputar esperteza *comigo*? *Comigo?* Eu telefono de volta para você. — E bateu o aparelho com força.

ANDREW ESTAVA DEITADO no sofá de sua sala, e sua mente pairou até o gigantesco salão de concertos de Estocolmo. A platéia aplaudia entusiasmada e gritava:

— Andrew! Andrew!

O salão ecoava com o som de seu nome. Dava para ouvir a platéia aplaudindo enquanto ele atravessava o palco para receber seu prêmio das mãos do rei Carl Gustav da Suécia. Quando estendeu a mão para o prêmio Nobel, alguém começou a xingá-lo.

— Andrew, seu filho-da-puta. Venha cá.

O salão de concertos de Estocolmo se desfez no ar, e Andrew estava em sua sala. Tanner estava chamando-o.

Ele precisa de mim, pensou Andrew todo feliz. Levantou-se devagar e foi até a sala do irmão.

— Estou aqui.

— É, estou vendo — disse Tanner rispidamente. — Sente-se.

Andrew se sentou.

— Tenho algumas coisas para ensinar a você, irmãozão. Dividir e conquistar. — Havia um tom de arrogância na voz de Tanner. — Diane Stevens está pensando que a Máfia matou seu marido, e Kelly Harris está preocupada com uma Olga inexistente. Entendeu?

Andrew falou vagamente:

— Sim, Tanner.

Tanner deu um tapinha no ombro do irmão.

— Você é uma perfeita caixa de ressonância para mim, Andrew. Há coisas que eu quero falar e que não posso discutir com mais ninguém. Mas posso lhe dizer qualquer coisa, porque você é estúpido demais para entender. — Ele olhou os olhos vazios de Andrew. — Não vê o mal, não ouve o mal, não fala o mal. — De repente Tanner era todo objetivo. — Temos um problema para resolver. Duas mulheres desapareceram. Elas sabem que estamos procurando-as para matá-las, e estão tentando ficar fora de nossa vista. Onde elas iriam se esconder, Andrew?

Andrew olhou para o irmão durante um momento.

— Eu... eu não sei.

— Há dois modos de descobrir. Primeiro tentaremos o método cartesiano, lógico, montando a solução um passo de cada vez. Vamos raciocinar.

Andrew olhou-o e disse em tom vazio.

— Como você quiser...

Tanner começou a andar de um lado para o outro.

— Elas não vão voltar ao apartamento dos Stevens porque é perigoso demais, o lugar está vigiado. Sabemos que Kelly Harris não tem nenhum amigo íntimo nos Estados Unidos porque mora em Paris há muito tempo, por isso não confiaria em ninguém aqui para protegê-las. — Ele olhou para o irmão. — Está me acompanhando?

Andrew piscou.

— Eu... estou, Tanner.

— Bom, Diane Stevens procuraria a ajuda de amigos? Não creio. Isso poderia colocá-los em risco. Outra alternativa é as duas irem à polícia contar sua história, mas sabem que os policiais ririam delas. Então qual poderia ser o próximo passo? — Ele fechou os olhos alguns segundos e prosseguiu: — Obviamente devem ter pensado nos aeroportos, estações de trem e de ônibus, mas sabem que nós mandaríamos vigiar esses lugares. Então o que resta?

— Eu... eu... você é que sabe, Tanner...

— O que resta é um hotel, Andrew. Elas precisam de um hotel onde se esconder. Mas que tipo de hotel? São duas mulheres aterrorizadas fugindo para salvar a vida. Veja bem, não importando que lugar escolham, elas vão pensar que nós podemos ter conexões lá, e vão se sentir expostas. Não vão se sentir seguras. Você se lembra de Sonja Verbrugge em Berlim? Nós armamos o estratagema para ela com aquela mensagem no computador. Ela foi para o Hotel Artemisia porque era somente para mulheres, por isso achou que estaria em segurança. Bem, eu acho que as *Madames* Stevens e Harris iriam se sentir do mesmo jeito. Então onde isso nos deixa?

Ele se virou para olhar o irmão de novo. Os olhos de Andrew estavam fechados. Estava dormindo. Furioso, Tanner foi até ele e lhe deu um tapa com força no rosto.

Andrew acordou com um susto.

— O que...?

— Preste atenção quando eu falo com você, seu cretino.

— Eu... desculpe, Tanner. Eu só estava...

Tanner foi até um computador.

— Agora vejamos que hotéis para mulheres existem em Manhattan.

Tanner fez uma busca rápida pela Internet e imprimiu os resultados. Leu os nomes em voz alta.

— El Carmelo Residence na rua 14 Oeste... Centro Maria Residence na rua 54 Oeste... Parkside Evangeline na Gramercy South, e o Wilton

Hotel para Mulheres. — Ele ergueu os olhos e sorriu. — É aí que a lógica cartesiana nos diz que elas devem estar. Agora vejamos o que a tecnologia nos diz.

Tanner foi até a pintura de uma paisagem na parede, enfiou a mão atrás e apertou um botão escondido. Um trecho da parede deslizou revelando uma tela de televisão com um mapa computadorizado de Manhattan.

— Lembra-se do que é isso, Andrew? Você costumava operar este equipamento. De fato você era tão bom nele que eu sentia ciúme. É um GPS, um sistema de posicionamento global. Com isso nós podemos localizar qualquer pessoa no mundo. Lembra?

Andrew assentiu, lutando para ficar acordado.

— Quando as mulheres saíram da minha sala eu dei a cada uma um cartão de visita. Os cartões têm chips de micropontos mais ou menos do tamanho de grãos de areia. O sinal é captado por satélite, e quando o GPS é ativado, mostra a localização exata delas. — Ele se virou para o irmão. — Você entende?

Andrew engoliu em seco.

— Eu... eu... sim, Tanner.

Tanner se virou de volta para a tela. Apertou um segundo botão. Luzes minúsculas começaram a piscar no mapa e foram descendo. Reduziram a velocidade numa área pequena, depois foram de novo em frente. Um ponto móvel de luz vermelha seguiu por uma rua, tão devagar que o nome dos estabelecimentos era claramente visível.

Tanner apontou.

— É a rua 34 Oeste. — A luz vermelha continuou se movendo. — Ali está o Tequila Restaurant... uma farmácia... o Hospital Saint Vincent... a Banana Republic... Igreja Nossa Senhora de Guadalupe. — A luz parou. Um tom de vitória surgiu na voz de Tanner. — E ali está o Wilton Hotel para Mulheres. Isso confirma minha lógica. Eu estava certo, veja bem.

Andrew lambeu os lábios.

— É. Você estava certo.

Tanner olhou para Andrew.

— Pode ir agora. — Ele pegou o celular e digitou um número. — Sr. Flint, elas estão no Wilton Hotel, na rua 34 Oeste. — E desligou o telefone. Ergueu os olhos e viu Andrew parado na porta. — O que é? — perguntou impaciente.

— Eu vou... você sabe... à Suécia, pegar o prêmio Nobel que eles me ofereceram?

— Não, Andrew. Isso foi há sete anos.

— Ah. — Andrew se virou e arrastou os pés até sua sala.

Tanner pensou em sua viagem urgente à Suécia, três anos antes...

ESTIVERA ENVOLVIDO num complicado problema de logística quando a voz de sua secretária veio pelo interfone:

— Zurique na linha, Sr. Kingsley.

— Estou ocupado demais para... tudo bem. Eu falo. — Ele pegou o telefone. — Sim? — Enquanto ouvia, o rosto de Tanner ficou sério. Disse impaciente: — Sei... tem certeza?... Não, não faz mal. Eu mesmo cuido disso.

Apertou o botão do interfone.

— Srta. Ordonez, diga ao piloto para preparar o Challenger. Nós vamos a Zurique. Dois passageiros.

MADELEINE SMITH estava sentada num reservado no La Rotonde, um dos melhores restaurantes de Zurique. Tinha trinta e poucos anos, um lindo rosto oval, cabelo enrolado e uma ótima pele. Estava visivelmente grávida.

Tanner foi até a mesa, e Madeleine Smith se levantou.

Tanner Kingsley estendeu a mão.

— Por favor, sente-se.

Ele se sentou diante dela.

— Estou feliz em conhecê-lo. — A mulher tinha um leve sotaque suíço. — A princípio, quando recebi o telefonema, pensei que era piada.

— Por quê?

— Bem, o senhor é um homem muito importante, e quando disseram que vinha a Zurique só para me ver, não pude imaginar...

Tanner sorriu.

— Vou dizer por que estou aqui. Porque soube que você era uma cientista brilhante, Madeleine. Posso chamá-la de Madeleine?

— Ah, por favor, Sr. Kingsley.

— No KIG nós damos muitíssimo valor ao talento. Você é o tipo de pessoa que deveria estar trabalhando para nós, Madeleine. Há quanto tempo está no Tokyo First Industrial Group?

— Sete anos.

— Bem, sete é o seu número de sorte, porque estou lhe oferecendo um trabalho no KIG pagando o dobro do que você recebe agora, e estará comandando seu próprio departamento e...

— Ah, Sr. Kingsley! — Ela estava rindo de orelha a orelha.

— Está interessada, Madeleine?

— Ah, sim! Estou muito interessada. Claro que não posso começar imediatamente.

A expressão de Tanner mudou.

— O que quer dizer?

— Bem, eu vou ter um bebê e me casar...

Tanner sorriu.

— Isso não é problema. Nós cuidamos de tudo.

— Mas há outro motivo pelo qual não posso ir agora. Estou trabalhando num projeto em nosso laboratório e nós estamos... estamos quase no fim.

— Madeleine, eu não sei o que é o seu projeto, e não me importo. Mas o fato é que a oferta que fiz deve ser aceita imediatamente. De fato eu estava esperando levar você e seu noivo — ele sorriu —, ou será que devo dizer seu futuro marido?, para os Estados Unidos comigo.

— Eu posso ir assim que o projeto estiver terminado. Daqui a seis meses, talvez um ano.

Tanner ficou quieto um momento.

— Tem certeza de que não pode ir agora de jeito nenhum?

— Não. Eu sou encarregada desse projeto. Seria injusto sair agora. — Ela se animou. — Que tal no ano que vem...?

Tanner sorriu.

— Sem dúvida.

— Sinto muito o senhor ter feito essa viagem por nada.

Tanner falou caloroso:

— Não foi por nada, Madeleine. Eu conheci você.

Ela ficou ruborizada.

— O senhor é muito gentil.

— Ah, a propósito, eu lhe trouxe um presente. Um empregado meu irá levá-lo ao seu apartamento esta noite, às seis horas. O nome dele é Harry Flint.

NA MANHÃ SEGUINTE o corpo de Madeleine Smith foi achado no chão de sua cozinha. O fogão tinha sido deixado ligado e o apartamento estava cheio de gás.

OS PENSAMENTOS DE Tanner voltaram ao presente. Flint nunca o havia deixado na mão. Dentro de pouco tempo Diane Stevens e Kelly Harris seriam descartadas, e com elas fora do caminho o projeto poderia continuar.

Capítulo 26

HARRY FLINT FOI ATÉ o balcão de recepção do Wilton Hotel.

— Olá. — A recepcionista notou o sorriso no rosto dele.

— Em que posso ajudá-lo?

— Minha mulher e uma amiga, uma afro-americana, se hospedaram aqui há pouco tempo. Quero subir e fazer uma surpresa. Qual é o número do quarto?

— Sinto muito. Este é um hotel para mulheres, senhor. Os homens não podem entrar. Se quiser telefonar...

Flint olhou o saguão em volta. Infelizmente estava cheio de gente.

— Não faz mal — disse ele. — Tenho certeza de que elas vão descer logo.

Flint saiu e digitou um número no celular.

— Elas estão no quarto, Sr. Kingsley. Eu não posso subir.

Tanner ficou quieto um momento, concentrando-se.

— Sr. Flint, a lógica diz que elas vão decidir se separar. Vou mandar Carballo para ajudar você. Meu plano é o seguinte...

NA SUÍTE, KELLY LIGOU o rádio numa estação de música pop e de repente o quarto se encheu com um rap.

— Como você pode ouvir isso? — perguntou Diane irritada.

— Você não gosta de rap?

— Isso não é música. É barulho.

— Não gosta de Eminem? E que tal LLCoolJ, R. Kelly e Ludacris?

— Você só ouve isso?

— Não — disse Kelly irritada. — Gosto da *Simphonie Fantastique* de Berlioz, dos *Estudos* de Chopin e de *Almira* de Handel. Gosto particularmente de...

Kelly olhou Diane ir até o rádio e desligá-lo.

— O que vamos fazer quando ficarmos sem hotéis, Sra. Stevens? Conhece alguém que possa nos ajudar?

Diane balançou a cabeça.

— A maioria dos amigos de Richard trabalhava no KIG, e nossos outros amigos... não posso envolver nenhum deles nisso. Ela olhou para Kelly. E você?

Kelly deu de ombros.

— Mark e eu moramos em Paris nos últimos três anos. Não conheço ninguém aqui além do pessoal da agência de modelos, e tenho a sensação de que eles não ajudariam muito.

— Mark disse por que ia a Washington?

— Não.

— Richard também não. Tenho a sensação de que essa é a chave do motivo para eles terem sido assassinados.

— Fantástico. Nós temos a chave. Onde está a porta?

— Vamos achar. — Diane ficou pensativa um momento, depois seu rosto se iluminou. — Espere um minuto! Eu conheço alguém que talvez possa nos ajudar. — Ela foi até o telefone.

— Para quem está ligando?

— Para a secretária de Richard. Ela deve saber o que está acontecendo.

Uma foz do outro lado do telefone disse:

— Kingsley International

— Gostaria de falar com Betty Barker, por favor.

EM SUA SALA, Tanner viu a luz azul da identificação de voz se acender. Apertou um interruptor e ouviu a telefonista dizer:

— A Srta. Barker não está na mesa dela no momento.

— Pode me dizer como posso encontrá-la?

— Sinto muito. Se a senhora me der seu nome e seu número de telefone, eu poderia...

— Não precisa. — Diane desligou o aparelho.

A luz azul se apagou.

DIANE SE VIROU para Kelly.

— Tenho a sensação de que Betty Barker pode ser a porta para o que nós estamos procurando. Tenho de achar um modo de chegar a ela. — E franziu a testa. — É muito estranho.

— O quê?

— Uma cartomante previu isso. Ela disse que viu a morte ao meu redor, e...

— Não! — exclamou Kelly. — E por que não informou ao FBI e à CIA?

Diane a encarou irritada por um momento.

— Não faz mal. — Cada vez mais Kelly estava lhe dando nos nervos. — Vamos jantar.

— Primeiro eu tenho de dar um telefonema — disse Kelly. Em seguida pegou o telefone e ligou para a telefonista do hotel. — Quero fazer uma ligação para Paris. — Ela deu o número e esperou. Depois de alguns minutos seu rosto se iluminou. — Olá, Philippe. Como vai?... Aqui está tudo bem... — Ela olhou para Diane. — Sim... devo voltar para casa dentro de um ou dois dias... Como vai Angel?... Ah, isso é maravilhoso.

Ela sente falta de mim?... Quer colocá-la no telefone? — Sua voz mudou para o tom que os adultos usam ao falar com uma criança pequena. — Angel, como vai, querida?... É a mamãe. Philippe disse que você está sentindo minha falta... eu também sinto, querida. Vou voltar logo, e vou abraçar e fazer carinho em você, meu doce.

Diane tinha se virado para ouvir, perplexa.

— Tchau, neném... Certo, Philippe... Obrigada. Vejo vocês logo. *Au revoir.*

Kelly viu a expressão perplexa de Diane.

— Eu estava falando com meu bichinho de estimação.

— O que ele disse?

— *Ela.* É uma cadela.

— Ah, dá para entender.

ERA HORA de jantar, mas as duas estavam com medo de sair da segurança do quarto. Pediram alguma coisa pelo serviço de quarto.

A conversa era desconexa. Diane tentava bater papo com Kelly, mas era inútil.

— Então, você estava morando em Paris?

— É.

— Mark era francês?

— Não.

— Vocês eram casados há muito tempo?

— Não.

— Como vocês se encontraram?

Não é da sua conta.

— Não lembro de fato. Eu conheci muitos homens.

Diane examinou Kelly.

— Por que você não se livra desse muro que construiu ao seu redor?

— Alguém já lhe disse que os muros são feitos para manter as pessoas do lado de fora?

— Algumas vezes eles mantêm pessoas trancadas dentro, e...

— Olha, Sra. Stevens. Cuide da sua vida. Eu estava indo muito bem até a encontrar. Vamos parar com isso.

— Tudo bem. — *Ela é a pessoa mais fria que eu já conheci.*

QUANDO TERMINARAM um jantar silencioso, Kelly anunciou:

— Vou tomar um banho.

Diane não respondeu.

No banheiro, Kelly tirou a roupa, entrou embaixo do chuveiro e abriu a torneira. A água quente contra a sua nudez era maravilhosa, fechou os olhos e deixou a mente vaguear...

Podia ouvir as palavras de Sam Meadows. *Você sabe que ele está loucamente apaixonado por você. Quer se casar com você. Espero que ele não se magoe.* E Kelly sabia que Sam Meadows estava certo. Kelly gostava de se encontrar com Mark. Ele era divertido, sensível e se importava com ela. E era um grande amigo. Esse era o problema. *Eu só penso nele como amigo. Isso não é justo para com ele. Preciso parar de me encontrar com ele.*

Mark tinha ligado na manhã seguinte ao banquete.

— Alô, Kelly. O que você gostaria de fazer esta noite? — A voz de Mark estava cheia de antecipação. — Jantar e teatro? Há algumas lojas que ficam abertas à noite, e tem...

— Desculpe, Mark. Eu... eu estou ocupada esta noite.

Houve um breve silêncio.

— Ah. Eu pensei que a gente tinha...

— Bem, não temos. — E Kelly ficou ali parada, odiando-se pelo que estava fazendo com ele. *É minha culpa ter deixado a coisa ir tão longe.*

— Ah, tudo bem. Eu ligo amanhã.

ELE TELEFONOU no dia seguinte.

— Kelly, se eu ofendi você de algum modo...

E Kelly teve de fazer força para dizer:

— Sinto muito, Mark. Eu... eu me apaixonei por uma pessoa. — Ela esperou. O longo silêncio era insuportável.

— Ah — a voz de Mark saiu trêmula. — Entendo. Eu... eu deveria ter percebido que a gente... pa... parabéns. Espero mesmo que você seja feliz, Kelly. Por favor, diga tchau a Angel por mim.

Mark desligou. Kelly ficou imóvel, segurando o telefone mudo, arrasada. *Ele vai me esquecer logo*, pensou, *e vai achar alguém que possa dar a felicidade que ele merece.*

KELLY TRABALHAVA TODO dia, sorrindo na passarela e ouvindo o aplauso das multidões, mas por dentro estava triste. A vida não era a mesma sem seu amigo. Sentia uma tentação constante de ligar para Mark, mas resistiu. *Não posso. Já fiz com que ele sofresse muito.*

Várias semanas se passaram sem que Kelly tivesse notícias de Mark. *Ele está fora da minha vida. Provavelmente já encontrou alguém.* E tentou acreditar nisso.

NUMA TARDE DE SÁBADO Kelly estava fazendo um desfile numa sala elegante apinhada com a elite de Paris. Saiu para a passarela, e logo que surgiu houve os aplausos de sempre. Estava atrás de uma modelo que usava um conjunto de tarde, segurando um par de luvas. Uma das luvas escorregou da mão da modelo e caiu na passarela. Quando Kelly viu, era tarde demais. Tropeçou na luva e despencou no chão, de cara. A platéia emitiu um som ofegante. Kelly ficou ali, humilhada. Esforçando-se para não chorar, respirou fundo, estremecendo, levantou-se e saiu rapidamente da passarela.

Quando chegou ao camarim, a camareira disse:

— Estou com o vestido de noite pronto. É melhor você...

Kelly estava soluçando.

— Não... eu... eu não posso aparecer na frente daquelas pessoas. Elas vão rir de mim. — Estava ficando histérica. — Estou acabada. Nunca mais vou lá outra vez. Nunca!

— Claro que está.

Kelly girou. Mark estava parado na porta.

— Mark! O que... o que você está fazendo aqui?

— Ah, eu... eu meio que tenho andado por aí ultimamente.

— Você... você viu... o que aconteceu lá fora?

Mark sorriu.

— Foi maravilhoso. Fiquei feliz por isso ter acontecido.

Kelly estava encarando-o.

— O... o quê?

Ele se aproximou e pegou um lenço para enxugar suas lágrimas.

— Kelly, antes de você cair na passarela, a platéia achava que você era somente um sonho lindo e intocável, uma fantasia fora do alcance. Quando você tropeçou e caiu, isso mostrou que você é humana, e eles a adoraram por isso. Agora volte lá e os faça felizes.

Ela olhou nos olhos compassivos de Mark, e nesse momento notou que estava apaixonada.

A camareira estava recolocando o vestido de noite numa arara.

— Me dá isso — disse Kelly. Em seguida olhou para Mark e sorriu por entre as lágrimas.

Cinco minutos depois Kelly pisou confiante na passarela. Houve uma onda de aplausos calorosos e uma ovação de pé. Kelly ficou parada diante deles, dominada pela emoção. Era maravilhoso ter Mark de novo em sua vida. Lembrou-se de como tinha se sentido nervosa no início...

KELLY VIVIA tensa, esperando que Mark lhe desse uma cantada, mas ele sempre foi o perfeito cavalheiro. Sua timidez a deixava mais confiante. Era Kelly quem iniciava a maioria das conversas, e não importava qual fosse o assunto, ela descobria que Mark tinha conhecimento e era divertido.

Uma noite Kelly disse:

— Mark, amanhã é a noite de estréia de uma grande orquestra sinfônica. Você gosta de música clássica?

Ele assentiu.

— Eu cresci com música clássica.

— Bom. Vamos.

O CONCERTO FOI brilhante, e a platéia ficou entusiasmada.

Quando chegaram ao apartamento de Kelly, Mark disse:

— Kelly, eu... eu menti para você.

Eu deveria saber, pensou Kelly. *Ele é como os outros. Acabou.* Preparou-se para a resposta de Mark.

— Mentiu?

— É. Eu... eu não gosto de música clássica.

Kelly mordeu o lábio para não explodir numa gargalhada.

No encontro seguinte Kelly disse:

— Quero lhe agradecer por Angel. Ela é uma companhia fantástica.

— *E você também*, pensou. Mark tinha os olhos azuis mais luminosos que ela já vira, e um sorrisinho cativante, torto. Ela gostava tremendamente de sua companhia, e...

A ÁGUA ESTAVA esfriando. Kelly desligou o chuveiro, enxugou-se, vestiu um roupão felpudo do hotel e foi para o quarto.

— É todo seu.

— Obrigada.

Diane se levantou e entrou no banheiro. Parecia que uma tempestade havia caído. A água tinha se derramado no chão e as toalhas estavam espalhadas no piso.

Com raiva, Diane voltou ao quarto.

— O banheiro está uma bagunça. Você está acostumada a ter gente limpando sua sujeira?

Kelly deu um sorriso doce.

— Sim, Sra. Stevens. Na verdade eu cresci com um monte de empregadas cuidando de mim.

— Bem, eu não sou uma delas.

Você não passaria no teste.

Diane respirou fundo.

— Acho que seria melhor nós...

— Não existe "nós". Existe você e existo eu.

As duas se encararam por um longo momento. Então, sem outra palavra, Diane se virou e voltou ao banheiro. Quinze minutos depois, quando saiu, Kelly estava na cama. Diane estendeu a mão para apagar a luz.

— Não, não toque nisso! — foi um grito.

Diane olhou para Kelly, espantada.

— O quê?

— Deixe as luzes acesas.

Diane perguntou cheia de escárnio:

— Você tem medo de escuro?

— Sim. Eu... tenho medo de escuro. — *Desde que Mark morreu.*

— Por quê? — perguntou Diane em tom paternalista. — Seus pais lhe contavam histórias do bicho-papão quando você era pequena?

Houve um longo silêncio.

— É isso aí.

Diane foi para a sua cama. Ficou ali deitada um minuto, depois fechou os olhos.

Richard, querido, nunca acreditei que alguém pudesse morrer de tristeza. Agora acredito. Preciso demais de você. Preciso que você me guie. Preciso do seu calor e do seu amor. Você está aqui, em algum lugar, sei que está. Eu posso sentir. Você é um presente que Deus me emprestou, mas não por tem-

po suficiente. Boa noite, meu anjo da guarda. Por favor, nunca me deixe. Por favor.

Em sua cama, Kelly podia ouvir Diane soluçando baixinho. Seus lábios se apertaram. *Cala a boca. Cala a boca. Cala a boca.* E lágrimas começaram a rolar pelo seu rosto.

Capítulo 27

QUANDO DIANE ACORDOU de manhã, Kelly estava numa poltrona, virada para a parede.

— Bom dia — disse Diane. — Conseguiu dormir?

Não houve resposta.

— Temos de pensar no próximo passo. Não podemos ficar aqui para sempre.

Sem resposta.

Exasperada, Diane falou alto:

— *Kelly, está me ouvindo?*

Kelly se virou na poltrona.

— Você se *incomoda*? Eu estou no meio de um mantra.

— Ah, desculpe. Eu não...

— Esquece. — Kelly se levantou. — Alguém já disse que você ronca?

Diane sentiu um pequeno choque. Podia ouvir a voz de Richard dizendo, na primeira noite em que tinham dormido juntos: *Querida, sabia que você ronca? Deixe-me colocar de outro modo. Não é realmente um ronco. Seu nariz canta deliciosas melodias pela noite, como a música dos anjos.* E ele a havia tomado nos braços e...

— Bem, você ronca — disse Kelly. Ela foi até a televisão e ligou-a. — Vejamos o que está acontecendo no mundo. — Começou a zapear pelos canais e parou de repente. Um noticiário estava passando, e o apresentador era Ben Roberts. — É o Ben! — Exclamou.

— Quem é Ben? — perguntou Diane, indiferente.

— Ben Roberts. Ele apresenta o noticiário e faz programas de entrevistas. É o único entrevistador de quem eu gosto realmente. Ele e Mark ficaram grandes amigos. Um dia... — Ela parou de repente.

Ben Roberts estava dizendo:

— *...e acaba de chegar um boletim. Anthony Altieri, o suposto chefão da Máfia, que recentemente foi inocentado de uma acusação de assassinato, morreu hoje cedo, de câncer. Ele estava...*

Kelly se virou para Diane.

— Ouviu isso? Altieri está morto.

Diane não sentiu nada. Era notícia de um outro mundo, de outro tempo.

Olhou para Kelly e disse:

— Acho que seria melhor se nós duas nos separássemos. Juntas somos fáceis demais de ser achadas.

— Tudo bem. — disse Kelly secamente. — Nós temos a mesma altura.

— Eu quis dizer...

— Eu sei o que quis dizer. Mas eu poderia pintar a cara de branco e...

Diane estava encarando-a, perplexa.

— O quê?

— Brincadeirinha. A gente se separar é ótima idéia. É quase um plano, não é?

— Kelly...

— Certamente foi interessante conhecê-la, Sra. Stevens.

— Vamos sair desse hotel — disse Diane rapidamente.

O SAGUÃO ESTAVA apinhado com mulheres chegando para uma convenção, e meia dúzia de hóspedes saindo. Kelly e Diane esperaram na fila.

Na rua, olhando para o saguão, Harry Flint as viu e se escondeu. Pegou seu celular.

— Elas acabaram de sair para o saguão.

— Bom. Carballo chegou aí, Sr. Flint?

— Chegou.

— Façam exatamente o que eu disse. Cubram a entrada do hotel pelas duas esquinas, de modo que, não importando para onde elas sigam, as duas caiam na armadilha. Quero que elas desapareçam sem deixar rastros.

KELLY E DIANE tinham finalmente chegado ao balcão.

A mulher no caixa sorriu.

— Espero que tenham tido uma estada agradável.

— Muito agradável, obrigada — disse Diane. — Ainda estamos vivas.

QUANDO PASSAVAM pela porta do saguão, Kelly perguntou:

— Sabe para onde está indo, Sra. Stevens?

— Não. Só quero sair de Manhattan. E você?

Só quero ir para longe de você.

— De volta a Paris.

As duas saíram e olharam cautelosamente em volta. Havia o tráfego habitual de pedestres, e tudo parecia normal.

— Adeus, Sra. Stevens — disse Kelly, com uma nota de alívio na voz.

— Adeus, Kelly.

Kelly se virou para a esquerda e começou a andar para a esquina. Diane olhou-a um momento, depois virou para a direita e começou a ir na outra direção. Não tinham dado mais de doze passos quando Harry Flint e Vince Carballo apareceram de súbito nas extremidades opostas do quarteirão. A expressão no rosto de Carballo era maligna. Os lábios de Flint estavam revirados num meio sorriso.

Os dois começaram a se aproximar das mulheres, abrindo caminho entre os pedestres. Diane e Kelly se viraram e se entreolharam em pânico. Tinham sido emboscadas. Ambas correram de volta para o hotel, mas a porta estava tão apinhada que não havia como entrar de novo. Não havia para onde ir. Os dois homens estavam chegando perto.

Kelly se virou para Diane, e enquanto ela olhava, pasma, Diane sorriu e acenou alegre para Flint, e depois para Carballo.

— Ficou maluca? — sussurrou Kelly.

Ainda sorrindo, Diane pegou o celular e falou nele rapidamente.

— Estamos na frente do hotel agora... ah, bom. Você está aí na esquina? — Ela riu e fez um sinal de vitória para Kelly. — Eles vão chegar num minuto — falou em voz alta. Em seguida olhou para Flint e Carballo e disse ao telefone. — Não. São só dois. — Diane ouviu e depois riu. — Está bem... Eles estão aqui? Certo.

Enquanto Kelly e os dois homens olhavam, Diane saiu da calçada para a rua, examinando os carros que vinham. Começou a sinalizar para um carro que se aproximava e acenou empolgada para ele. Flint e Carballo tinham parado, perplexos com o que estava acontecendo.

Diane apontou para os dois homens.

— Aqui — gritou para o tráfego, acenando feito louca. — Aqui!

Flint e Carballo se entreolharam e tomaram uma decisão rápida. Viraram de volta para o lugar de onde tinham vindo e desapareceram nas esquinas.

Kelly estava olhando Diane, com o coração batendo loucamente.

— Eles foram embora. Com quem estava falando?

Diane respirou fundo para se controlar.

— Com ninguém. Minha bateria está descarregada.

Capítulo 28

KELLY ESTAVA OLHANDO para Diane, pasma.

— Foi fantástico. Eu gostaria de ter pensado nisso.

Diane falou secamente:

— Você vai.

— O que você vai fazer agora?

— Sair de Manhattan.

— Como? Eles vão vigiar todas as estações: aeroportos, rodoviárias, locadoras de veículos...

Diane pensou um momento.

— Nós podemos ir para o Brooklyn. Eles não vão procurar lá.

— Ótimo. Vá em frente.

— O quê?

— Eu não vou acompanhá-la.

Diane começou a dizer alguma coisa, depois mudou de idéia.

— Tem certeza?

— Tenho, Sra. Stevens.

— Bem, então nós... adeus.

— Adeus.

Kelly ficou olhando Diane chamar um táxi e começar a entrar nele. Ficou ali parada, hesitante, tentando tomar uma decisão. Estava sozinha numa rua desconhecida, sem ter aonde ir e sem ter quem procurar. A porta do táxi se fechou, e ele começou a se mover.

— Espera! — gritou Kelly.

O táxi parou. Kelly correu até lá.

Diane abriu a porta, e Kelly entrou e se acomodou no banco.

— O que fez você mudar de idéia?

— Eu acabo de lembrar que não conheço o Brooklyn.

O motorista perguntou:

— Para onde?

— Leve-nos ao Brooklyn, por favor — disse Diane.

— Algum lugar especial?

— Só fique rodando.

Kelly olhou para Diane, incrédula.

— Você não sabe para onde vamos?

— Vou saber quando chegar lá.

Por que eu voltei?, estava se perguntando Kelly.

Durante a corrida as duas ficaram em silêncio, lado a lado. Dentro de vinte minutos estavam atravessando a ponte do Brooklyn.

— Estamos procurando um hotel — disse Diane ao motorista. — Não sei bem qual...

— Quer um bom hotel, senhora? Eu conheço um. Chama-se Adams. As senhoras vão gostar.

O HOTEL ADAMS era um prédio de tijolos, de cinco andares, com um toldo na frente e um porteiro de serviço.

Quando o táxi parou junto ao meio-fio, o motorista perguntou:

— Parece bom?

— Parece ótimo — disse Diane.

Kelly ficou quieta.

Saíram do táxi, e o porteiro as recebeu.

— Bom dia, senhoras. Vão se hospedar?

Diane assentiu.

— Sim.

— Têm bagagem?

— A companhia aérea perdeu nossas bagagens — disse Diane com desembaraço. — Há algum lugar por aí onde a gente possa fazer umas compras?

— Há uma boa loja de roupas femininas no fim do quarteirão. Talvez as senhoras queiram se hospedar antes. Então podem mandar suas compras diretamente para o quarto.

— Ótimo. Tem certeza de que há um quarto disponível?

— Nessa época do ano não há problema.

O FUNCIONÁRIO ATRÁS do balcão entregou as fichas de registro. Enquanto Kelly assinava a sua, falou em voz alta:

— Emily Brontë.

Diane olhou para o recepcionista, procurando algum reconhecimento no rosto dele. Nada.

Escreveu: Mary Cassatt.

O funcionário pegou as fichas de registro.

— E querem pagar com cartão de crédito?

— Sim, nós...

— Não — interrompeu Diane rapidamente.

Kelly olhou-a e assentiu com relutância.

— Bagagem?

— Está vindo. Nós já voltamos.

— As senhoras ficarão na suíte 515.

O recepcionista ficou olhando-as sair. *Duas verdadeiras beldades. E sozinhas. Que desperdício!*

A LOJA FOR MADAME era uma cornucópia. Havia roupas femininas de todo tipo, e uma seção de artigos de couro com bolsas e malas.

Kelly olhou em volta e disse:

— Parece que tivemos sorte.

Uma vendedora se aproximou.

— Em que posso ajudá-las?

— Só estamos olhando — disse Diane.

A vendedora ficou observando enquanto cada uma pegava um carrinho de compras e começava a andar pela loja.

— Olha! — disse Kelly. — Meias. — Ela pegou meia dúzia de pares. Diane fez o mesmo.

— Meias-calças...

— Sutiãs...

— Calcinhas...

Logo os carrinhos estavam cheios de roupa de baixo.

A vendedora veio correndo com mais dois carrinhos.

— Deixe-me ajudar.

— Obrigada.

Diane e Kelly começaram a encher os novos carrinhos.

Kelly estava examinando um mostruário com calças compridas. Escolheu quatro e se virou para Diane.

— Não dá para saber quando a gente vai poder fazer compras de novo.

Diane escolheu algumas calças e um vestido de verão, listrado.

— Não pode usar isso — disse Kelly. — Listras vão deixá-la gorda.

Diane começou a colocar de volta, depois olhou para Kelly e entregou o vestido à vendedora.

— Vou levar este.

A VENDEDORA OLHOU espantada Kelly e Diane passarem pelo resto dos mostruários. Quando terminaram, o que haviam escolhido dava para encher quatro malas.

Kelly olhou para elas e riu.

— Isso deve dar para um bom tempo.

Quando foram ao caixa, ela perguntou.

— Cartão de crédito ou dinheiro?

— Crédito...

— Dinheiro — disse Diane.

Kelly e Diane abriram as bolsas e dividiram a conta. As duas tiveram o mesmo pensamento: *o dinheiro está acabando.*

Kelly falou com a mulher do caixa:

— Nós estamos hospedadas no Adams. Será que vocês poderiam...

— Entregar suas coisas? Claro. Quais são os nomes?

Kelly hesitou um momento.

— Charlotte Brontë.

Diane olhou-a e disse rapidamente.

— *Emily*. Emily Brontë.

Kelly se lembrou.

— Certo.

A mulher do caixa olhou-as, com uma expressão confusa no rosto. Virou-se para Diane.

— E o seu nome?

— Eu... é... — A mente de Diane estava girando. Que nome tinha assinado? *Georgia O'Keefe... Frida Kahlo... Joan Mitchell?*

— O nome dela é Mary Cassatt — disse Kelly.

A caixa engoliu em seco.

— Claro.

AO LADO DA LOJA For Madame havia uma farmácia.

— Estamos com sorte de novo — sorriu Diane.

Entraram rapidamente e começaram uma segunda farra de compras.

— Rímel...

— Blush...
— Escova de dentes...
— Pasta de dentes...
— Absorventes...
— Batom...
— Grampos de cabelo...
— Pó...

QUANDO DIANE E KELLY chegaram de volta ao hotel, as quatro malas já haviam sido entregues no quarto.

Kelly olhou-as.

— Qual será a sua e qual será a minha?

— Não importa. Nós vamos ficar aqui uma semana ou mais, de modo que podemos tirar tudo.

— Acho que sim.

Começaram a pendurar vestidos e calças, colocando a roupa de baixo em gavetas e os artigos de toalete no banheiro.

Quando as malas foram esvaziadas e tudo tinha sido posto no lugar, Diane tirou os sapatos e o vestido, e sentindo-se grata afundou numa das camas.

— Isso é maravilhoso. — Suspirou contente. — Eu não sei quanto a você, mas eu vou jantar na cama. Depois vou tomar um banho delicioso, longo. Não vou sair daqui.

Uma camareira de rosto agradável, uniformizada, bateu e entrou na suíte trazendo uma pilha de toalhas.

Dois minutos depois saiu.

— Se precisarem de alguma coisa, é só chamar. Tenham uma boa noite.

— Obrigada. — Kelly olhou-a sair.

Diane estava folheando uma revista publicada pelo hotel, que tinha apanhado ao lado da cama.

— Sabe em que ano este hotel foi construído?

— Vista-se — disse Kelly. — Nós vamos embora.

— Foi construído em...

— Vista-se. Nós vamos embora daqui.

Diane olhou-a.

— Isso é alguma piada?

— Não. Vai acontecer alguma coisa terrível.

Diane sentou-se alarmada.

— O que vai acontecer?

— Não sei. Mas temos de sair daqui, senão vamos morrer as duas.

Seu medo era contagiante, mas não fazia sentido.

— Kelly, você não está sendo razoável. Se...

— Eu estou implorando, Diane.

Pensando depois, Diane nunca soube se cedeu por causa da ansiedade na voz de Kelly ou porque era a primeira vez que Kelly a chamou de "Diane".

— Está bem. — Diane se levantou. — Vamos juntar nossas roupas e...

— Não! Deixe tudo.

Diane olhou para Kelly, incrédula.

— *Deixar tudo?* Nós acabamos de comprar...

— Depressa! *Agora!*

— Tudo bem. — Enquanto se vestia com relutância, Diane pensou: *Espero que ela saiba o que está fazendo. Se...*

— Depressa! — Era um grito estrangulado.

Diane terminou rapidamente de se vestir.

— Agora!

Agarraram suas bolsas e apressaram-se porta afora. *Eu devo estar tão louca quanto ela,* pensou Diane, ressentida.

Quando chegaram ao saguão, Diane se pegou correndo para alcançar Kelly.

— Poderia dizer o que está acontecendo?

Do lado de fora, Kelly olhou ao redor.

— Há um parque do outro lado da rua. Eu... eu preciso me sentar.

Exasperada, Diane acompanhou Kelly até o parque. As duas se sentaram num banco.

— O que estamos fazendo? — perguntou Diane.

Naquele instante houve uma explosão tremenda dentro do hotel, e de onde se encontravam, Diane e Kelly puderam ver as janelas do quarto onde haviam estado explodindo, com o entulho enchendo o ar.

Numa incredulidade pasma, Diane ficou olhando.

— Isso... isso foi uma bomba... — o terror se arrastou para sua voz — ...no nosso quarto. — Ela se virou para Kelly. — Como... como você sabia?

— A camareira.

Diane olhou-a, perplexa.

— O que é que tem?

Kelly falou em voz baixa:

— As camareiras de hotel não usam sapatos Manolo Blahnik de trezentos dólares.

Diane estava achando difícil respirar.

— Como... como eles podem ter nos achado?

— Não sei. Mas lembre-se de com quem nós estamos lidando.

As duas ficaram paradas, cheias de pavor.

— Tanner Kingsley lhe deu alguma coisa quando você esteve na sala dele? — perguntou Diane.

Kelly balançou a cabeça.

— Não. Ele deu alguma coisa a você?

— Não.

As duas perceberam no mesmo instante.

— O cartão!

Elas abriram as bolsas e pegaram os cartões de visita que Tanner Kingsley tinha lhes dado.

Diane tentou quebrar o seu ao meio. Ele não se dobrava.

— Há algum tipo de chip dentro — disse Diane, furiosa.

Kelly tentou amassar seu cartão.

— No meu também. Era assim que os sacanas estavam rastreando a gente.

Diane pegou o cartão de Kelly e falou irritada.

— Chega.

Kelly ficou olhando Diane ir até a rua e jogar os cartões. Dentro de minutos uma dúzia de carros e caminhões tinham passado sobre eles.

À distância, o som de sirenes se aproximando enchiam o ar.

Kelly se levantou.

— É melhor a gente sair daqui, Diane. Agora que eles não podem continuar nos rastreando, vamos ficar bem. Eu vou voltar a Paris. O que você vai fazer?

— Tentar descobrir por que isso está acontecendo.

— Tenha cuidado.

— Você também.

Diane hesitou um momento.

— Kelly... obrigada. Você salvou minha vida.

Sem jeito, Kelly falou:

— Eu me sinto mal com relação a uma coisa. Eu menti para você.

— Mentiu?

— Sabe o que eu disse sobre os seus quadros?

— Sei.

— Eu gostei deles... muito. Você é *boa.*

Diane sorriu.

— Obrigada. Acho que eu fui muito grosseira com você.

— Diane?

— Sim?

— Eu não cresci tendo empregadas.

Diane riu, e as duas se abraçaram.

— Fico feliz por termos nos conhecido — disse Diane calorosamente.

— Eu também.

As duas ficaram ali paradas, olhando-se, achando difícil dizer adeus.

— Tenho uma idéia — disse Diane. — Se precisar de mim, aqui está o número do meu celular. — Ela anotou num pedaço de papel.

— E aqui está o meu.

— Bem, até logo de novo.

Diane ficou hesitante.

— É. Eu... até logo, Kelly.

Diane olhou Kelly se afastar. Na esquina, ela se virou e acenou. Diane acenou de volta. Quando Kelly desapareceu, Diane olhou o buraco enegrecido que teria sido o túmulo das duas, e sentiu um arrepio gelado.

Capítulo 29

KATHY ORDONEZ ENTROU na sala de Kingsley Tanner com os jornais da manhã e disse:

— Está acontecendo de novo. — Ela entregou os jornais. Todos tinham grandes manchetes.

Nevoeiro prejudica grandes cidades na Alemanha

Todos os aeroportos alemães fechados devido ao nevoeiro

Aumenta número de mortos devido ao nevoeiro na Alemanha

— Devo mandar isso à senadora van Luven? — perguntou Kathy...

— Sim, agora mesmo — disse Tanner, sério.

Kathy saiu rapidamente da sala.

Tanner olhou para o relógio de pulso e sorriu. *A bomba já deve ter explodido. As duas vacas finalmente foram descartadas.*

A voz da secretária veio pelo interfone.

— Sr. Kingsley, a senadora van Luven está na linha para falar com o senhor. Quer atender?

— Sim. — Tanner atendeu ao telefone. — Tanner Kingsley.

— Alô, Sr. Kingsley. Aqui é a senadora van Luven.

— Boa tarde, senadora.

— Por acaso minhas assistentes e eu estamos perto da sede de sua empresa, e eu imaginei se seria conveniente se passássemos para uma visita.

— Sem dúvida — disse Tanner entusiasmado. — Eu ficaria muito feliz em mostrar tudo, senadora.

— Ótimo. Logo estaremos aí.

Tanner apertou o botão do interfone.

— Estou esperando alguns visitantes para daqui a pouco. Segure todos os meus telefonemas.

Pensou no obituário que tinha visto nos jornais há algumas semanas. O marido da senadora van Luven, Edmond Barclay, tinha morrido de ataque cardíaco. *Vou dar os pêsames.*

QUINZE MINUTOS DEPOIS a senadora van Luven e suas duas belas assistentes chegaram.

Tanner se levantou para recebê-las.

— Estou muito contente que a senhora tenha vindo.

A senadora assentiu.

— O senhor já conheceu Corinne Murphy e Karolee Trost.

Tanner sorriu.

— Sim. É um prazer revê-las. — Ele se virou para a senadora. — Soube do falecimento de seu marido. Lamento terrivelmente.

A senadora van Luven assentiu.

— Obrigada. Ele estava doente há muito tempo, e por fim, há algumas semanas... — Ela forçou um sorriso. — A propósito, as informações sobre o aquecimento global que o senhor andou me mandando são muito impressionantes.

— Obrigado.

— Gostaria de mostrar o que está fazendo aqui?

— Claro. Que tipo de passeio a senhora deseja? Nós temos o passeio de cinco dias, o de quatro dias e o de uma hora e meia.

Corinne Murphy riu.

— Vamos ficar com o de cinco...

— Corinne foi interrompida pela senadora van Luven.

— Vamos fazer o passeio de uma hora e meia.

— O prazer será meu.

— Quantas pessoas trabalham no KIG? — perguntou a senadora van Luven.

— Aproximadamente duas mil. O KIG tem escritórios em uma dúzia de países importantes de todo o mundo.

Corinne Murphy e Karolee Trost pareceram impressionadas.

— Temos quinhentos empregados neste prédio. Os funcionários e os pesquisadores ficam em locais separados. Cada cientista que trabalha aqui tem QI mínimo de 160.

Corinne Murphy falou empolgada:

— Eles são gênios.

— Sigam-me, por favor — disse Tanner.

A SENADORA, Murphy e Trost seguiram Tanner por uma porta lateral até um dos prédios adjacentes. Ele guiou-as até uma sala atulhada de equipamentos de aparência fora do comum.

A senadora van Luven foi até uma das máquinas estranhas e perguntou:

— O que isso faz?

— Este é um espectrógrafo de som, senadora. Converte o som de uma voz num gráfico vocal. Pode reconhecer milhares de vozes diferentes.

Trost franziu a testa.

— Como ele faz isso?

— Pense do seguinte modo: quando um amigo telefona, a senhora reconhece instantaneamente a voz porque aquele padrão de som está gravado no circuito do seu cérebro. Nós programamos esta máquina do mesmo modo. Um filtro eletrônico permite que apenas uma certa faixa de freqüências passe pelo gravador, de modo que temos apenas as características distintas da voz daquela pessoa.

*

O RESTO DO passeio se tornou uma montagem fascinante de máquinas, microscópios eletrônicos em miniatura e laboratórios de química: salas com quadros-negros cheios de símbolos misteriosos, laboratórios com uma dúzia de cientistas trabalhando juntos, e salas onde um único cientista estava absorvido na solução de algum problema insondável.

Passaram por um prédio de tijolos com trancas duplas na porta.

A senadora van Luven perguntou:

— O que há aí?

— Pesquisas secretas do governo. Sinto muito, mas está fora dos limites, senadora.

A VIAGEM DEMOROU duas horas. Quando terminou, Tanner acompanhou as mulheres de volta à sua sala.

— Espero que tenham gostado — disse ele.

A senadora van Luven assentiu.

— Foi interessante.

— *Muito* interessante. — Corinne Murphy sorriu. Seus olhos estavam grudados em Tanner.

— Adorei — exclamou Karolee Trost.

Tanner se virou para a senadora van Luven.

— A propósito, a senhora teve chance de discutir com seus colegas o problema ambiental do qual falamos?

O tom de voz da senadora foi neutro.

— Sim.

— Poderia dizer quais são as chances, senadora?

— Este não é um jogo de adivinhação, Sr. Kingsley. Haverá mais discussões. Eu lhe direi quando estiver decidido.

Tanner conseguiu sorrir.

— Obrigado. Obrigado a todas por terem vindo.

Olhou-as sair.

QUANDO A PORTA se fechou, a voz de Kathy Ordonez veio pelo interfone.

— Sr. Kingsley, Saida Hernandez tentou falar com o senhor. Disse que era urgente, mas o senhor disse para segurar os telefonemas.

— Ache-a para mim.

Saida Hernandez era a mulher que ele havia mandado ao Hotel Adams para colocar a bomba.

— Linha um.

Tanner pegou o telefone, antecipando a boa notícia.

— Correu tudo bem, Saida?

— Não. Sinto muito, Sr. Kingsley. — Ele podia sentir o medo na voz da mulher. — Elas foram embora.

O corpo de Tanner ficou rígido.

— *Elas o quê?*

— Sim, senhor. Elas saíram antes da explosão. Um mensageiro viu quando elas deixaram o hotel.

Tanner bateu o telefone. Falou com a secretária pelo interfone:

— Mande Flint e Carballo virem aqui.

Um minuto depois Harry Flint e Vince Carballo entraram na sala de Tanner.

Tanner se virou para os dois. Estava numa fúria incontida.

— As vacas se livraram de novo. É a última vez que vou permitir que isso aconteça. Estão entendendo? Vou dizer onde elas estão e vocês vão cuidar delas. Alguma pergunta?

Flint e Carballo se entreolharam.

— Não, senhor.

Tanner apertou um botão que revelava o mapa eletrônico da cidade.

— Enquanto elas estiverem com os cartões que eu dei, podemos rastrear...

Eles olharam as luzes eletrônicas aparecerem no mapa da tela de TV. Tanner apertou um botão. As luzes não se mexeram.

Tanner trincou os dentes.

— Elas se livraram dos cartões. — Seu rosto ficou mais vermelho. Ele se virou para Flint e Carballo. — Quero que elas sejam mortas hoje.

Flint olhou para Tanner, perplexo.

— Se não sabemos onde elas estão, como vamos...

Tanner interrompeu:

— Acha que vou deixar uma mulher ser mais esperta do que eu com tanta facilidade? Enquanto elas tiverem os celulares, não vão a lugar nenhum sem nos dizer.

— O senhor pode descobrir o número do celular delas? — perguntou Flint, surpreso.

Tanner não se incomodou em responder. Estava examinando o mapa.

— Agora elas provavelmente já se separaram. — Ele apertou outro botão. — Vamos tentar primeiro *Diane Stevens.*

Tanner digitou um número.

As luzes no mapa começaram a se mexer e a focalizar lentamente as ruas de Manhattan, passando sobre hotéis, lojas e shopping centers. Por fim as luzes pararam na frente de uma loja com um letreiro que dizia: *The Mall for All.*

— Diane Stevens está num shopping. — Tanner apertou outro botão. — Vejamos onde Kelly Harris está. — Ele começou a repetir o mesmo procedimento. As luzes começaram a se mexer de novo, desta vez focalizando outra parte da cidade.

Os homens viram a área iluminada se estreitar até uma rua com uma loja de roupas, um restaurante, uma farmácia e um ponto de ônibus. As luzes examinaram a área e de repente pararam diante de um grande prédio aberto.

— Kelly Harris está numa estação de ônibus. — A voz de Tanner ficou séria. — Temos de pegar as duas depressa.

— Como? — perguntou Carballo. — Elas estão em lados opostos da cidade. Quando chegarmos, elas terão sumido.

Tanner se virou.

— Venham comigo. — Ele foi até uma sala adjacente, com Flint e Carballo logo atrás. A sala tinha uma quantidade de monitores, computadores e teclados eletrônicos com diferentes códigos de teclas coloridas. Numa prateleira havia uma pequena máquina atarracada, com dezenas de CDs e DVDs. Tanner examinou-os e colocou na máquina um que tinha a etiqueta DIANE STEVENS.

Explicou aos homens:

— Isto é um sintetizador de voz. A voz da Sra. Stevens e a da Sra. Harris foram gravadas e analisadas. Apertando um botão, cada palavra que eu digo é calibrada para duplicar a voz delas.

Tanner pegou um celular e apertou alguns números.

Houve um cauteloso "Alô?" Era a voz de Kelly Harris.

— Kelly! Estou tão feliz por ter encontrado você! — Era Tanner falando, mas eles ouviam a voz de Diane Stevens.

— Diane! Você me pegou bem a tempo. Eu estou saindo daqui.

Flint e Carballo escutavam maravilhados.

— Aonde você vai, Kelly?

— Para Chicago. Vou pegar um avião para casa, saindo do aeroporto O'Hare.

— Kelly, você não pode ir agora.

Houve um momento de silêncio.

— Por quê?

— Porque eu descobri o que está acontecendo. Sei quem matou nossos maridos, e por quê.

— Ah, meu Deus! Como foi... tem certeza?

— Positivo. Eu tenho todas as provas comigo. Estou no Hotel Delmont, na cobertura A. Daqui vou para o FBI. Queria que você fosse comigo, mas se você tem de ir para casa, eu entendo...

— Não, não! Eu... eu quero terminar o que Mark estava tentando fazer.

Flint e Carballo ouviam cada palavra, fascinados. Ao fundo podiam ouvir o anúncio da saída do ônibus para Chicago.

— Eu vou com você, Diane. Você disse Hotel Delmont?

— É. Na rua 86. Cobertura A.

— Eu estou indo. Vejo você daqui a pouco.

A ligação foi interrompida.

Tanner se virou para Flint e Carballo.

— Metade do problema está resolvido. Agora vamos cuidar da outra metade.

Flint e Carballo ficaram olhando enquanto Tanner colocava outro CD com o rótulo KELLY HARRIS no sintetizador. Tanner acionou um botão no telefone e apertou alguns números.

A voz de Diane veio quase imediatamente.

— Alô...

Tanner falou ao telefone, mas foi a voz de Kelly que eles ouviram.

— Diane...

— Kelly! Você está bem?

— Estou ótima. Tenho notícias importantes. Descobri quem matou nossos maridos e por quê.

— *O quê?* Quem... quem...?

— Não podemos falar disso por telefone, Diane. Eu estou no Hotel Delmont, na rua 86, cobertura A. Pode se encontrar comigo lá?

— Claro. Eu vou agora mesmo.

— Ótimo, Diane. Vou estar esperando.

Tanner desligou o aparelho e se virou para Flint.

— *Você* vai estar esperando. — Ele entregou uma chave a Flint. — Esta é a chave da cobertura A. É a suíte de nossa empresa. Vá para lá agora mesmo e espere por elas. Quero que mate as duas assim que elas passarem pela porta. Darei um jeito de cuidar dos corpos.

Carballo e Tanner olharam Flint se virar e sair rapidamente.

— O que gostaria que eu fizesse, Sr. Kingsley? — perguntou Carballo.

— Cuide de Saida Hernandez.

ENQUANTO ESPERAVA na suíte de cobertura A, Flint estava decidido a que desta vez nada desse errado. Tinha ouvido falar de maus profissionais de quem Tanner tinha se livrado. *Eu, não*, pensou Flint. Sacou sua arma, verificou o cano e atarraxou o silenciador. Agora só precisava esperar.

Num táxi a seis quarteirões do Hotel Delmont, a mente de Kelly Harris estava disparando de ansiedade com o que Diane tinha dito. *Sei quem matou nossos maridos, e por quê... Mark, eu vou fazer com que eles paguem o que fizeram com você.*

DIANE ESTAVA NUMA febre de impaciência. O pesadelo estava terminando. De algum modo Kelly tinha descoberto quem estava por trás da trama para matá-las, e tinha provas. *Vou deixar você com orgulho de mim, Richard. Eu sinto você perto de mim, e...*

Os pensamentos de Diane foram interrompidos pelo motorista do táxi.

— Chegamos, senhora. Hotel Delmont.

Capítulo 30

ENQUANTO ATRAVESSAVA o saguão do Hotel Delmont indo para os elevadores, o coração de Diane começou a bater mais depressa. Mal podia esperar para saber o que Kelly tinha descoberto.

A porta de um elevador se abriu e os passageiros saíram.

— Sobe?

— Sim. — Diane entrou. — Cobertura, por favor. — Sua mente estava disparando. *Em que projeto nossos maridos poderiam estar trabalhando, e que era tão secreto a ponto de eles serem assassinados? E como Kelly descobriu a resposta?*

Pessoas começaram a encher o elevador. As portas se fecharam e ele começou a subir. Diane tinha visto Kelly há apenas algumas horas, e, para sua surpresa, descobriu que sentia falta dela.

Por fim, depois de meia dúzia de paradas, o ascensorista abriu a porta e disse:

— Cobertura.

NA SALA DE ESTAR da cobertura A, Flint esperava perto da porta, tentando ouvir os sons no corredor. O problema era que a porta era extremamente grossa, e Flint sabia o motivo. Não era para que os sons de fora não entrassem. Era para que os de dentro não saíssem.

Reuniões de diretoria aconteciam na suíte de cobertura, mas Flint gostava de brincar dizendo que ninguém se entediava. Três vezes por ano Tanner convidava os gerentes do KIG de uma dúzia de países. Quando as reuniões profissionais eram interrompidas, um grupo de garotas lindas era trazido para distrair os homens. Flint servira de guarda em várias orgias, e agora, parado ali, pensando no mar de corpos nus e jovens gemendo e se sacudindo nas camas e sofás, começou a ter uma ereção. Riu. Logo as donas iriam cuidar daquilo.

Harry Flint não se considerava um necrófilo. Nunca tinha matado uma mulher para fazer sexo com ela. Mas se ela já estivesse morta...

QUANDO SAIU DO elevador, Diane perguntou:

— Para que lado fica a cobertura A?

— Esquerdo, no fim do corredor. Mas não há ninguém lá.

Diane se virou?

— O quê?

— Aquela cobertura só é usada para reuniões de diretoria, e a próxima só acontece em setembro.

Diane sorriu.

— Eu não vou a uma reunião de diretoria. Vou encontrar uma amiga que está me esperando.

O ascensorista ficou olhando Diane virar à esquerda e a ir para a cobertura A. Deu de ombros, fechou a porta do elevador e começou a descer.

Enquanto se aproximava da porta da cobertura, Diane começou a andar mais depressa, a ansiedade crescendo.

DENTRO DA COBERTURA A, Flint esperava a batida à porta. *Qual delas vai chegar primeiro, a loura ou a negra? Não importa. Eu não tenho preconceito.*

Pensou ter ouvido alguém se aproximando da porta, e apertou a arma com mais força.

KELLY ESTAVA LUTANDO para controlar a impaciência. Para chegar ao Hotel Delmont enfrentara uma série de atrasos: tráfego... sinais vermelhos... consertos nas ruas... Estava atrasada. Correu pelo saguão e entrou no elevador.

— Cobertura, por favor.

NO DÉCIMO QUINTO andar, enquanto Diane se aproximava da cobertura A, a porta da suíte ao lado se abriu e um mensageiro saiu de costas para o corredor, puxando um grande carrinho cheio de bagagens, bloqueando o caminho de Diane.

— Eu já tiro isso do caminho num minuto — disse ele, pedindo desculpa.

O mensageiro voltou à suíte e saiu com mais duas malas. Diane tentou passar se espremendo, mas não havia espaço.

— Tudo pronto — disse o mensageiro. — Desculpe o atraso. — E tirou o carrinho da frente.

Diane foi até a cobertura A e levantou a mão para bater na porta quando uma voz no corredor disse:

— Diane!

Diane se virou. Kelly tinha acabado de sair de um elevador.

— Kelly...!

Diane voltou correndo para se encontrar com ela.

NA COBERTURA, Flint estava tentando escutar. Haveria alguém ali fora? Ele poderia ter aberto a porta para ver, mas isso arruinaria o plano. *Mate-as assim que elas passarem pela porta.*

No corredor, Kelly e Diane estavam se abraçando, adorando se ver.

— Desculpe o atraso, Diane — disse Kelly —, mas o tráfego estava terrível. Você me pegou justo quando meu ônibus ia sair para Chicago.

Diane olhou para Kelly, perplexa.

— Eu peguei você...?

— Eu estava entrando no ônibus quando você ligou.

Houve um silêncio momentâneo.

— Kelly... eu não liguei para você. Você ligou para mim. Para dizer que tinha provas que precisava... — Ela viu o olhar chocado no rosto de Kelly.

— Eu não...

As duas se viraram para a cobertura A.

Diane respirou fundo.

— Vamos...

— Tudo bem.

Desceram correndo um lance de escada, entraram num elevador e saíram do hotel em três minutos.

Dentro da cobertura, Harry Flint estava olhando o relógio. *Por que essas vacas estão demorando*?

DIANE E KELLY estavam sentadas num vagão de metrô lotado.

— Não sei como fizeram isso — disse Diane. — Era a sua voz.

— E era a sua voz. Eles não vão parar enquanto não nos matarem. São como polvos com milhares de tentáculos que querem enrolar no nosso pescoço.

— Eles têm de nos pegar, antes de matar.

— Como podem ter descoberto dessa vez? A gente se livrou dos cartões de Kingsley, e não temos mais nada que eles...

As duas se entreolharam, depois olharam para os celulares.

Kelly falou, pensativa:

— Mas como eles podem ter descoberto os números dos telefones?

— Lembre-se de com quem estamos lidando. De qualquer modo, este é provavelmente o lugar mais seguro de Nova York. Podemos ficar no metrô até... — Diane olhou do outro lado do corredor e seu rosto empalideceu. — Vamos sair daqui — falou ansiosa. — Na próxima parada.

— *O quê? Você acabou de dizer...*

Kelly acompanhou o olhar de Diane. Na faixa de propaganda acima das janelas havia uma foto de Kelly sorridente, segurando um lindo relógio feminino.

— Ah, meu Deus!

Elas se levantaram e foram rapidamente para a porta, esperando a próxima parada. Dois fuzileiros uniformizados, sentados ali perto, estavam comendo-as com os olhos.

Kelly sorriu para os homens enquanto pegava o celular de Kelly e o seu, e entregou um para cada fuzileiro.

— Liguem para nós.

E foram embora.

NA COBERTURA A o telefone tocou. Flint atendeu imediatamente.

— Já faz mais de uma hora — disse Tanner. — O que está acontecendo, Sr. Flint?

— Elas não apareceram.

— *O quê?*

— Eu fiquei aqui o tempo todo, esperando.

— Volte para o escritório. — Tanner bateu o telefone.

NO INÍCIO AQUILO era um negócio de rotina no qual Tanner tinha de dar um jeito. Agora era pessoal. Tanner pegou seu telefone e digitou o número do celular de Diane.

Um dos fuzileiros a quem Kelly tinha dado os aparelhos atendeu:

— Olá, neném. O que acham de vocês duas se divertirem um bocado esta noite?

As vacas se livraram dos telefones.

ERA UMA PENSÃO barata numa rua secundária, no West Side. Quando o táxi foi passando pela frente e as duas viram o cartaz de "HÁ VAGAS", Diane falou:

— Pode parar aqui, motorista.

As mulheres saíram e foram até a porta da frente da casa.

A senhoria, que abriu a porta, era uma mulher agradável, de meia-idade, chamada Alexandra Upshaw.

— Eu posso dar a vocês um quarto muito bom por quarenta dólares a noite, com café da manhã.

— Está ótimo — disse Diane, e olhou a expressão de Kelly. — Qual é o problema?

— Nada. — Kelly fechou os olhos um instante. Essa pensão nada tinha a ver com aquela em que fora criada, limpando banheiros, cozinhando para estranhos e ouvindo seu padrasto bêbado bater na mãe. Conseguiu dar um sorriso. — Tudo bem.

NA MANHÃ SEGUINTE Tanner estava numa reunião com Flint e Carballo.

— Elas se livraram do meu cartão e dos telefones.

— Então nós perdemos as duas — disse Flint.

— Não, Sr. Flint, não enquanto eu estiver vivo. Nós não vamos atrás delas. Elas virão atrás de nós.

Os dois se entreolharam, depois olharam de volta para Tanner.

— O quê?

— Diane Stevens e Kelly Harris vão estar aqui no KIG na manhã de segunda-feira, às onze e quinze.

Capítulo 31

KELLY E DIANE acordaram ao mesmo tempo. Kelly sentou-se na cama e olhou para Diane.

— Bom dia. Como você dormiu?

— Tive uns sonhos malucos.

— Eu também. — Diane hesitou. — Kelly... quando você saiu no elevador daquele hotel, no momento em que eu ia bater na porta da cobertura... você acha que foi coincidência?

— Claro. E sorte nossa que... — Kelly olhou o rosto de Diane. — O que você quer dizer?

— Nós tivemos muita sorte até agora — disse Diane com cuidado. — *Muita* sorte. Como se... como se alguém, ou alguma coisa, estivesse nos guiando, ajudando.

Os olhos de Kelly estavam grudados nela.

— Quer dizer... como um anjo da guarda?

— É.

Kelly falou com paciência:

— Diane, eu sei que você acredita nessas coisas, mas eu não. Eu *sei* que não tenho um anjo no meu ombro.

— Você só não enxerga ainda.

Kelly revirou os olhos.

— Certo.

— Vamos comer alguma coisa — sugeriu Diane. — Aqui é seguro. Acho que estamos fora de perigo.

Kelly resmungou:

— Se você acha que estamos fora de perigo, não sabe nada sobre o café da manhã nas pensões. Vamos nos vestir e comer fora. Acho que vi uma lanchonete na esquina.

— Está bem. Eu tenho de dar um telefonema. — Diane foi até o telefone e digitou um número.

Uma telefonista atendeu.

— KIG.

— Gostaria de falar com Betty Barker.

— Só um momento, por favor.

Tanner tinha visto a luz azul e estava escutando na extensão.

— A Sra. Barker não está na mesa dela. Quer deixar recado?

— Ah. Não, obrigada.

Tanner franziu a testa. *Rápido demais para rastrear.*

DIANE SE VIROU para Kelly.

— Betty Barker ainda está trabalhando no KIG, de modo que só temos de achar um modo de chegar até ela.

— Talvez o número da casa dela esteja na lista telefônica.

— Pode ser, e a linha pode estar grampeada. — Diane pegou o catálogo ao lado do telefone e folheou até a letra que estava procurando. — Está aqui.

Diane digitou um número, ouviu e desligou lentamente.

Kelly foi até ela.

— O que foi?

Diane demorou um momento para responder.

— A linha foi desligada.

Kelly respirou fundo.

— Acho que quero tomar um banho.

QUANDO KELLY terminou o banho e começou a sair do banheiro, percebeu que tinha deixado as toalhas no chão. Ia saindo, mas hesitou um momento, depois pegou-as e pendurou. Entrou no quarto.

— É todo seu.

Diane assentiu distraída.

— Obrigada.

A primeira coisa que Diane notou ao entrar no banheiro foi que todas as toalhas usadas tinham sido penduradas de volta. Sorriu.

Entrou no chuveiro e deixou a água quente acalmá-la. Lembrou-se de como tomava banho de chuveiro com Richard, e da sensação dos corpos se tocando... *Nunca mais.* Mas as lembranças sempre estariam ali Sempre...

HAVIA AS flores.

— *São lindas, querido. Obrigada. O que estamos comemorando?*

— *O dia de São Swithins.*

E mais flores.

— *O dia em que Washington atravessou o Delaware...*

— *O dia nacional dos periquitos...*

— *O dia dos amantes do aipo...*

Quando no bilhete com as rosas veio escrito "Dia dos lagartos saltadores". Diane riu e disse:

— *Querido, os lagartos não saltam.*

E Richard pôs a cabeça entre as mãos e disse:

— *Droga! Me informaram errado.*

E ele adorava escrever poemas para ela. Quando Diane estava se vestindo, achava um nos sapatos, ou num sutiã, ou num paletó...

E houve a ocasião em que ele tinha vindo do trabalho e ela estava parada do lado de dentro da porta, completamente nua, a não ser por um par de sapatos altos. E disse:

— *Querido, gosta desse sapato?*

E as roupas dele foram largadas no chão e o jantar atrasou. Eles...

A voz de Kelly chegou num grito:

— A gente vai tomar café da manhã ou vai jantar?

ANDARAM ATÉ a lanchonete. O dia era fresco e límpido, com o céu de um azul translúcido.

— Céu azul — disse Diane. — Bom presságio.

Kelly mordeu o lábio para não rir. De algum modo, as superstições de Diane pareciam cativantes.

Perto da lanchonete, Diane e Kelly passaram por uma pequena butique. Entreolharam-se, riram e entraram.

Uma vendedora se aproximou.

— Posso ajudar?

Kelly falou entusiasmada:

— Pode.

Diane alertou:

— Vamos com calma. Lembre-se do que aconteceu da última vez.

— Tudo bem. Sem farra.

As duas percorreram a loja, escolhendo uma pequena quantidade de coisas necessárias. Deixaram as roupas antigas no provador.

— Vocês não vão querer levar essas? — perguntou a vendedora.

Diane sorriu.

— Não. Dê para os pobres.

*

NA ESQUINA havia uma loja de conveniência.

— Olha — disse Kelly. — Celulares de cartão.

Kelly e Diane entraram e compraram dois, cada um com mil minutos pré-pagos.

— Vamos anotar os números dos telefones uma da outra.

Diane sorriu.

— Certo.

Só demoraram alguns segundos.

Na saída, enquanto pagava, Diane olhou dentro da bolsa.

— Eu estou realmente começando a ficar sem dinheiro.

— Eu também.

— Talvez a gente tenha de começar a usar cartão de crédito — disse Diane.

— Não antes de acharmos a toca de coelho mágica.

— O quê?

— Não importa.

QUANDO SE SENTARAM a uma mesa da lanchonete, a garçonete perguntou:

— O que vão querer, senhoras?

Kelly se virou para Diane.

— Você primeiro.

— Vou querer suco de laranja, bacon com ovos, torrada e café.

A garçonete se virou para Kelly.

— E a senhora?

— Meia *grapefruit*.

— Só isso? — perguntou Diane.

— É.

A garçonete saiu.

— Você não pode viver com meia *grapefruit*.

— É o hábito. Eu faço dieta rígida há anos. Algumas modelos comem lenço de papel para matar a fome.

— Sério?

— Sério. Mas não importa mais. Nunca mais vou ser modelo.

Diane examinou-a um momento.

— Por quê?

— Não é mais importante. Mark me ensinou o que é realmente importante, e... — Ela parou, lutando contra as lágrimas. — Eu gostaria que você o tivesse conhecido.

— Eu também. Mas você precisa recomeçar sua vida.

— E você? Vai começar a pintar de novo?

Houve um longo silêncio.

— Eu tentei... Não.

QUANDO KELLY E DIANE terminaram o desjejum e caminhavam para a porta, Kelly notou que os jornais da manhã estavam sendo postos nas bancas.

Diane começou a sair quando Kelly disse:

— Espere um minuto. — Ela se virou de volta e pegou um jornal. — Olhe.

Era uma matéria no topo da primeira página.

O Kingsley International Group fará uma cerimônia em honra a todos os empregados cuja morte recente foi causa de especulação geral. O tributo acontecerá na sede do KIG em Manhattan, na segunda-feira, 11h15.

— É amanhã. — Kelly olhou Diane por um momento. — Por que você acha que eles estão fazendo isso?

— Acho que é uma armadilha para nós.

Kelly assentiu.

— Eu também. Será que Kingsley acha que nós vamos ser estúpidas a ponto de cair... — Kelly olhou a expressão de Diane e disse, consternada: — Nós vamos?

Diane assentiu.

— Não podemos!

— Nós temos de ir. Tenho certeza de que Betty Barker vai estar lá. Eu preciso falar com ela.

— Não quero ser chata, mas como você espera sair de lá viva?

— Vou pensar num modo. — Ela olhou para Kelly e sorriu. — Confie em mim.

Kelly balançou a cabeça.

— Não há nada que me deixe mais nervosa do que ouvir alguém dizer "confie em mim". — Ela pensou um momento e seu rosto se iluminou. — Tive uma idéia. Sei como cuidar disso.

— Como?

— É uma surpresa.

Diane olhou para Kelly, preocupada.

— Você realmente acha que pode nos tirar de lá?

— Confie em mim.

QUANDO VOLTARAM à pensão, Kelly deu um telefonema.

Naquela noite as duas dormiram mal. Kelly estava na cama, preocupada. *Se meu plano falhar, nós duas vamos morrer*. Enquanto ia caindo no sono, pareceu ver o rosto de Tanner Kingsley olhando-a. Ele estava rindo.

Diane estava rezando com os olhos bem fechados. *Querido, esta pode ser a última vez em que falo com você. Não sei se devo dizer adeus ou olá. Amanhã Kelly e eu vamos ao KIG, à cerimônia em sua homenagem. Não acho que nossas chances de escapar sejam muito boas, mas tenho de ir, para tentar ajudá-lo. Só queria dizer mais uma vez, antes que seja tarde demais, que eu amo você. Boa noite, querido.*

Capítulo 32

A CERIMÔNIA MEMORIAL estava sendo realizada no Parque KIG, uma área que fora separada no complexo do Kingsley International Group como local de recreação para os empregados. Havia uma centena de pessoas reunidas no parque, que só era acessível através de dois caminhos com portões, um para entrada e outro para saída.

No centro do terreno tinha sido colocado um tablado, onde meia dúzia de executivos do KIG estavam sentados. No fim da fila estava a secretária de Richard Stevens, Betty Barker. Ela era uma mulher bonita, de aparência nobre, de trinta e poucos anos.

Tanner falava ao microfone.

— ...e esta empresa foi construída com a dedicação e a lealdade dos empregados. Nós agradecemos e saudamos todos eles. Eu sempre gostei de pensar em nossa empresa como uma família, todos trabalhando juntos na direção do mesmo objetivo. — Enquanto falava, Tanner ia examinando a multidão. — Aqui no KIG nós resolvemos problemas e executamos idéias que tornaram o mundo um lugar melhor para se viver, e não existe satisfação maior do que...

Na extremidade mais distante do parque, Diane e Kelly tinham entrado. Tanner olhou o relógio. Continuou a falar:

— ...saber que todo o sucesso desta empresa se deve a vocês...

Diane olhou para o tablado e cutucou Kelly, nervosa.

— Lá está Betty Barker. Eu tenho de falar com ela.

— Tenha cuidado.

Diane olhou em volta e falou inquieta:

— Isto aqui é simples demais. Tenho a sensação de que fomos... — Ela se virou para olhar e ofegou. Harry Flint e dois de seus homens tinham aparecido junto ao portão. Os olhos de Diane se viraram para o segundo portão. Estava bloqueado por Carballo e mais dois homens.

— Olha! — A garganta de Diane estava seca.

Kelly se virou e viu os seis homens bloqueando as saídas.

— Há outra saída daqui?

— Não creio.

Tanner estava dizendo:

— ...Lamentavelmente, infortúnios recentes recaíram sobre vários membros de nossa família. E quando uma tragédia cai sobre alguém da família, ela afeta a todos nós. O KIG está oferecendo uma recompensa de cinco milhões de dólares para quem provar quem, ou o quê, está por trás de tudo isso.

Tanner olhou para Kelly e Diane, do outro lado da multidão, e seus olhos estavam frios.

— Hoje temos aqui duas companheiras que sofreram especialmente, a Sra. Mark Harris e a Sra. Richard Stevens. Quero pedir que elas venham ao pódio.

— Não podemos deixar que ele nos leve para lá — disse Kelly, horrorizada. — Temos de ficar no meio da multidão. O que vamos fazer agora?

Diane olhou para Kelly, surpresa.

— O que você quer dizer? É você que vai tirar a gente daqui, lembra? Comece o seu plano.

Kelly engoliu em seco.

— Ele não funcionou.

— Então passe para o plano B — disse Diane, nervosa.

— Diane...

— O quê?

— Não existe plano B.

Os olhos de Diane se arregalaram.

— Quer dizer que você... fez com que a gente viesse para cá sem ter como sair?

— Eu pensei...

A voz de Tanner estrondeou nos alto-falantes:

— Por favor, Sra. Stevens e Sra. Harris, queiram subir.

Kelly se virou para Diane e disse:

— Eu... sinto muito.

— A culpa é minha. Eu não deveria ter concordado em vir.

As pessoas se viraram para olhá-las. Tinham caído numa armadilha.

— Sra. Stevens e Sra. Harris...

Kelly sussurrou:

— O que vamos fazer?

— Nós não temos escolha. Vamos subir. — Diane respirou fundo. — Vamos.

Com relutância, as duas começaram a ir lentamente para o pódio.

Diane estava olhando Betty Barker, cujos olhos estavam grudados nela, com um ar de pânico.

Diane e Kelly se aproximaram do pódio, com o coração martelando.

Diane estava pensando: *Richard, querido, eu tentei. Não importa o que aconteça, quero que você saiba que...*

Houve uma súbita comoção nos fundos do parque. Pessoas esticavam o pescoço para ver o que estava acontecendo.

Ben Roberts estava entrando acompanhado por uma grande equipe de cinegrafistas e assistentes.

As duas se viraram para olhar. Kelly agarrou o braço de Diane, rindo de orelha a orelha.

— O plano A chegou! Ben está aqui.

E Diane ergueu os olhos e disse baixinho:

— Obrigada, Richard.

— O quê? — perguntou Kelly. E de repente percebeu o que Diane quis dizer. Falou, cínica: — Tudo bem. Venha. Ben está esperando por nós.

TANNER ESTAVA OBSERVANDO a cena, com o rosto rígido. Falou alto:

— Com licença. Sinto muito, Sr. Roberts. Esta é uma cerimônia memorial particular. Terei de pedir que saia com sua equipe.

— Bom dia, Sr. Kingsley — disse Ben Roberts. — Meu programa está fazendo um segmento com a Sra. Harris e a Sra. Stevens no estúdio, mas já que estamos aqui eu achei que o senhor poderia deixar que filmássemos uma parte da cerimônia memorial.

Tanner balançou a cabeça.

— Não, não posso permitir que fique aqui.

— Que pena. Então vou levar a Sra. Harris e a Sra. Stevens para o estúdio agora.

— Não pode — disse Tanner asperamente.

Ben o encarou.

— Não posso o quê?

Tanner estava quase tremendo de fúria.

— Eu... quero dizer... o senhor... nada.

As mulheres tinham chegado perto de Ben.

Ele falou em voz baixa.

— Desculpe o atraso. Houve uma notícia de última hora sobre um assassinato e...

— Quase houve uma notícia de última hora sobre mais dois — disse Kelly. — Vamos sair daqui.

Tanner ficou olhando, frustrado, enquanto Kelly, Diane, Ben Roberts e sua equipe passavam pelos seus homens e saíam do parque.

Harry Flint olhou para Tanner pedindo instruções. Enquanto balançava lentamente a cabeça num "não", Tanner estava pensando: *ainda não acabou, suas vacas.*

DIANE E KELLY entraram no carro com Ben Roberts. A equipe dele os acompanhava em dois furgões.

Roberts olhou para Kelly.

— Agora pode me dizer o que está acontecendo?

— Gostaria de poder, Ben. Mas ainda não. Vou contar quando souber do que estou falando. Prometo.

— Kelly, eu sou repórter. Preciso saber...

— Hoje você veio como amigo.

Roberts suspirou.

— Tudo bem. Onde vocês querem ficar?

Diane respondeu:

— Pode nos deixar na esquina da rua 42 com Times Square?

— Tudo bem.

VINTE MINUTOS DEPOIS Kelly e Diane estavam saindo do carro.

Kelly deu um beijo no rosto de Ben Roberts.

— Obrigada, Ben. Não vou esquecer isso. Vamos ficar em contato.

— Cuide-se.

As duas se viraram para acenar enquanto se afastavam.

— Estou me sentindo nua — disse Kelly.

— Por quê?

— Diane, nós não temos armas, nada. Gostaria de ter um revólver.

— Nós temos nosso cérebro.

— Eu queria ter uma arma. Por que estamos aqui? O que vamos fazer agora?

— Vamos parar de correr. De agora em diante estamos na ofensiva.

Kelly olhou-a com curiosidade.

— O que isso significa?

— Significa que estou cheia de ser o alvo do dia. Vamos atrás deles, Kelly.

Kelly olhou Diane um momento.

— *Nós* vamos atrás do *KIG*?

— Isso mesmo.

— Você andou lendo muitos livros policiais. Como acha que nós duas vamos derrubar o maior núcleo de cérebros do mundo?

— Vamos começar conseguindo o nome de todos os empregados deles que morreram nas últimas semanas.

— O que faz você pensar que houve outros além de Mark e Richard?

— Porque o anúncio do jornal falava em *todos* os empregados, de modo que há mais de duas pessoas.

— Ah. E quem vai nos dar esses nomes?

— Eu lhe mostro.

O EASY ACCESS Internet Café era um vasto salão com mais de doze fileiras de baias equipadas com 400 computadores, quase todos sendo usados. Fazia parte de uma cadeia que ia se espalhando por todo o mundo.

Quando elas entraram, Diane foi até a máquina de venda de cartões para comprar duas horas de acesso à Internet.

Quando ela voltou, Kelly disse:

— Por onde começamos?

— Vamos perguntar ao computador.

ACHARAM UMA baia vazia e se sentaram.

Kelly ficou olhando Diane se conectar à Internet.

— O que acontece agora?

— Primeiro vamos a um site de busca para achar os nomes das outras vítimas que trabalhavam no KIG.

Diane foi até o site www.google.com e digitou seu critério de busca: "obituário" e "KIG".

Apareceu uma longa lista de respostas. Diane procurou especificamente itens em jornais disponíveis on-line, e achou vários. Clicou naqueles links, que levaram a uma série de obituários recentes e outras matérias. Uma matéria levou-a ao KIG de Berlim, e ela acessou o site.

— Isso é interessante... Franz Verbrugge.

— Quem é ele?

— A questão é *onde* ele está? Ele parece ter desaparecido. Trabalhava no KIG em Berlim, e a mulher dele, Sonja, morreu misteriosamente.

Diane clicou em outro link. Hesitou e ergueu os olhos para Kelly.

— Na França... Mark Harris.

Kelly respirou fundo e assentiu.

— Continue.

Diane apertou mais teclas.

— Denver, Gary Reynolds, e em Manhattan... — a voz de Diane embargou — ...Richard. — Diane se levantou. — É isso.

— E agora?

— Vamos deduzir um modo de juntar tudo. Vamos.

NA METADE DO quarteirão, Kelly e Diane passaram por uma loja de computadores.

— Só um minuto — disse Kelly.

Diane foi atrás enquanto Kelly entrava na loja e se aproximava do gerente.

— Com licença. Meu nome é Kelly Harris. Sou assistente de Tanner Kingsley. Nós precisamos de três dúzias de seus melhores e mais modernos computadores para esta tarde. É possível?

O gerente riu de orelha a orelha.

— Bom... bom, certamente, Sra. Harris. Para o Sr. Kingsley, tudo. Nós não temos todos aqui, claro, mas mandaremos pegar no depósito. Eu cuido disso pessoalmente. Vai ser pago em dinheiro ou faturado?

— Pagamento contra entrega — disse Kelly.

Enquanto o gerente se afastava rapidamente, Diane falou:

— Eu gostaria de ter pensado nisso.

Kelly riu.

— Você vai.

— ACHEI QUE O SENHOR gostaria de ver isso, Sr. Kingsley.

Kathy Ordonez lhe entregou vários jornais. As manchetes contavam a história:

TORNADO INCOMUM NA AUSTRÁLIA

O primeiro tornado a assolar a Austrália destruiu meia dúzia de povoados. Não se sabe o número de mortos.

Os meteorologistas estão perplexos com os novos padrões climáticos no mundo. Culpam a camada de ozônio.

— Mande à senadora van Luven com um bilhete: *Cara senadora van Luven, acho que o tempo está acabando. Atenciosamente, Tanner Kingsley.*

— Sim, senhor

TANNER OLHOU PARA uma tela de computador ao ouvir o som indicando que ele recebera um alerta da divisão de segurança de seu departamento de Tecnologia de Informática.

Tanner tinha arranjado para instalar "aranhas" — programas de alta tecnologia que penteavam a Internet, procurando informações — em seu departamento de TI. Tinha posto as aranhas para procurar pessoas que buscassem informações importantes acerca das mortes de Richard Stevens e Mark Harris, e agora olhava com interesse o alerta no monitor.

Apertou um botão do interfone.

— Andrew, venha cá.

Andrew estava em sua sala, sonhando acordado com seu acidente e lembrando-se. Estava no vestiário para pegar o traje espacial mandado pelo exército. Começou a tirar um do cabide, mas Tanner estava lá, e Tanner lhe entregou uma roupa e uma máscara contra gases. *Use esta. Vai dar sorte.* Tanner estava...

— Andrew! Venha cá!

ANDREW OUVIU A ORDEM, levantou-se e entrou lentamente na sala de Tanner.

— Sente-se.

— Sim, Tanner... — ele se sentou.

— As vacas acabaram de acessar o nosso site em Berlim. Sabe o que isso significa?

— Sim... eu... não.

A secretária falou pelo interfone:

— Os computadores chegaram, Sr. Kingsley.

— Que computadores?

— Os que o senhor encomendou.

Perplexo, Tanner se levantou e foi até a recepção. Havia três dúzias de computadores empilhados em carrinhos. O gerente da loja e três homens de macacão estavam parados junto deles.

O rosto do gerente se iluminou ao ver Tanner se aproximando.

— Tenho exatamente o que o senhor pediu, Sr. Kingsley. Última geração. E ficaremos felizes em ajudá-lo com qualquer outro...

Tanner estava olhando a pilha de computadores.

— Quem pediu isso?

— Sua assistente, Kelly Harris. Ela disse que o senhor precisava deles imediatamente, de modo que...

— Leve-os de volta — disse Tanner em voz baixa. — No lugar para onde ela vai eles não serão necessários.

Ele se virou e entrou na sala.

— Andrew, você tem alguma idéia de por que elas acessaram nosso site? Bem, vou dizer. Elas vão tentar encontrar as vítimas e procurar o motivo por trás das mortes. — Tanner sentou-se. — Para fazer isso, teriam de ir à Europa. Só que não vão chegar lá.

— Não?... — disse Andrew, sonolento.

— Como vamos impedi-las, Andrew?

Andrew assentiu.

— Impedi-las...

Tanner olhou para o irmão e disse cheio de desprezo:

— Gostaria de poder falar com alguém que tivesse um cérebro.

Andrew ficou olhando Tanner ir até um computador e começar a digitar.

— Vamos começar apagando todos os bens delas. Temos os números do Seguro Social. — Ele ficou digitando enquanto falava. — Diane Stevens... — disse pensativo, enquanto usava o software de *backdoor* que o KIG instalou quando foi contratado para tornar os sistemas da Experian imunes ao Bug do Milênio. Esse software de *backdoor* dava a Tanner um acesso que nem mesmo a mais alta administração da Experian poderia ter.

— Olha. A Experian tem todas as informações bancárias dela, uma conta de plano de aposentadoria, sua linha de crédito no banco. Está vendo?

Andrew engoliu em seco.

— Sim, Tanner. Sim.

Tanner se virou de novo para o computador.

— Vamos colocar o cartão de crédito como se tivesse sido roubado... Agora vamos fazer o mesmo com Kelly Harris... O próximo passo é ir ao site do banco de Diane. — Ele acessou o site do banco, depois clicou num link que dizia "Sua conta".

Em seguida digitou o número da conta de Diane Stevens e os quatro últimos números do Seguro Social, e obteve acesso. Assim que estava dentro, transferiu todo o saldo para a linha de crédito, depois voltou ao banco de dados de crédito da Experian e cancelou a linha de crédito na entrada de "Em cobrança".

— Andrew...

— Sim, Tanner?

— Está vendo o que eu fiz? Transferi todo o crédito de Diana Stevens como dívidas a ser cobradas pelo departamento de cobrança deles. — Seu tom de voz estava cheio de satisfação consigo mesmo. — Agora vamos fazer o mesmo com Kelly Harris.

Quando terminou, Tanner se levantou e foi até Andrew.

— Está feito. Elas não têm dinheiro nem crédito. Não há como saírem do país. Estão presas. O que você acha do seu irmãozinho?

Andrew assentiu.

— Na televisão ontem à noite eu vi um filme sobre...

Furioso, Tanner fechou os punhos e bateu no rosto do irmão com tanta força que Andrew caiu da cadeira e se chocou contra a parede, fazendo barulho.

— Seu filho-da-puta! Escute quando eu estou falando!

A porta se abriu subitamente e a secretária de Tanner, Kathy Ordonez, entrou correndo.

— Está tudo bem, Sr. Kingsley?

Tanner se virou para ela.

— Está. O coitado do Andrew caiu.

— Minha nossa.

Os dois levantaram Andrew.

— Eu caí?

Tanner falou gentilmente:

— Caiu, Andrew, mas agora você está bem.

Kathy Ordonez sussurrou:

— Sr. Kingsley, não acha que o seu irmão ficaria melhor numa casa de repouso?

— Claro que ficaria. Mas isso partiria o coração dele. Esta é a verdadeira casa dele, e eu posso cuidar dele aqui.

Kathy Ordonez olhou Tanner cheia de admiração.

— O senhor é um homem maravilhoso, Sr. Tanner.

Ele deu de ombros, com modéstia.

— Todos nós devemos fazer o que pudermos.

DEZ MINUTOS DEPOIS a secretária de Tanner voltou.

— Boas notícias, Sr. Kingsley. Acaba de chegar este fax da senadora van Luven.

— Deixe-me ver. — Tanner arrancou-o da mão dela.

> Caro Sr. Kingsley,
>
> Este é para informar que a Comissão do Senado para o Meio Ambiente decidiu alocar verbas para aumentar imediatamente nossa investigação sobre o aquecimento global e como combatê-lo. Cordialmente, senadora van Luven.

Capítulo 33

— VOCÊ ESTÁ COM SEU passaporte? — perguntou Diane.

— Eu sempre ando com ele quando estou num país estranho. — E Kelly acrescentou: — E ultimamente este país ficou terrivelmente estranho.

Diane assentiu.

— Meu passaporte está num cofre de banco. Vou pegá-lo. E vamos precisar de dinheiro.

QUANDO ENTRARAM no banco, Diane desceu até o cofre e abriu sua caixa. Tirou o passaporte, colocou na bolsa e voltou para cima, até a mesa do caixa.

— Gostaria de fechar minha conta.

— Certamente. Seu nome, por favor?

— Diane Stevens.

O caixa assentiu.

— Um momento, por favor. — Ele foi até uma fileira de arquivos, abriu uma gaveta e começou a folhear os cartões. Tirou um, olhou para ele um momento e voltou até Diane. — Sua conta já foi fechada, Sra. Stevens.

Diane balançou a cabeça.

— Não. Deve haver algum erro. Eu...

O caixa pôs o cartão na frente de Diane. Ele dizia: “Conta fechada. Motivo: Falecimento.”

Diane ficou olhando, incrédula, depois olhou para o caixa.

— Eu estou parecendo morta?

— Claro que não. Sinto muito. Se quiser que eu ligue para o gerente, eu posso...

— Não. — Subitamente ela percebeu o que tinha acontecido, e sentiu um pequeno tremor. — Não, obrigada.

Correu até a entrada, onde Kelly estava esperando.

— Pegou o passaporte e o dinheiro?

— Estou com o passaporte. Os sacanas fecharam a minha conta.

— Como é que eles puderam...?

— É muito simples. Eles são o KIG, e nós não somos.

Diane ficou pensativa um momento.

— Ah, meu Deus.

— E agora?

— Tenho de dar um telefonema rápido. — Diane foi até uma cabine telefônica, digitou um número e pegou um cartão de crédito. Alguns instantes depois estava falando com um funcionário. — A conta é de Diane Stevens. O cartão está valendo...

— Sinto muito, Sra. Stevens. Nossos registros mostram que seu cartão foi dado como roubado. Se quiser fazer um registro, podemos lhe mandar um novo cartão em um ou dois dias e..:

— Não faz mal. — Diane bateu o telefone e voltou até Kelly. — Eles cancelaram meus cartões de crédito.

Kelly respirou fundo.

— Agora é melhor eu dar um ou dois telefonemas.

Kelly ficou ao telefone durante quase uma hora. Quando voltou até Diane, estava furiosa.

— O polvo ataca de novo. Mas ainda tenho uma conta de banco em Paris, de modo que posso...

— Nós não temos tempo para isso, Kelly. Temos de sair daqui agora. Quanto dinheiro você tem aí?

— O bastante para voltarmos ao Brooklyn. E você?

— Daria para irmos a Nova Jersey.

— Então estamos presas. Você sabe por que eles estão fazendo isso, não sabe? Para impedir que a gente vá para a Europa descobrir a verdade.

— Parece que tiveram sucesso.

Kelly falou pensativa:

— Não, não tiveram. Nós vamos.

Diane falou com ceticismo:

— Como? Na minha espaçonave?

— Na minha.

JOSEPH BERRY, gerente da joalheria na Quinta Avenida, viu Kelly e Diane se aproximarem e lhes deu seu melhor sorriso profissional.

— Em que posso ajudá-las?

— Eu gostaria de vender meu anel — disse Kelly. — Ele...

O sorriso dele desapareceu.

— Sinto muito. Nós não compramos jóias.

— Ah. Que pena.

Joseph Berry começou a se virar. Kelly abriu a mão. Era um grande anel de esmeralda.

— Esta é uma esmeralda de sete quilates rodeada por diamantes de três quilates, em platina.

Joseph Berry olhou para o anel, impressionado. Pegou um monóculo de joalheiro e colocou no olho.

— É realmente lindo, mas nós temos uma regra rígida de...

— Quero vinte mil dólares por ele.

— A senhora disse vinte mil dólares?

— Sim, em dinheiro vivo.

Diane estava olhando-a.

— Kelly...

Berry olhou o anel de novo e assentiu.

— Eu... é... acho que podemos arranjar isso. Só um momento. — Ele desapareceu na sala dos fundos.

— Você está maluca? — disse Diane. — Você está sendo *assaltada*!

— Estou? Se ficarmos aqui vamos ser mortas. Diga quanto vale nossa vida.

Diane não tinha resposta.

Joseph Berry saiu da sala dos fundos sorrindo.

— Vou mandar alguém ir ao banco do outro lado da rua e pegar o dinheiro agora mesmo.

Diane se virou para Kelly.

— Gostaria que você não tivesse de fazer isso.

Kelly deu de ombros.

— É só uma jóia... — Ela fechou os olhos.

É SÓ UMA jóia.

Era seu aniversário. O telefone tocou.

— Bom dia, querida. — Era Mark.

— Bom dia.

Ela esperou que ele dissesse "Feliz aniversário".

Em fez disso ele falou:

— Você não está trabalhando hoje. Gosta de fazer caminhadas?

Não era isso que Kelly esperava escutar. Sentiu um pequeno *frisson* de desapontamento. Eles tinham falado sobre aniversários há uma semana. Mark tinha esquecido.

— Gosto.
— O que acha de fazer uma caminhada esta manhã?
— Tudo bem.
— Eu pego você em meia hora.
— Vou estar pronta.

— AONDE NÓS VAMOS? — perguntou Kelly quando estavam no carro.

Ambos estavam vestidos com roupas para caminhada.

— Há algumas trilhas maravilhosas perto de Fontainebleau.

— É? Você costuma ir lá?

— Costumava ir, quando queria escapar.

Kelly olhou-o, surpresa.

— Escapar de quê?

Ele hesitou.

— Da solidão. Eu me sinto menos sozinho lá. — Em seguida olhou para Kelly e sorriu. — Não fui lá desde que conheci você.

FONTAINEBLEAU É UM magnífico palácio real, rodeado por florestas, ao sul de Paris.

Quando a linda propriedade surgiu à distância, Mark disse:

— Um bocado dos Luíses morou aqui, a começar por Luís IV.

— Verdade? — Kelly olhou para ele e pensou: *Será que existiam cartões de aniversário naquela época? Eu gostaria que ele tivesse me dado um cartão. Estou parecendo uma colegial.*

Chegaram ao terreno do palácio. Mark parou num dos estacionamentos.

Enquanto saíam do carro e iam para a floresta, Mark disse:

— Você consegue andar um quilômetro e meio?

Kelly riu.

— Eu ando mais do que isso todo dia na passarela.

Mark segurou sua mão.

— Bom. Então vamos.

— Estou com você.

Passaram por uma série de prédios majestosos e entraram na floresta. Estavam completamente sozinhos, envolvidos num verdor de campos antigos e árvores antigas cheias de histórias. Era um dia de verão ensolarado. O vento era quente e acariciante, e o céu, sem nuvens.

— Não é lindo? — perguntou Mark.

— É muito, Mark.

— Fico feliz por você estar livre hoje.

Kelly se lembrou de uma coisa.

— Você não deveria trabalhar?

— Decidi tirar o dia de folga.

— Ah.

Estavam penetrando cada vez mais na floresta misteriosa.

Depois de quinze minutos Kelly perguntou:

— Até onde você quer ir?

— Adiante há um lugar do qual eu gosto. Estamos quase chegando.

Alguns minutos depois saíram numa clareira com um enorme carvalho no centro.

— Aqui estamos — disse Mark.

— É tão sossegado...

Parecia haver alguma coisa gravada levemente na árvore. Kelly foi até lá. Dizia: "FELIZ ANIVERSÁRIO, KELLY."

Ela olhou um momento, sem fala.

— Ah, Mark, querido. Obrigada.

Então ele não tinha esquecido.

— Acho que tem alguma coisa na árvore.

— Na árvore? — Kelly chegou mais perto. Havia um buraco ao nível dos olhos. Ela enfiou a mão na árvore e sentiu um pequeno embrulho, pegou-o. Era uma caixa de presente. — O que...

— Abra.

Kelly abriu e seus olhos se arregalaram. Na caixa havia um anel de esmeralda de sete quilates, rodeado por três quilates de diamantes, tudo engastado em platina. Ficou olhando, incrédula. Virou-se e abraçou Mark.

— Isso é demais.

— Eu lhe daria a Lua, se você pedisse. Kelly, estou apaixonado por você.

Ela o abraçou apertado, perdida numa euforia que jamais conhecera. E então disse uma coisa que pensava que nunca, nunca diria.

— Eu estou apaixonada por você, querido.

Ele ficou radiante.

— Vamos nos casar logo. Nós...

— Não. — A voz dela saiu áspera.

Mark olhava-a, surpreso.

— Por quê?

— Não podemos.

— Kelly... você não acredita que eu estou apaixonado?

— Acredito.

— Você está apaixonada por mim?

— Estou.

— Mas não quer casar comigo?

— Quero... mas eu... não posso.

Ele examinava-a, confuso. E Kelly soube que, no momento em que contasse a Mark sobre a experiência traumática da infância, ele jamais quereria vê-la de novo.

— Eu... eu nunca poderia ser uma mulher de verdade para você.

— O que você quer dizer?

Era a coisa mais difícil que Kelly já tivera de falar na vida.

— Mark, nós nunca poderíamos fazer sexo. Quando eu tinha oito anos, fui estuprada. — Ela estava olhando para as árvores que não se importavam, contando sua história sórdida ao primeiro homem que havia amado. — Eu não me interesso por sexo. Sinto nojo da idéia. Sinto pavor. Eu... eu sou uma mulher pela metade. Sou um monstro. — Ela estava respirando com dificuldade, tentando não chorar.

Kelly sentiu a mão de Mark na sua.

— Sinto muito, Kelly. Deve ter sido horrível.

Kelly ficou quieta.

— O sexo é muito importante no casamento — disse Mark.

Kelly assentiu, mordendo o lábio. Sabia o que ele diria em seguida.

— Claro. Por isso eu entendo que você não queira...

— Mas não é disso que se trata o casamento. O casamento é passar a vida com alguém que a gente ama, ter com quem conversar, ter com quem compartilhar todos os momentos bons e os ruins.

Ela estava ouvindo, pasma, com medo de acreditar.

— Com o tempo o sexo se vai, Kelly, mas o amor verdadeiro não. Eu amo você pelo seu coração e sua alma. Quero passar o resto da vida com você. Posso me virar sem sexo.

Kelly tentou manter a voz firme.

— Não, Mark. Eu não posso deixar.

— Por quê?

— Porque um dia você vai se arrepender. Vai se apaixonar por alguém que possa lhe dar... o que eu não posso, e vai me deixar... e isso vai partir meu coração.

Mark estendeu a mão e abraçou Kelly, apertando-a com força.

— Sabe por que eu nunca poderia deixar você? Porque você é a melhor parte de mim. Nós vamos nos casar.

Kelly olhou-o nos olhos.

— Mark... você percebe em quê está entrando?

Mark sorriu e disse:

— Acho que talvez você queira dizer isso de outro modo.

Kelly riu e o abraçou.

— Ah, amor, tem certeza de que...

Ele estava radiante.

— Tenho. O que você diz?

Ela sentiu lágrimas no rosto.

— Digo que... sim.

Mark colocou o anel de esmeralda em seu dedo. Os dois ficaram abraçados por longo tempo.

Por fim Kelly falou:

— Quero que você me pegue no salão amanhã, e que conheça algumas modelos com quem eu trabalho.

— Eu achei que havia uma regra contra...

— As regras mudaram.

Mark estava radiante.

— Vou falar com um juiz que eu conheço, para casar a gente no domingo.

NA MANHÃ SEGUINTE, quando Kelly e Mark chegaram ao salão, Kelly apontou para o céu.

— Parece que vai chover. Todo mundo fala do tempo, mas ninguém faz nada a respeito.

Mark se virou e olhou-a de um jeito estranho.

Kelly viu a expressão.

— Ah, desculpe. É um clichê, não é?

Mark não respondeu.

HAVIA MEIA DÚZIA de modelos no camarim quando Kelly entrou.

— Tenho um anúncio a fazer. Vou me casar no domingo, e todas vocês estão convidadas.

Instantaneamente o camarim ficou cheio de conversas.

— É com o namorado misterioso que você não queria apresentar à gente?

— A gente conhece?

— Como ele é?

Kelly disse com orgulho:

— Parece um jovem Cary Grant.

— Aaah! Podemos conhecê-lo?

— Agora. Ele está aqui. — Kelly escancarou a porta. — Entre, querido.

Mark entrou e a sala ficou instantaneamente em silêncio. Uma das modelos olhou para ele e disse baixinho:

— Isso é alguma piada?

— Deve ser.

Mark Harris era trinta centímetros mais baixo do que Kelly, um homem de aparência comum, com cabelos grisalhos ralos.

Quando o primeiro choque passou, as modelos vieram dar os parabéns aos noivos.

— Notícia maravilhosa.

— Estamos alegres por você.

— Tenho certeza de que serão felizes.

Quando os parabéns terminaram, Kelly e Mark saíram. Enquanto iam pelo corredor, Mark perguntou:

— Acha que elas gostaram de mim?

Kelly sorriu.

— Claro que gostaram. Como alguém poderia não gostar de você? — E parou. — Ah!

— O que é?

— Eu estou na capa de uma revista de moda que acabou de sair. Quero que você veja. Já volto.

Kelly foi na direção do camarim. Quando chegou à porta, escutou uma voz dizendo:

— Kelly vai mesmo casar com ele?

Kelly parou e prestou atenção.

— Ela deve ter ficado maluca.

— Eu já vi quando ela virou a cabeça de alguns dos homens mais lindos e mais ricos do mundo. O que ela viu nele?

Uma das modelos que tinha ficado quieta falou:

— É muito simples.

— O que é?

— Vocês vão rir. — Ela hesitou.

— Diga.

— Vocês já ouviram a expressão "ver alguém com os olhos do amor"?

Ninguém riu.

O CASAMENTO ACONTECEU no Ministério da Justiça, em Paris, e todas as modelos estavam presentes como damas de honra. Na rua havia uma grande multidão que tinha ouvido falar do casamento da modelo Kelly. Os *paparazzi* estavam num pique total.

Sam Meadows foi o padrinho de Mark.

— Onde vocês vão passar a lua-de-mel? — perguntou Meadows.

Mark e Kelly se entreolharam. Nem tinham pensado em lua-de-mel.

Mark falou:

— É... — e escolheu um lugar ao acaso. — St. Moritz.

Kelly deu um sorriso sem graça.

— St. Moritz.

NENHUM DOS DOIS já havia estado em St. Moritz, e a vista era de tirar o fôlego, uma paisagem interminável de montanhas majestosas e vales luxuriantes.

O Badrutt's Palace Hotel ficava aninhado no alto de um morro. Mark tinha ligado antes fazendo as reservas, e quando chegaram o gerente lhes deu as boas-vindas.

— Boa tarde, Sr. e Sra. Harris. Estou com a suíte de lua-de-mel pronta para vocês.

Mark ficou parado um momento.

— Será... será que podiam ser colocadas duas camas de solteiro na suíte?

O gerente perguntou em tom inexpressivo:

— Camas de solteiro?

— É... sim, por favor.

— Bem... claro.

— Obrigado. — Mark se virou para Kelly. — Há um monte de coisas interessantes para ver aqui. — Ele tirou uma lista do bolso. — O Museu Engadine, a pedra do Druida, a fonte de St. Mauritius, a torre inclinada...

QUANDO MARK E Kelly estavam a sós na suíte, Mark disse:

— Querida, não quero que a situação deixe você desconfortável. Nós só estamos fazendo isso para impedir fofocas. Vamos passar o resto da vida juntos. E o que vamos compartilhar é muito mais importante do que qualquer coisa física. Só quero estar com você e que você esteja comigo.

Kelly abraçou-o com força.

— Eu... não sei o que dizer.

Mark sorriu.

— Não precisa dizer nada.

DESCERAM PARA JANTAR e depois voltaram para a suíte. Haviam sido postas duas camas de solteiro no quarto principal.

— Vamos jogar cara-ou-coroa?

Kelly sorriu.

— Não, escolha a que você quiser.

Quando Kelly saiu do banheiro, quinze minutos depois, Mark estava na cama.

Kelly foi até lá e se sentou na beira.

— Mark, tem certeza de que isso vai funcionar para você?

— Nunca tive mais certeza de alguma coisa na vida. Boa noite, minha querida linda.

— Boa noite.

Kelly se deitou em sua cama e ficou pensando. Revivendo a noite que mudara sua vida. *Shh! Não faça nenhum barulho... Se você contar isso à sua mãe, eu mato ela.* O que aquele monstro fez havia tirado toda a sua vida. Tinha matado alguma coisa dentro dela, deixado-a com medo do escuro... com medo dos homens... com medo do amor. Dera a ele poder sobre ela. *Não vou deixar que ele tenha esse poder. Nunca mais.* Todas as emoções que tinha reprimido no correr dos anos, toda a paixão que crescera nela extravasaram como uma represa que explodia. Olhou para Mark e de repente o desejava com desespero. Jogou as cobertas para longe e foi até a cama dele.

— Chegue para lá — sussurrou.

Mark sentou-se, surpreso.

— Você disse que... que não me queria na sua cama, e eu...

Kelly olhou-o e disse em voz baixa:

— Mas eu não disse que não o queria na *sua* cama. — Ela olhou a expressão dele enquanto tirava a camisola e deitava na cama ao seu lado. — Faça amor comigo — sussurrou.

— Ah, Kelly! Sim!

Começou devagar e suave. *Devagar demais. Suave demais.* As comportas tinham se aberto, e Kelly precisava dele com urgência. Fez um amor violento com ele, e nunca sentiu nada tão maravilhoso na vida.

Quando estavam deitados nos braços um do outro, descansando, ela disse:

— Sabe aquela lista que você me mostrou?

— Sei.

— Pode jogar fora.

Mark riu.

— Que idiota eu fui — disse Kelly. Em seguida abraçou Mark e os dois conversaram, e fizeram amor de novo, e finalmente estavam ambos exaustos.

— Vou apagar a luz — disse Mark.

Ela ficou tensa e fechou os olhos com força. Começou a dizer "não", mas ao sentir o corpo dele quente, protegendo-a, ficou quieta.

Quando Mark apagou a luz Kelly abriu os olhos.

Não tinha mais medo de escuro. Ela...

— KELLY? *KELLY!*

Foi arrancada do devaneio. Ergueu os olhos e estava de volta à joalheria na Quinta Avenida em Nova York, e Joseph Berry estava estendendo um envelope grosso.

— Aqui está. Vinte mil dólares, em notas de cem, como a senhora pediu.

Kelly demorou um momento para se orientar.

— Obrigada.

Em seguida abriu o envelope, tirou dez mil dólares e entregou a Diane.

Diane olhou-a, perplexa.

— O que é isso?

— Sua metade.

— De quê? Eu não posso...

— Você pode me pagar depois. — Kelly deu de ombros. — Se ainda estivermos por aí. Se não estivermos, não vou precisar, de qualquer modo. Agora vamos ver se conseguimos sair daqui.

Capítulo 34

NA AVENIDA LEXINGTON, Diane fez sinal para um táxi.

— Aonde nós vamos?

— Ao aeroporto La Guardia.

Kelly olhou para ela, surpresa.

— Você não sabe que eles devem estar vigiando todos os aeroportos?

— Espero que estejam.

— O que você...? — Kelly gemeu. — Você tem um plano, certo?

Diane deu um tapinha na mão de Kelly e sorriu.

— Certo.

NO LA GUARDIA Kelly seguiu Diane até o balcão da Alitalia.

O funcionário atrás do balcão disse:

— Bom dia. Em que posso ajudar?

Diane sorriu.

— Queremos duas passagens para Los Angeles.

— Quando gostariam de partir?

— No primeiro vôo disponível. Em nome de Diane Stevens e Kelly Harris.

Kelly se encolheu.

O vendedor estava consultando uma tabela de horários.

— O próximo embarque será às 14h15.

— Perfeito. — Diane olhou para Kelly.

Kelly conseguiu dar um sorriso débil.

— Perfeito.

— Vão pagar em dinheiro ou cartão?

— Dinheiro. — Diane entregou o dinheiro.

Kelly falou:

— Por que não colocamos um cartaz em néon dizendo a Kingsley onde nós estamos?

— Você se preocupa demais.

Quando passaram pelo guichê da American Airlines, Diane parou e foi até o vendedor.

— Gostaríamos de duas passagens para Miami no próximo vôo saindo daqui.

— Certamente. — O vendedor olhou o horário. — O embarque será dentro de três horas.

— Ótimo. Os nomes são Diane Stevens e Kelly Harris.

Kelly fechou os olhos um instante.

— Cartão ou dinheiro?

— Dinheiro.

Diane pagou e ele entregou as passagens.

Enquanto se afastavam, Kelly falou:

— É assim que vamos enganar aqueles gênios? Isso não enganaria uma criança de dez anos.

Diane começou a andar para a saída do aeroporto.

Kelly correu atrás.

— Aonde você está indo?

— Nós vamos para...

— Não importa. Acho que não quero saber.

*

HAVIA UMA FILA de táxis na frente do aeroporto. Quando as duas saíram do terminal, um dos táxis saiu da fila e veio até a porta. Kelly e Diane entraram.

— Para onde, por favor?

— Aeroporto Kennedy.

— Não sei se *eles* vão ficar confusos — disse Kelly —, mas sem dúvida eu estou. Ainda gostaria que tivéssemos algum tipo de arma para defesa.

— Não sei onde a gente poderia conseguir um canhão.

O táxi engrenou. Diane se inclinou no banco e olhou a placa de licença no painel: MARIO SILVA.

— Sr. Silva, acha que pode nos levar ao Kennedy sem sermos seguidos?

Elas puderam ver o riso do motorista no retrovisor.

— Vocês procuraram o sujeito certo.

Ele apertou o acelerador e fez um retorno súbito. Na primeira esquina foi até o meio da rua e depois entrou rapidamente num beco.

As mulheres olharam pelo retrovisor. Não havia carros atrás.

— Ótimo — disse Kelly.

Nos trinta minutos seguintes Mario Silva ficou fazendo curvas inesperadas e passando por pequenas ruas secundárias, para se certificar de que ninguém as seguia. Por fim o táxi parou diante da entrada principal do aeroporto Kennedy.

— Chegamos — anunciou Mario Silva, triunfante.

Diane pegou algumas notas na bolsa.

— Há uma coisinha extra para o senhor.

O motorista pegou o dinheiro e sorriu.

— Obrigado, senhora. — E ficou sentado no táxi, olhando as duas passageiras entrarem no terminal do Kennedy. Quando elas estavam fora de vista, ele pegou o celular.

— Tanner Kingsley.

*

NO BALCÃO DA Delta Airlines o vendedor de passagens olhou para a placa.

— Sim, temos duas passagens no vôo que as senhoras querem. Parte às 17h50. Há uma escala de uma hora em Madri e o avião chega a Barcelona às 9h20 da manhã.

— Está ótimo — disse Diane.

— Vão pagar em cartão ou dinheiro?

— Dinheiro.

Diane entregou o dinheiro e se virou para Kelly.

— Vamos esperar no saguão.

TRINTA MINUTOS DEPOIS Harry Flint estava ao celular, falando com Tanner.

— Consegui a informação que o senhor pediu. Elas vão pela Delta, para Barcelona. O avião sai do Kennedy às 17h55, com escala de uma hora em Madri. Elas chegam a Barcelona às 9h20 da manhã.

— Bom. Vá num jato da empresa até Barcelona, Sr. Flint, e receba-as na chegada. Estou contando com o senhor para uma recepção calorosa.

Quando Tanner desligou, Andrew entrou. Estava usando um cravo na lapela.

— Aqui estão os horários do...

— Que diabo é *isso*?

Andrew estava confuso.

— Você pediu para eu trazer...

— Não estou falando disso. Estou falando dessa flor estúpida.

O rosto de Andrew se iluminou.

— Vou usar no seu casamento. Eu sou o padrinho.

Kingsley franziu a testa.

— Que diabo você está... — E de repente ele percebeu. — Isso foi há sete anos, seu cretino, e não houve casamento. Agora tire esse rabo daqui!

Andrew ficou parado, perplexo, tentando entender o que estava acontecendo.

— Fora!

Kingsley ficou olhando o irmão sair da sala. *Eu deveria colocá-lo em algum lugar. A hora está chegando.*

A DECOLAGEM DO VÔO para Barcelona foi tranqüila e sem novidades.

Kelly olhou pela janela e viu Nova York sumindo à distância.

— Você acha que a gente se livrou?

Diane balançou a cabeça.

— Não. Cedo ou tarde eles vão descobrir um modo de achar a gente. Mas pelo menos vamos estar lá. — Ela pegou o impresso de computador na bolsa e o examinou. — Sonja Verbrugge, em Berlim, que está morta e cujo marido desapareceu... Gary Reynolds, em Denver... — Ela hesitou. — Mark e Richard...

Kelly olhou o impresso.

— Então vamos a Paris, Berlim, Denver e de volta a Nova York.

— Certo. Vamos atravessar a fronteira em San Sebastian.

KELLY ESTAVA ANSIOSA para voltar a Paris. Queria conversar com Sam Meadows. Tinha a sensação de que ele iria ajudar. E Angel estaria esperando.

— Você já esteve na Espanha?

— Mark me levou lá uma vez. Foi a viagem mais... — Kelly ficou em silêncio por longo tempo. — Sabe o problema que vou ter pelo resto da vida, Diane? Não existe ninguém no mundo como Mark. Quando a gente é criança, lê sobre pessoas se apaixonando e subitamente o mundo vira um lugar mágico. Era o tipo de casamento que Mark e eu tínhamos. — Ela olhou para Diane. — Você provavelmente se sentia assim com relação ao Richard.

— É — disse Diane em voz baixa. — Como era o Mark?

Kelly sorriu.

— Havia uma coisa maravilhosamente infantil nele. Eu sempre achei que ele tinha mente de criança e cérebro de gênio. — Ela deu um risinho.

— O que foi?

— O modo como ele se vestia. No nosso primeiro encontro ele usava um terno cinza mal cortado, com sapatos marrons, camisa verde e gravata vermelho-vivo. Depois de nos casarmos eu me certifiquei de que ele se vestisse direito. — Ela ficou quieta. Quando falou, sua voz saiu embargada. — Sabe de uma coisa? Eu daria tudo para ver Mark de novo, usando aquele terno cinza com sapatos marrons, camisa verde e gravata vermelho-vivo. — Quando se virou para Diane, estava com os olhos úmidos. — Mark gostava de me surpreender com presentes. Mas o maior presente foi me ensinar a amar. — Ela enxugou os olhos com um lenço. — Fale do Richard.

Diane sorriu.

— Ele era um romântico. Quando íamos para a cama à noite, ele dizia: "Aperte meu botão secreto", e eu ria e dizia: "Ainda bem que ninguém está gravando isso." — Ela olhou para Kelly e disse: — O botão secreto era a tecla do "não perturbe" do telefone. Richard dizia que nós estávamos num castelo, sozinhos, e que a tecla do telefone era o fosso que mantinha o mundo à distância. — Diane pensou numa coisa e sorriu. — Ele era um cientista brilhante e gostava de consertar coisas em casa. Consertava torneiras pingando ou curtos-circuitos, e eu sempre tinha de chamar técnicos para refazer os consertos de Richard. Nunca contei a ele.

As duas conversaram até quase a meia-noite.

Diane percebeu que era a primeira vez que elas falavam dos maridos. Era como se uma barreira invisível entre as duas tivesse se evaporado.

Kelly bocejou.

— É melhor a gente dormir um pouco. Tenho a sensação de que amanhã vai ser um dia agitado.

Ela não tinha idéia do quanto.

*

HARRY FLINT ABRIU caminho pela multidão no aeroporto El Prat em Barcelona e foi até a janela panorâmica que dava para a pista. Virou a cabeça para o painel com a lista de chegadas e partidas. O avião de Nova York estava no horário certo, e deveria chegar em trinta minutos. Tudo seguia de acordo com o plano. Flint se sentou e esperou.

TRINTA MINUTOS DEPOIS os passageiros do vôo de Nova York começaram a desembarcar. Todos pareciam cheios de animação — era um típico avião cheio de turistas despreocupados, vendedores, crianças e casais em lua-de-mel. Flint teve o cuidado de ficar fora das vistas da rampa de saída enquanto observava a torrente de viajantes chegando ao terminal e finalmente ficando mais rala até parar. Franziu a testa. Não havia sinal de Diane e Kelly. Esperou mais cinco minutos, depois começou a passar pelo portão de embarque.

— Senhor, não pode ir por aí.

Flint parou.

— Sou da FAA. Temos informações da Segurança Nacional sobre um pacote escondido no banheiro deste avião. Ordenaram que eu o inspecionasse imediatamente.

Flint já estava andando pelo asfalto. Quando chegou ao avião, a tripulação começava a sair.

Uma aeromoça perguntou:

— Posso ajudar em alguma coisa?

— Inspeção da FAA.

Ele subiu a escada e entrou no avião. Não havia passageiros à vista.

A aeromoça perguntou:

— Algum problema?

— Sim. Pode haver uma bomba.

Ela ficou olhando Flint andar até o fim da cabine de passageiros e abrir as portas dos banheiros. Estavam vazios.

As mulheres tinham desaparecido.

— ELAS NÃO ESTAVAM no avião, Sr. Kingsley.

A voz de Tanner saiu perigosamente suave.

— Sr. Flint, o senhor as viu embarcar no avião?

— Sim, senhor.

— E elas ainda estavam a bordo quando o avião decolou?

— Sim, senhor.

— Então acho que podemos raciocinar que elas pularam no meio do Atlântico sem pára-quedas ou desembarcaram em Madri. Concorda?

— Claro, Sr. Kingsley. Mas...

— Obrigado. Então isso significa que elas pretendem ir de Madri à França passando por San Sebastian. — Ele fez uma pausa. — Elas têm quatro opções: podem pegar outro vôo para Barcelona ou ir de trem, ônibus ou carro. — Tanner ficou pensativo um momento. — Provavelmente devem achar que os ônibus, aviões ou trens são muito restritivos. A lógica diz que devem ir de carro até a fronteira de San Sebastian para entrar na França.

— Se...

— Não me interrompa, Sr. Flint. Elas devem levar umas cinco horas para ir de Madri a San Sebastian. Quero que faça o seguinte. Voe até Madri. Verifique todas as empresas de aluguel de veículos do aeroporto. Descubra que tipo de carro elas alugaram: cor, marca, tudo.

— Sim, senhor.

— Depois quero que voe a San Sebastian e alugue um carro, um carro grande. Fique esperando por elas na estrada. Não quero que cheguem a San Sebastian. E, Sr. Flint...

— Sim, senhor.

— Lembre-se, faça com que pareça um acidente.

Capítulo 35

DIANE E KELLY estavam no Barajas, o aeroporto de Madri. Tinham a opção de alugar um carro na Hertz, na Europe Car, na Avis e outras, mas escolheram a Alesa, uma locadora menos conhecida.

— Qual é o caminho mais rápido para San Sebastian? — perguntou Diane.

— É muito simples, senhora. Pegue a N-1 até a fronteira com a França em Hondarribia, depois vire à direita para San Sebastian. São apenas quatro ou cinco horas de viagem.

— *Gracias.*

E Kelly e Diane partiram.

QUANDO O JATO PARTICULAR do KIG chegou a Madri, uma hora depois, Harry Flint correu de uma cabine de locadora de veículos a outra.

— Eu deveria me encontrar com minha irmã e uma amiga dela aqui, a amiga é uma afro-americana linda, e me desencontrei delas. As duas chegaram no avião das 9h20 da Delta, de Nova York. Elas alugaram um carro aqui?

— Não, senhor...

— Não, senhor...

— Não, senhor...

No guichê da Alesa, Flint teve sorte.

— Ah, sim, senhor. Lembro-me bem delas. Elas...

— Você se lembra de que carro elas alugaram?

— Era um Peugeot.

— Que cor?

— Vermelho. Era o nosso único...

— Você tem o número da placa?

— Claro. Só um momento.

Flint olhou o funcionário abrir um livro e examinar.

Ele deu um número a Flint.

— Espero que o senhor as encontre.

— Vou encontrar.

DEZ MINUTOS DEPOIS Flint estava voando de volta a Barcelona. Iria alugar um carro, ir até um lugar na estrada em que não houvesse tráfego, abalroar o veículo delas e se certificar de que estavam mortas.

DIANE E KELLY estavam a apenas trinta minutos de San Sebastian, viajando num silêncio confortável. A auto-estrada tinha poucos veículos, e elas estavam fazendo o trajeto em bom tempo. A paisagem era linda. Campos maduros e pomares enchiam o ar com cheiro de tangerina, abricó e laranja, e perto da estrada havia casas antigas, com muros cobertos de jasmins. Alguns minutos depois da pequena cidade medieval de Burgos o terreno começou a se erguer aos pés dos Pirineus.

— Estamos quase chegando. — Ela olhou adiante, franziu a testa e começou a pisar no freio. A duzentos metros havia um carro incendiado, com um grande número de pessoas em volta. A auto-estrada estava bloqueada por homens uniformizados.

Diane ficou perplexa.

— O que está acontecendo?

— Nós estamos no País Basco — disse Kelly. — É uma guerra. Os bascos lutam contra o governo espanhol há vinte anos.

Um homem de uniforme verde com acabamentos em dourado e vermelho e cinto preto, sapatos pretos e boina preta ficou na estrada na frente do carro e levantou a mão. Apontou para o acostamento.

Kelly falou baixinho:

— É o ETA. Não podemos parar, porque Deus sabe quanto tempo eles vão nos manter aqui.

O policial foi até o lado do carro e falou:

— Sou o capitão Iradi. Saiam do carro, por favor.

Diane olhou-o e sorriu.

— Eu realmente adoraria ajudar em sua guerra, mas nós estamos lutando a nossa. — E pisou fundo no acelerador, rodeou o carro incendiado e partiu a toda velocidade, costurando em meio à multidão.

Os olhos de Kelly estavam fechados.

— Nós ainda estamos inteiras?

— Estamos bem.

Quando abriu os olhos, Kelly olhou pelo retrovisor lateral e congelou. Um Citroën Berlingo preto estava atrás delas, e dava para ver quem ia ao volante.

— É Godzilla! — disse em voz rouca. — Está no carro atrás de nós.

— *O quê?* Como ele pode ter nos achado tão depressa? — Diane apertou o acelerador até o fundo. O Citroën estava se aproximando. Diane olhou para o velocímetro: 175 quilômetros por hora.

Nervosa, Kelly falou:

— Aposto que você está dirigindo rápido demais para a pista de Indianápolis.

Um quilômetro e meio adiante Diane viu o posto da alfândega entre a Espanha e a França.

— Bata em mim — disse Diane.

Kelly riu.

— Eu só estava brincando, eu só...

— Bata em mim. — A voz de Diane estava ansiosa.

O Citroën estava chegando mais perto.

— O que você...

— *Agora!*

Relutante, Kelly deu um tapa no rosto de Diane.

— Não. Dê um soco com *força*.

Agora havia apenas dois carros entre elas e o Citroën.

— Depressa! — gritou Diane.

Encolhendo-se, Kelly deu um soco no rosto de Diane.

— Mais forte.

Kelly bateu de novo. Dessa vez seu anel de casamento, de diamante, fez um corte no rosto de Diane, e o sangue começou a escorrer.

Kelly estava olhando Diane, horrorizada.

— Desculpe, Diane. Eu não quis...

Chegaram ao posto da alfândega. Diane freou.

O guarda da fronteira se aproximou do carro.

— Boa tarde, senhoras.

— Boa tarde. — Diane virou a cabeça de modo que o guarda visse o sangue escorrendo pela bochecha.

Ele olhou para o ferimento, surpreso.

— O que aconteceu, senhora?

Diane mordeu o lábio.

— Foi o meu ex-marido. Ele gosta de bater em mim. Eu consegui uma ordem judicial para mantê-lo afastado, mas... não consigo impedir. Ele fica me seguindo. Agora mesmo está lá atrás. Sei que não adianta pedir ajuda ao senhor. Ninguém pode impedi-lo.

O guarda se virou para examinar a fila de carros que se aproximavam, e seu rosto estava sério.

— Em que carro ele está?

— No Citroën preto. Dois carros atrás. Acho que ele está planejando me matar.

— É mesmo? — O guarda rosnou. — Podem ir, senhoras. Não terão de se preocupar mais com ele.

Diane olhou para o guarda.

— Ah, obrigada. Obrigada.

Um instante depois tinham atravessado a fronteira e estavam entrando na França.

— Diane...

— O quê?

Kelly pôs a mão no ombro dela.

— Desculpe o... — ela apontou o rosto de Diane.

Diane riu.

— Isso livrou a gente do Godzilla, não foi? — Ela olhou para Kelly. — Você está chorando.

— Não, não estou. — Kelly ficou rígida. — É a porcaria do rímel. O que você fez foi... você não é somente um rostinho bonito, não é? — perguntou enquanto limpava o rosto da outra com um lenço de papel.

Diane olhou pelo retrovisor e fez uma careta.

— Não mais.

QUANDO HARRY FLINT chegou ao posto de fronteira, o patrulheiro estava esperando.

— Saia do carro, por favor.

— Não tenho tempo para isso. Estou com pressa. Preciso...

— Saia do carro.

Flint olhou-o.

— Por quê? Qual é o problema?

— Fomos informados de que um carro com esta placa está contrabandeando drogas. Vamos desmontar o veículo.

Flint olhou-o furioso.

— Está maluco? Eu lhe disse, estou com pressa. Drogas nunca foram contrabandeadas...? — Ele parou e sorriu. — Entendi. — Ele enfiou a mão no bolso e entregou uma nota de cem dólares ao guarda. — Aí está. Pegue isso e esqueça.

O guarda de fronteira gritou:

— José!

Um capitão uniformizado se aproximou. O guarda lhe entregou a nota de cem dólares.

— Isto é uma tentativa de suborno.

O capitão disse a Flint:

— Afaste-se do carro. Você está preso por suborno. Vá para aquele estacionamento...

— Não. Os senhores não podem me prender agora. Eu estou no meio de...

— E resistência à prisão. — Ele se virou para o guarda. — Peça reforços.

Flint respirou fundo e olhou para a estrada adiante. O Peugeot estava fora da sua vista.

Ele se virou para o capitão.

— Tenho de dar um telefonema.

ENQUANTO DIANE E Kelly aceleravam pelo interior da França, o platô central da meseta castelhana começava a se dividir entre os pés dos Pirineus e a Sierra de Urbasa. Pamplona estava logo adiante.

— Você disse que tem um amigo em Paris? — perguntou Diane.

— É. Sam Meadows. Ele trabalhava com Mark. Tenho a sensação de que ele pode nos ajudar. — Kelly enfiou a mão na bolsa e pegou seu novo celular e digitou um número de Paris.

Uma telefonista disse:

— KIG.

— Posso falar com Sam Meadows, por favor?

Um minuto depois Kelly escutou a voz dele.

— Alô.

— Sam, é Kelly. Estou nos arredores de Paris.

— Meu Deus! Eu estava morrendo de preocupação com você. Você está bem?

Kelly hesitou.

— Acho que sim.

— Isso é um pesadelo — disse Sam Meadows. — Ainda não posso acreditar.

Nem eu, pensou Kelly.

— Sam, eu tenho de lhe dizer uma coisa. Acho que Mark foi assassinado.

A resposta de Sam Meadows provocou-lhe um arrepio.

— Eu também.

Kelly estava achando difícil falar.

— Eu tenho de saber o que aconteceu. Pode me ajudar?

— Acho que isso é algo que não deve ser falado pelo telefone, Kelly. — Ele estava tentando fazer com que a voz parecesse bem natural.

— Eu... entendo.

— Por que não conversamos hoje à noite? Podemos jantar na minha casa.

— Ótimo.

— Às sete?

— Estarei lá.

Kelly desligou o telefone.

— Vou ter algumas respostas esta noite.

— Enquanto você faz isso, eu vou até Berlim, falar com as pessoas que trabalhavam com Franz Verbrugge.

Kelly ficou subitamente em silêncio.

Diane olhou para ela.

— Qual é o problema?

— Nada. Só que nós... nós formamos uma tremenda equipe. Odeio que tenhamos de nos separar. Por que não vamos a Paris e depois...

Diane sorriu.

— Nós não vamos nos separar, Kelly. Quando você tiver terminado de falar com Sam Meadows, me ligue. Podemos nos encontrar em Berlim. Até lá eu já devo ter alguma informação. Nós temos os celulares. Vamos ficar em contato. Estou ansiosa para saber o que você vai descobrir hoje à noite.

CHEGARAM A Paris.

Diane olhou pelo retrovisor.

— Nada do Citroën. Finalmente despistamos os caras. Aonde você quer que eu a leve?

Kelly olhou pela janela. Estavam se aproximando da Place de la Concorde.

— Diane, por que você não vira o carro e vai para onde tem de ir? Eu posso pegar um táxi aqui.

— Tem certeza, parceira?

— Tenho, parceira.

— Cuide-se.

— Você também.

DOIS MINUTOS DEPOIS Kelly estava num táxi, a caminho de seu apartamento, ansiosa por estar em casa de novo. Em pouco tempo encontraria Sam Meadows na casa dele, para jantar.

Quando o táxi parou diante de seu prédio, Kelly sentiu um grande alívio. Estava em casa. O porteiro abriu a porta.

Kelly ergueu os olhos e começou a dizer:

— Estou de volta, Martin... — e parou. O porteiro era um completo estranho.

— Boa tarde, senhora.

— Boa tarde. Onde está o Martin?

— Martin não trabalha mais aqui. Foi embora.

Kelly ficou pasma.

— Ah. Sinto muito.

— Por favor, senhora. Deixe que eu me apresente. Sou Jérôme Malo.

Kelly assentiu.

Entrou no saguão. Um estranho alto e magro estava parado atrás da mesa da recepção, perto de Nicole Paradis.

O estranho sorriu.

— Boa noite, *Madame* Harris. Estávamos esperando a senhora. Sou Alphonse Girouard, o encarregado do prédio:

Kelly olhou em volta, perplexa.

— Onde está Philippe Cendre?

— Ah. Philippe e a família se mudaram para a Espanha. — Ele deu de ombros. — Acho que foi por causa de negócios.

Kelly sentiu um alarme crescente.

— E a filha deles?

— Partiu junto.

Eu já disse que minha filha foi aceita na Sorbonne? É um sonho realizado.

Kelly tentou manter a voz firme.

— Quando eles partiram?

— Há alguns dias, mas, por favor, não se preocupe, *madame.* Vamos cuidar bem da senhora. Seu apartamento está preparado.

Nicole Paradis, na mesa telefônica, ergueu a cabeça.

— Bem-vinda. — Mas seus olhos estavam dizendo outra coisa.

— Onde está Angel?

— Ah, sua cadelinha? Philippe levou.

Kelly estava lutando contra uma onda de pânico. Estava com dificuldade para respirar.

— Vamos agora, *madame*? Temos uma surpresinha em seu apartamento.

Aposto que sim. A mente de Kelly estava disparando.

— Sim. Só um minuto — disse ela. — Eu esqueci de pegar uma coisa.

Antes que Girouard pudesse dizer algo, Kelly estava do lado de fora, correndo pela rua.

Jérôme Malo e Alphonse Girouard ficaram na calçada, procurando-a. Apanhados desprevenidos, era tarde demais para impedi-la. Viram-na entrar num táxi.

Meu Deus! O que eles fizeram com Philippe e a família dele, e com Angel?

— Para onde, *mademoiselle*?

— Vá dirigindo! — *Esta noite vou ter algumas respostas com o Sam. Enquanto isso tenho cinco horas para matar...*

EM SEU APARTAMENTO, Sam Meadows estava terminando uma conversa telefônica.

— ...sim, entendo como é importante. Vamos cuidar disso... estou esperando-a daqui a alguns minutos para jantar... sim... já arranjei para se livrarem do corpo dela... Obrigado... É muita generosidade sua, Sr. Kingsley.

Enquanto desligava o telefone, Sam Meadows olhou o relógio. Sua convidada para o jantar chegaria a qualquer minuto.

Capítulo 36

QUANDO DIANE CHEGOU a Berlim, no aeroporto Tempelhof, havia uma fila de espera de quinze minutos para pegar um táxi. Por fim chegou sua vez.

O motorista sorriu.

— *Wohin.*

— O senhor fala inglês?

— Claro, *Fräulein.*

— Hotel Kempinski, por favor.

— *Ja wohl.*

VINTE E CINCO MINUTOS DEPOIS Diane estava entrando no hotel.

— Gostaria de alugar um carro com motorista.

— Certamente, *Fräulein.* — Ele baixou o olhar. — E sua bagagem?

— Vai chegar mais tarde.

QUANDO O CARRO chegou, o motorista perguntou:

— Aonde quer ir, *Fräulein*?

Ela precisava de tempo para pensar.

— Só circule um pouco, por favor.
— Bom. Há muito para ver em Berlim.

BERLIM FOI UMA surpresa para Diane. Sabia que a cidade fora bombardeada na Segunda Guerra Mundial a ponto de quase desaparecer, mas o que via agora era uma metrópole agitada, de prédios bonitos e modernos, e um ar de progresso.

Os nomes das ruas pareciam estranhos: *Windscheidstrasse, Regensburgerstrasse, Lützowufer...*

Enquanto seguiam, o motorista explicava a história dos parques e prédios, mas Diane não estava escutando. Tinha de falar com as pessoas com quem *Frau* Verbrugge havia trabalhado e descobrir o que elas sabiam. Segundo a Internet, a mulher de Franz Verbrugge fora assassinada e Franz tinha desaparecido.

Diane se inclinou para a frente e disse ao motorista:

— Sabe onde há algum cibercafé?

— Certamente, *Fräulein.*

— Poderia me levar até lá?

— Ele é excelente. Muito popular. Lá a senhora vai conseguir qualquer informação que deseje.

Espero que sim, pensou Diane.

O CIBERCAFÉ CYBERLIN não era tão grande quanto o de Manhattan, mas parecia igualmente movimentado.

Quando Diane entrou, uma mulher saiu de trás do balcão.

— Teremos um computador disponível em dez minutos.

— Gostaria de falar com o gerente — disse Diane.

— Eu sou a gerente.

— Ah.

— E o que a senhora deseja de mim?

— Queria falar sobre Sonja Verbrugge.

A mulher balançou a cabeça.

— *Frau* Verbrugge não está aqui.

— Eu sei. Ela morreu. Estou tentando descobrir como foi.

A mulher olhava Diane com atenção.

— Foi um acidente. Quando a polícia confiscou o computador dela, encontrou... — uma expressão marota surgiu no rosto da mulher. — Se esperar aqui, *Fräulein*, eu chamo alguém que poderá ajudá-la. Voltarei logo.

Diane a viu ir rapidamente até os fundos, e assim que ela sumiu foi para fora e entrou no carro. Ali não haveria ajuda. *Tenho de falar com a secretária de Franz Verbrugge.*

Numa cabine telefônica, conseguiu o número do KIG e ligou.

— KIG Berlim.

— Eu poderia falar com a secretária de Franz Verbrugge, por favor?

— Quem deseja?

— Susan Stratford.

— Um momento, por favor.

Na sala de Tanner, a luz azul se acendeu. Tanner sorriu para o irmão.

— É Diane Stevens ligando. Vejamos se podemos ajudá-la. — Ele passou a ligação para o viva-voz.

A voz da telefonista do KIG falou:

— A secretária dele não está. Gostaria de falar com a assistente dele?

— Sim, por favor.

— Só um momento.

Uma voz feminina atendeu.

— Aqui é Heidi Fronk. Em que posso ajudar?

O coração de Diane começou a bater acelerado.

— Aqui é Susan Stratford. Sou repórter do *Wall Street Journal*. Estamos fazendo uma matéria sobre as tragédias recentes que aconteceram com alguns empregados do KIG. Será que poderia entrevistá-la?

— Não sei...

— Só para algumas informações superficiais.

Tanner estava escutando atentamente.

— Que tal um almoço? Você está livre hoje?

— Sinto muito, não.

— Então jantar.

Havia uma hesitação na voz dela.

— Sim, acho que eu poderia.

— Onde poderíamos nos encontrar?

— Há um bom restaurante chamado Rockendorf's. Poderia ser lá.

— Obrigada.

— Oito e meia?

— Oito e meia.

Diane desligou o telefone, sorrindo.

Tanner se virou para Andrew.

— Decidi fazer o que deveria ter feito desde o início. Vou ligar para Greg Holliday, para ele cuidar disso. Ele nunca me deixou na mão. — Virou-se para Andrew. — Ele tem um ego enorme. Cobra os olhos da cara, mas — Tanner deu um sorriso fino — entrega os olhos da cara.

Capítulo 37

ENQUANTO SE APROXIMAVA da porta do apartamento de Sam Meadows no nº 14 da *rue* du Bourg-Tibourg, no Quarto *Arrondissement*, Kelly hesitou. Agora que a caçada estava chegando ao fim, finalmente teria algumas respostas. Pegou-se hesitando, com medo de ouvi-las.

Tocou a campainha. No momento em que a porta se abriu e ela viu Sam Meadows, seus temores desapareceram. Só sentia prazer e alívio ao ver aquele homem que fora tão íntimo de Mark.

— Kelly! — Ele a envolveu num caloroso abraço de urso.

— Ah, Sam.

Ele pegou sua mão.

— Entre.

Kelly entrou. Era um charmoso apartamento de dois quartos, num prédio que já pertencera a um membro da nobreza francesa.

A sala de estar era espaçosa e luxuosamente decorada com móveis franceses, e numa pequena alcova havia um bar de carvalho curiosamente esculpido. Na parede havia um Man Ray e desenhos de Adolf Wölfli.

— Nem posso dizer como estou arrasado com o que aconteceu com Mark — disse Sam, sem jeito.

Kelly deu um tapinha no braço dele.

— Eu sei — sussurrou.

— É inacreditável.

— Eu estou tentando descobrir o que aconteceu. Por isso vim aqui. Espero que você possa me ajudar.

Ela se sentou no sofá, cheia de um sentimento de antecipação e apreensão.

O rosto de Sam ficou sombrio.

— Parece que ninguém sabe a história inteira. Mark estava trabalhando num projeto secreto. Aparentemente em colaboração com outros dois ou três empregados do KIG. Dizem que ele cometeu suicídio.

— Não acredito nisso — disse Kelly com veemência.

— Eu também não. — A voz dele ficou suave. — E sabe o principal motivo? Você.

Kelly olhou para Sam, perplexo.

— Não entendo...

— Como Mark poderia abandonar uma mulher tão maravilhosa como você? Como alguém poderia abandonar uma mulher tão maravilhosa quanto você? — Ele estava chegando mais perto. — O que aconteceu é uma grande tragédia, Kelly, mas a vida tem de continuar, não é? — Sam colocou a mão dela sobre a sua. — Todos nós precisamos de alguém, não é? Ele se foi, mas eu estou aqui. Uma mulher como você precisa de um homem.

— Uma mulher como...

— Mark me contou como você era passional. Disse que você adora transar.

Kelly se virou para ele, surpresa. Mark nunca diria aquilo. Nunca falaria dela assim com ninguém.

Sam passou o braço pelo ombro dela.

— É. Mark me contou que você realmente precisava ir fundo. Costumava dizer como você era fantástica na cama.

Kelly estava cheia de um sentimento de alarme.

— E, Kelly, se isso faz você se sentir melhor, Mark não sofreu nem um pouco.

E ela olhou nos olhos de Sam Meadows e soube.

— Vamos jantar dentro de alguns minutos — disse Sam. — Por que não estimulamos o apetite na cama?

De repente Kelly sentiu que ia desmaiar. Conseguiu forçar um sorriso.

— Parece ótimo. — Sua mente estava trabalhando furiosamente. Ele era grande demais para ela tentar lutar, e não tinha nada com que enfrentá-lo.

Sam começou a acariciá-la.

— Você sabe que tem uma bunda fantástica, meu bem. Eu adoro isso.

Kelly sorriu.

— Adora mesmo? — E farejou o ar. — Estou com fome. Tem alguma coisa cheirando bem.

— O nosso jantar.

Antes que ele pudesse impedi-la, Kelly se levantou e foi para a cozinha. Ao passar pela mesa de jantar, teve um choque. A mesa fora posta para uma pessoa.

Virou-se. Na sala de estar, Sam estava indo até a porta e virando a chave na fechadura. Ela o viu colocar a chave na gaveta de um aparador.

Olhou a cozinha em volta, procurando uma arma. Não tinha como saber em que gaveta ficavam as facas. No balcão havia uma caixa de macarrão cabelo-de-anjo. No fogão, uma panela de água fervendo e, ao lado, uma panela menor com um molho vermelho sendo preparado.

Sam entrou na cozinha e envolveu Kelly com os braços.

Ela fingiu não prestar atenção. Olhou o molho no fogão.

— Parece maravilhoso.

Ele estava acariciando seu corpo.

— É mesmo. O que você gostaria de fazer na cama, neném?

A mente de Kelly estava disparando. Falou em voz baixa:

— Tudo. Eu costumava fazer uma coisa maluca que deixava Mark pirado.

O rosto de Sam se iluminou.

— O que era?

— Eu pegava uma toalha quente, molhada, e... — Ela pegou um pano macio na pia. — Vou mostrar. Baixe a calça.

Sam Meadows riu.

— É. — Ele afrouxou o cinto e deixou a calça cair. Estava usando uma cueca samba-canção.

— Agora a cueca.

Ele baixou a cueca, e seu órgão estava intumescido.

Kelly falou cheia de admiração:

— Minha nossa... — Ela pegou o pano com a mão esquerda e foi na direção dele. Com a mão direita, pegou a panela de água fervente e jogou o conteúdo em seus órgãos genitais.

Ainda podia ouvir os gritos dele enquanto pegava a chave no aparador, destrancava a porta e saía correndo.

Capítulo 38

O ROCKENDORF'S É UM dos restaurantes mais famosos da Alemanha, e há muito tempo sua decoração *art nouveau* é um símbolo da prosperidade de Berlim.

Quando entrou, Diane foi recebida pelo *maître*.

— Em que posso ajudá-la?

— Eu tenho uma reserva. Stevens. A Srta. Fronk vem se encontrar comigo.

— Por aqui, por favor.

O *maître* colocou-a numa mesa de canto. Diane olhou em volta com atenção. Havia uns quarenta clientes no restaurante, na maioria homens de negócio. Perto da mesa de Diane, um homem bonito e bem-vestido estava comendo sozinho.

Diane ficou sentada, pensando na conversa com Heidi Fronk. O quanto ela saberia?

O garçom entregou um menu a Diane.

— *Bitte.*

— Obrigada.

Diane olhou para o menu. *Leberkäs, Kanödel, Haxen, Labskaus*... Não fazia idéia do que eram aqueles pratos. Heidi Fronk poderia explicar.

Olhou para o relógio. Heidi estava vinte minutos atrasada.

O garçom veio até a mesa.

— Gostaria de fazer o pedido agora, *Fräulein*?

— Não. Vou esperar minha convidada. Obrigada.

Os minutos estavam passando. Diane começou a imaginar se alguma coisa dera errado.

Quinze minutos depois o garçom voltou à mesa.

— Posso lhe trazer alguma coisa?

— Não, obrigada. Minha convidada deve chegar a qualquer minuto.

Às nove horas Heidi Fronk ainda não tinha aparecido. Com um sentimento de frustração, Diane percebeu que ela não viria.

Quando levantou os olhos, viu dois homens sentados a uma mesa perto da entrada. Estavam malvestidos e com aparência maligna, e a palavra que lhe veio à mente foi "capangas". Ficou olhando quando o garçom foi até a mesa deles e os homens o descartaram com grosseria. Não estavam interessados em comer. Viraram-se para encarar Diane, e aflita ela percebeu que tinha caído numa armadilha. Heidi Fronk havia aprontado contra ela. O coração de Diane começou a bater tão depressa que ela sentiu que ia desmaiar. Olhou em volta procurando um modo de fugir. Não havia. Poderia ficar sentada ali, mas acabaria tendo de ir embora e eles iriam pegá-la. Pensou em usar o celular, mas não havia quem pudesse ajudá-la.

Pensou, desesperada: *Tenho de sair daqui, mas como?*

Enquanto olhava o salão em volta, percebeu o homem bonito sentado sozinho à mesa perto da sua. Ele estava tomando café.

Diane sorriu e disse:

— Boa noite.

Ele ergueu os olhos, surpreso, e disse em voz agradável:

— Boa noite.

Diane deu-lhe um sorriso caloroso, convidativo.

— Pelo visto nós dois estamos sozinhos.

— É.

— Gostaria de se sentar comigo?

Ele hesitou um momento e sorriu.

— Claro. — Em seguida se levantou e foi até a mesa de Diane.

— Não é divertido comer sozinho, é? — disse Diane em tom ameno.

— Você está certa. Não é.

Ela estendeu a mão.

— Meu nome é Diane Stevens.

— Greg Holliday.

KELLY HARRIS ESTAVA pasma com a experiência aterrorizante com Sam Meadows. Depois da fuga, passara a noite andando pelas ruas de Montmartre, olhando constantemente para trás, com medo de estar sendo seguida. *Mas não posso sair de Paris sem descobrir o que está acontecendo.*

Ao amanhecer parou num pequeno bar e tomou uma xícara de café. A resposta ao seu problema veio sem esperar. A secretária de Mark. Ela adorava Mark. Kelly tinha certeza de que ela faria qualquer coisa para ajudar.

Às nove horas Kelly ligou de uma cabine telefônica. Digitou o número familiar e uma telefonista com forte sotaque francês disse:

— Kingsley International Group.

— Gostaria de falar com Yvonne Renais.

— *Un moment, s'il vous plaît.*

Um instante depois Kelly escutou a voz de Yvonne.

— Yvonne Renais. Em que posso ajudar?

— Yvonne, é Kelly Harris.

Houve uma exclamação espantada.

— Ah! Sra. Harris...

Na sala de Tanner Kingsley uma luz azul se acendeu.

Tanner Kingsley pegou o telefone e ouviu a conversa que acontecia em Paris.

— Sinto tanto pelo que aconteceu com o Sr. Harris! Foi terrível.

— Obrigada, Yvonne. Preciso falar com você. Podemos nos encontrar em algum lugar? Você está livre para o almoço?

— Estou.

— Em algum lugar público.

— Conhece Le Ciel de Paris? Fica na Tour Montparnasse.

— Sim.

Em sua sala, Tanner Kingsley fez uma anotação mental.

— Meio-dia?

— Ótimo. Vejo você lá.

Os lábios de Tanner Kingsley se franziram num sorriso fino. *Aproveite seu último almoço.* Destrancou a gaveta, abriu e pegou o telefone dourado.

Uma voz do outro lado atendeu.

— Bom dia, Tanner.

— Boa notícia. Acabou. Temos as duas.

Prestou atenção um momento, depois assentiu.

— Eu sei. Demorou um pouco mais do que nós esperávamos, mas estamos prontos para ir em frente agora... eu sinto o mesmo... Adeus.

LA TOUR MONTPARNASSE é uma torre de 208 metros, construída em aço e vidro. O prédio zumbia de tanta atividade. Os escritórios estavam totalmente ocupados. O bar e o restaurante se localizavam no qüinquagésimo sexto andar.

Kelly chegou primeiro. Yvonne apareceu quinze minutos atrasada, cheia de desculpas.

Kelly só havia se encontrado com ela algumas vezes, mas se lembrava bem da secretária. Yvonne era uma senhora miúda, de rosto doce. Mark freqüentemente dizia como Yvonne era eficiente.

— Obrigada por ter vindo — disse Kelly.

— Eu faria tudo que pudesse. O Sr. Harris era um homem maravilhoso. Todo mundo no escritório o adorava. Nenhum de nós pôde acreditar no... no que aconteceu.

— Era sobre isso que eu queria falar com você, Yvonne. Você trabalhou cinco anos com meu marido, não foi?

— Foi.

— Então você o conhecia muito bem.

— Ah, sim.

— Você notou alguma coisa estranha nos últimos meses? Quero dizer, alguma mudança no modo como ele agia ou no que dizia?

Yvonne evitou o olhar dela.

— Não sei... quero dizer...

Kelly falou, séria:

— Nada que você possa dizer agora pode fazer mal a ele. E poderia me ajudar a entender o que aconteceu. — Kelly se esforçou para fazer a pergunta seguinte: — Alguma vez ele falou sobre Olga?

Yvonne olhou-a, perplexa.

— Olga? Não.

— Você não sabe quem ela era?

— Não faço idéia.

Kelly sentiu um alívio. Inclinou-se para a frente.

— Yvonne, há alguma coisa que você não está me dizendo?

— Bem...

O garçom veio até a mesa delas.

— *Bonjour, mesdames. Bienvenues ao Ciel de Paris. Je m'appele Jacques Brion. Notre chef de cuisine a préparer quelques spécialités pour le déjeuner d'aujourd'hui. Avez-vous fait votre choix?*

— *Oui, Monsieur. Nous avons choisi le Châteaubriand pour deux.*

Quando o garçom saiu, Kelly olhou para Yvonne.

— Você estava dizendo...?

— Bem, nos últimos dias antes... antes de morrer, o Sr. Harris parecia muito nervoso. Pediu que eu comprasse uma passagem de avião para Washington, D.C.

— Eu sei disso. Achei que era apenas uma viagem profissional de rotina.

— Não. Acho que era alguma coisa muito incomum, alguma coisa urgente.

— Tem alguma idéia do que se tratava?

— Não. De repente tudo ficou muito secreto. É só o que eu sei.

Kelly interrogou Yvonne durante a hora seguinte, mas ela não pôde acrescentar mais nada.

Quando terminaram o almoço, Kelly disse:

— Gostaria que você mantivesse esse encontro em segredo, Yvonne.

— Não precisa se preocupar com isso, Sra. Harris. Não contarei a ninguém. — Yvonne se levantou. — Tenho de voltar ao trabalho. — Seus lábios tremiam. — Mas não vai ser a mesma coisa.

— Obrigada, Yvonne.

Quem Mark ia ver em Washington? E havia os estranhos telefonemas da Alemanha, de Denver e Nova York.

KELLY PEGOU O elevador até o saguão. *Vou ligar para Diane e ver o que ela descobriu. Talvez...*

Quando chegou à entrada do prédio, viu-os. Eram dois homens grandes, cada um de um lado da porta. Olharam-na, depois riram um para o outro. Pelo que Kelly sabia, não havia nenhuma outra saída por perto. *Será que Yvonne pode ter me traído*?

Os homens começaram a ir na direção de Kelly, empurrando com grosseria as pessoas que entravam e saíam do prédio.

Kelly olhou em volta, frenética, e se encostou na parede. Seu braço esbarrou em alguma coisa dura. Olhou, e enquanto os dois homens se aproximavam ela pegou a pequena machadinha presa à unidade de alarme contra incêndios na parede, quebrou o vidro e o alarme disparou no prédio.

Kelly gritou:

— Fogo! Fogo!

Houve pânico instantâneo. Pessoas saíam correndo de escritórios, lojas e restaurantes, indo para a saída. Em segundos o saguão estava lotado, com todo mundo lutando para sair. Os dois homens tentavam achá-la no meio da multidão. Quando finalmente chegaram aonde tinham-na visto pela última vez, ela havia desaparecido.

— O RESTAURANTE RACKENDORF'S estava ficando lotado. — Eu estava esperando uma amiga — explicou Diane a Greg Holliday, o homem bonito que tinha convidado para a sua mesa. — Parece que ela não conseguiu chegar.

— Que pena. Você está visitando Berlim?

— Estou.

— É uma bela cidade. Eu sou um homem muito bem casado, caso contrário me ofereceria para acompanhá-la. Mas há alguns passeios excelentes na cidade, que posso recomendar.

— Seria bom — disse Diane em tom distraído. E olhou para a entrada. Os dois homens estavam saindo. Iriam esperá-la do lado de fora. Era hora de agir.

— Na verdade eu estou aqui com um grupo. — Ela olhou o relógio. — Agora estão me esperando. Se o senhor não se incomodasse em me levar até um táxi...

— De jeito nenhum.

Alguns instantes depois estavam indo para a saída.

Diane sentiu um alívio profundo. Os dois homens poderiam atacá-la se estivesse sozinha, mas não achava que iriam atacá-la com um homem ao lado. Isso atrairia muita atenção.

Quando Diane e Greg Holliday saíram, os dois homens não estavam à vista. Havia um táxi na frente do restaurante, com um Mercedes parado atrás.

— Foi um prazer conhecê-lo, Sr. Holliday. Espero...

Holliday sorriu e pegou seu braço com tanta força que Diane sentiu uma dor intensa.

Ela olhou-o, espantada.

— O que...

— Por que não entramos no carro? — disse ele em voz baixa. Estava puxando Diane na direção do Mercedes. Seu aperto ficou mais forte.

— Não, eu não quero...

Quando chegaram ao carro, Diane viu os homens do restaurante sentados no banco da frente. Horrorizada, entendeu subitamente o que havia acontecido, e foi tomada por um terror insuportável.

— Por favor, não... eu... — E se sentiu sendo empurrada para o carro.

Greg Holliday entrou ao lado de Diane e fechou a porta.

— *Schnell!*

Quando o carro entrou no tráfego pesado, Diane se pegou ficando histérica.

— Por favor...

Greg Holliday se virou para ela e deu um sorriso tranqüilizador.

— Pode relaxar. Não vou machucá-la. Prometo que amanhã você estará a caminho de casa.

Ele enfiou a mão num bolso de tecido nas costas do banco do motorista e pegou uma seringa hipodérmica.

— Vou lhe dar uma injeção. É inofensiva. Vai colocá-la para dormir durante uma ou duas horas.

— *Scheisse!* — gritou o motorista. Subitamente um pedestre correu na frente do Mercedes e o motorista pisou no freio para não atropelá-lo.

Pegou os passageiros desprevenidos. A cabeça de Holliday bateu na estrutura de metal do suporte de cabeça.

Ele tentou se sentar, grogue. Gritou para o motorista:

— O que...

Instintivamente, Diane agarrou a mão de Holliday que estava segurando a seringa hipodérmica, virou o pulso e enfiou a agulha nele.

Holliday se virou para ela, em choque.

— Não! — Era um grito.

Com terror crescente, Diane viu o corpo de Holliday entrar em espasmo e depois se enrijecer num colapso. Estava morto em segundos. Os dois homens no banco da frente se viraram para ver o que estava acontecendo. Diane abriu a porta e saiu, e segundos depois entrou num táxi indo na direção oposta.

Capítulo 39

O SOM DO CELULAR deu-lhe um susto. Ela atendeu cautelosamente.

— Alô?

— Oi, Kelly.

— Diane! Onde você está?

— Em Munique. E você?

— Na balsa, atravessando o Canal da Mancha para Londres.

— Como foi o encontro com Sam Meadows?

Kelly ainda podia ouvir os gritos dele.

— Conto quando a gente se encontrar. Você conseguiu alguma informação?

— Não muita. Temos de decidir o que faremos agora. Estamos ficando sem opções. O avião de Gary Reynolds caiu perto de Denver. Acho que temos de ir para lá. Talvez seja nossa última chance.

— Está bem.

— O obituário diz que Reynolds tem uma irmã que mora em Denver. Talvez ela saiba alguma coisa. Por que não nos encontramos em Denver, no Brown Palace Hotel? Eu vou partir de Berlim, do aeroporto Shoenfeld, em uma hora.

— Eu vou pegar um avião em Heathrow.

— Bom. O quarto vai estar reservado em nome de Harriet Beecher Stowe. Kelly...

— Sim...

— É só... você sabe.

— Eu sei. Você também.

TANNER ESTAVA SOZINHO em sua sala, falando ao telefone dourado.

— ...e elas conseguiram fugir... Sam Meadows não está feliz, e Greg Holliday está morto. — Ele ficou quieto um momento, pensando. — Logicamente o único lugar que resta a elas é Denver. Na verdade talvez seja a última opção... Parece que terei de cuidar disso pessoalmente. Elas ganharam o meu respeito, de modo que é justo eu cuidar delas... — Ele escutou, depois deu uma gargalhada. — Claro... Adeus.

ANDREW ESTAVA SENTADO em sua sala, a mente flutuando, criando visões nebulosas... Estava deitado numa cama de hospital, e Tanner estava dizendo:

— *Você me surpreendeu, Andrew. Você deveria morrer. Agora os médicos disseram que você pode sair daqui em alguns dias. Eu vou lhe dar uma sala no KIG. Quero que você veja como estou salvando o seu rabo. Você simplesmente não quis aprender, não é, seu imbecil? Bem, eu vou transformar sua empresa mixuruca numa mina de ouro, e você pode ficar sentado vendo como eu faço isso. A propósito, a primeira coisa que fiz foi cancelar os projetos babacas de beneficência que você criou, Andrew... Andrew... Andrew...*

A voz estava ficando mais alta.

— Andrew! Está surdo?

Tanner estava chamando-o. Andrew se levantou e foi até a sala do irmão.

Tanner ergueu os olhos.

— Espero não estar interferindo no seu trabalho — disse Tanner, sarcástico.

— Não, eu só estava...

Tanner examinou o irmão por um momento.

— Você realmente não presta para nada, não é, Andrew? Não fede nem cheira. É bom ter alguém com quem falar, mas não sei por quanto tempo vou querer você por perto...

KELLY CHEGOU A Denver antes de Diane e se hospedou no respeitável Brown Palace Hotel.

— Uma amiga vai chegar esta tarde.

— Gostariam de dois quartos?

— Não, um quarto com duas camas.

QUANDO O AVIÃO CHEGOU ao Aeroporto Internacional de Denver, Diane pegou um táxi até o hotel. Deu o nome ao recepcionista.

— Ah, sim, Sra. Stevens. A Sra. Stowe está esperando-a. Está no quarto 638.

Foi um alívio ouvir isso.

Kelly estava esperando. As duas trocaram um abraço caloroso.

— Senti sua falta.

— Também senti a sua. Como foi a viagem? — perguntou Kelly.

— Normal. Graças a Deus.

Diane olhou-a e disse:

— O que aconteceu com você em Paris?

Kelly respirou fundo.

— Tanner Kingsley. O que aconteceu em Berlim?

Diane respondeu em tom inexpressivo:

— Tanner Kingsley.

Kelly foi até uma mesa, pegou um catálogo telefônico e trouxe de volta até Diane.

— O nome da irmã de Gary, Lois Reynolds, consta na lista telefônica. Ela mora na rua Marion.

— Bom. — Diane olhou o relógio. — É tarde para fazer qualquer coisa esta noite. Vamos lá amanhã cedinho.

JANTARAM NO QUARTO e conversaram até a meia-noite, depois se prepararam para dormir.

— Boa noite — disse Diane, em seguida estendeu a mão para o interruptor, e o quarto mergulhou na escuridão.

Kelly gritou:

— Não! Acenda a luz.

Diane acendeu rapidamente.

— Desculpe, Kelly. Eu esqueci.

— Eu tinha medo de escuro até Mark. E depois que ele morreu...— Kelly estava respirando com dificuldade, lutando para controlar o pânico. Quando pôde falar, disse:

— Eu gostaria de superar isso.

— Não se preocupe. Quando estiver se sentindo segura, vai conseguir.

Na manhã seguinte, quando Diane e Kelly saíram do hotel, havia uma fila de táxis perto da entrada. As duas entraram em um deles, e Kelly deu o número da casa de Lois Reynolds na rua Marion.

Quinze minutos depois o motorista parou junto à calçada.

— Aqui estamos.

Kelly e Diane olharam pela janela, pasmas. Estavam vendo os entulhos de uma casa que tinha queimado até o chão. Não restava nada além de cinzas, madeira queimada e pedaços de alicerce de concreto.

Diane estava achando difícil respirar.

— Os sacanas a mataram — disse Kelly. Em seguida olhou para Diane, em desespero. — É o fim da linha.

Diane estava pensando.

— Há uma última chance.

RAY FOWLER, o mal-humorado gerente do aeroporto de Denver, fez um muxoxo para Kelly e Diane.

— Vejamos se eu entendi bem. Vocês duas estão investigando a queda de um avião, sem qualquer autoridade, e querem que eu dê um jeito para que possam interrogar o controlador de tráfego aéreo que estava de serviço, para que ele lhes dê informações confidenciais? Entendi bem?

Diane e Kelly se entreolharam.

— Bem, nós esperávamos... — disse Kelly.

— Esperavam o quê?

— Que o senhor nos ajudasse.

— Por que eu faria isso?

— Sr. Fowler, só queremos ter certeza de que o que aconteceu com Gary Reynolds foi realmente um acidente.

Ray Fowler examinava-as com atenção.

— Interessante — disse ele. E ficou ali sentado, achando divertido. Em seguida falou: — Isso esteve na minha mente um bom tempo. Talvez vocês *devessem* conversar com Howard Miller. Ele era o controlador de tráfego aéreo que estava de serviço quando o acidente aconteceu. Aqui está o endereço. Vou ligar e dizer que vocês estão indo.

— Obrigada. É muita gentileza sua — disse Diane.

Ray Fowler grunhiu.

— O único motivo para eu fazer isso é porque acho que o relatório do acidente da FAA foi uma bobagem. Nós encontramos os restos do avião, mas, curiosamente, a caixa-preta tinha desaparecido. Simplesmente desapareceu.

HOWARD MILLER MORAVA numa casinha de estuque a cerca de dez quilômetros do aeroporto. Miller era um homem pequeno e enérgico, de quarenta e poucos anos. Abriu a porta para Diane e Kelly.

— Entrem. Ray Fowler disse que vocês viriam. O que posso fazer por vocês?

— Gostaríamos de conversar, Sr. Miller.

— Sentem-se. — Elas se sentaram no sofá. — Querem café?

— Não, obrigada.

— Vocês estão aqui por causa do acidente de Gary Reynolds.

— É. Foi acidente ou...?

Howard Miller deu de ombros.

— Honestamente não sei. Nunca vi uma coisa igual em todos os anos em que trabalho aqui. Tudo seguia de acordo com o protocolo. Gary Reynolds pediu permissão para pousar e nós liberamos. Em seguida ele estava a apenas três quilômetros, informando sobre um furacão. Um furacão! Mais tarde eu verifiquei com o serviço de meteorologia. Não havia vento naquela hora. Para dizer a verdade, eu pensei que ele estava bêbado ou tinha se drogado. A próxima coisa que soubemos foi que ele havia batido na montanha.

— Pelo que eu soube — disse Kelly —, a caixa-preta não foi encontrada.

— Isso é outra coisa — comentou Howard Miller, pensativo. — Nós encontramos tudo. O que aconteceu com a caixa-preta? A porra da FAA veio e achou que nós tínhamos errado os registros. Não acreditaram quando contamos o que aconteceu. Sabe quando a gente sente que alguma coisa não está certa?

— Sim...

— Eu senti que alguma coisa não estava certa, mas não sei dizer o quê. Sinto muito se não posso ajudar mais.

Diane e Kelly se levantaram, frustradas.

— Bem, muito obrigada, Sr. Miller. Agradecemos pelo seu tempo.

— De nada.

Enquanto começava a levar as duas até a porta, Miller disse:

— Espero que a irmã de Gary esteja bem.

Kelly parou.

— O quê?

— Ela está no hospital, vocês sabem. Coitada. A casa dela pegou fogo no meio da noite. Os médicos não sabem se ela vai sobreviver.

Diane se imobilizou.

— O que aconteceu?

— O corpo de bombeiros acha que o motivo foi um curto-circuito. Lois conseguiu se arrastar até a porta da frente e sair no quintal, mas quando os bombeiros chegaram ela estava em péssimo estado.

Diane tentou manter a voz calma.

— Em que hospital ela está?

— O Hospital da Universidade do Colorado. No Centro de Queimados Three North.

A ENFERMEIRA NA recepção do Three North falou:

— Sinto muito, a Srta. Reynolds não pode receber visitas.

— Pode nos dizer em que quarto ela está? — perguntou Kelly.

— Sinto muito, não.

— É uma emergência — disse Diane. — Nós temos de vê-la e...

— Ninguém pode vê-la sem autorização escrita. — Havia um tom definitivo na voz da mulher.

Diane e Kelly se entreolharam.

— Bem, obrigada.

As duas se afastaram.

— O que vamos fazer? — perguntou Kelly. — É nossa última chance.

— Eu tenho um plano.

UM MENSAGEIRO UNIFORMIZADO, carregando um grande embrulho amarrado com fita, se aproximou da recepção.

— Tenho um pacote para Lois Reynolds.

— Eu assino — disse a recepcionista.

O mensageiro balançou a cabeça.

— Sinto muito. Minhas ordens são para entregar pessoalmente. É muito valioso.

A enfermeira hesitou.

— Então eu terei de ir junto.

— Tudo bem.

Ele acompanhou a enfermeira até o fim do corredor. Quando chegaram ao quarto 391 a enfermeira começou a abrir a porta e o mensageiro lhe entregou o pacote.

— Pode entregar a ela — disse ele.

UM ANDAR ABAIXO, o mensageiro foi até o banco onde Diane e Kelly esperavam.

— Quarto 391 — disse ele.

— Obrigada — respondeu Diane. E lhe entregou algum dinheiro.

As duas mulheres subiram até o terceiro andar, entraram no corredor e ficaram esperando até que a enfermeira atendeu ao telefone. Estava de costas para elas. As duas foram rapidamente pelo corredor e entraram no quarto 391.

Lois Reynolds estava deitada na cama com uma teia de tubos e fios ligados ao corpo. Tinha bandagens grossas. Seus olhos estavam fechados quando Kelly e Diane se aproximaram da cama.

Diane falou em voz baixa:

— Srta. Reynolds, eu sou Diane Stevens e esta é Kelly Harris. Nossos maridos trabalhavam no KIG.

Os olhos de Lois Reynolds tentaram lentamente entrar em foco. Quando falou, sua voz era a sombra de um sussurro.

— O quê?

— Nossos maridos trabalhavam no KIG — disse Kelly. — Os dois foram mortos. Nós achamos que, devido ao que aconteceu com seu irmão, você poderia nos ajudar.

Lois Reynolds tentou balançar a cabeça.

— Não posso ajudar... Gary está morto. — Seus olhos se encheram de lágrimas.

Diane se inclinou para junto dela.

— Seu irmão lhe disse alguma coisa antes do acidente?

— Gary era um homem maravilhoso. — A voz dela era lenta e dolorida. — Morreu num acidente de avião.

Diane falou com paciência:

— Ele disse alguma coisa que possa nos ajudar a descobrir o que aconteceu?

Lois Reynolds fechou os olhos.

— Srta. Reynolds, por favor não durma ainda. Por favor. Isso é muito importante. Seu irmão disse alguma coisa que possa nos ajudar?

Lois Reynolds abriu os olhos de novo e olhou para Diane, perplexa.

— Quem é você?

— Nós achamos que seu irmão foi assassinado — disse Diane.

Lois Reynolds murmurou:

— Eu sei...

As duas sentiram um arrepio gelado.

— Por quê? — perguntou Kelly.

— Prima... — Foi um sussurro.

Kelly aproximou-se mais.

— Prima?

— Gary me contou... contou alguns... alguns dias antes de morrer. A máquina deles, que pode controlar... controlar o clima. Pobre Gary. Ele... não chegou a ir a Washington.

— Washington? — perguntou Diane.

— É... Eles iam falar com uma senadora sobre... sobre o Prima... Gary disse que o Prima era ruim...

Kelly perguntou:

— Você lembra o nome da senadora?

— Não.

— Por favor, pense.

Lois Reynolds estava murmurando.

— Senadora não sei das quantas.

— Senadora quem? — perguntou Kelly.

— Levin... Luven... van Luven. Ele ia falar com ela. Ia se encontrar...

A porta se escancarou bruscamente, e um médico usando jaleco branco, com um estetoscópio pendurado no pescoço, entrou no quarto. Olhou furioso para Diane e Kelly.

— Ninguém lhes disse que as visitas estavam proibidas?

— Desculpe — disse Kelly. — Nós precisávamos... falar com...

— Saiam, por favor.

As duas olharam para Lois Reynolds.

— Adeus. Fique boa.

O homem olhou-as sair do quarto. Quando a porta se fechou, ele foi até a cama, curvou-se sobre Lois Reynolds e pegou um travesseiro.

Capítulo 40

KELLY E DIANE desceram até o saguão principal do hospital.

— Por isso Richard e Mark iam a Washington, falar com a senadora van Luven — disse Diane.

— Como vamos encontrá-la?

— Simples. — Diane pegou seu celular.

Kelly levantou a mão para impedi-la.

— Não. Vamos usar um telefone público.

Ligaram para Informações e conseguiram o número do telefone do prédio do Senado, e Diane ligou.

— Escritório da senadora van Luven.

— Gostaria de falar com a senadora, por favor.

— Posso saber quem quer falar?

— É um assunto pessoal — disse Diane.

— Seu nome, por favor?

— Não posso... só lhe diga que é muito importante.

— Sinto muito, não posso fazer isso. — A linha foi desligada.

Diane se virou para Kelly.

— Não podemos usar nosso nome. — Diane ligou de novo.

— Escritório da senadora van Luven.

— Por favor, escute. Isso não é trote. Eu preciso falar com a senadora e não posso lhe dizer meu nome.

— Então acho que não poderei passar a ligação para a senadora. — A linha foi desligada.

Diane ligou de novo.

— Escritório da senadora van Luven.

— Por favor, não desligue. Sei que você está fazendo o seu serviço, mas é uma questão de vida ou morte. Estou ligando de um telefone público. Vou lhe dar o número. Por favor, peça à senadora para me ligar de volta. — Ela deu o número à secretária e ouviu-a bater o telefone.

— O que fazemos agora? — perguntou Kelly.

— Esperamos.

Esperaram duas horas, e finalmente Diane falou:

— Não vai dar certo. Vamos...

O telefone tocou. Diane respirou fundo e correu para atender.

— Alô?

Uma voz feminina irritada disse:

— Aqui é a senadora van Luven. Quem está falando?

Diane virou o telefone para Kelly, de modo que as duas ouvissem o que a senadora estava dizendo. Diane estava tão nervosa que mal conseguia falar.

— Senadora, meu nome é Diane Stevens. Estou aqui com Kelly Harris. A senhora sabe quem nós somos?

— Não, não sei, e acho que.....

— Nossos maridos foram assassinados quando iam se encontrar com a senhora.

Houve um som ofegante.

— Ah, meu Deus. Richard Stevens e Mark Harris.

— Sim.

— Seus maridos marcaram uma reunião comigo, mas minha secretária recebeu um telefonema dizendo que eles tinham mudado de plano. Depois eles... morreram.

— Aquele telefonema não foi deles, senadora. Eles foram assassinados para não se encontrar com a senhora.

— *O quê?* — ela parecia chocada. — Por que alguém...

— Eles foram mortos para não conversar com a senhora. Kelly e eu gostaríamos de ir a Washington, contar o que nossos maridos estavam tentando lhe dizer.

Houve uma breve hesitação.

— Eu receberei vocês, mas não no meu escritório. É público demais. Se o que estão dizendo é verdade, isso pode ser perigoso. Eu tenho uma casa em Southampton, Long Island. Posso recebê-las lá. De onde as senhoras estão ligando?

— Denver.

— Só um momento.

Três minutos depois a senadora voltou à linha.

— O próximo vôo de Denver para Nova York é noturno, da United, sem escalas, para o aeroporto LaGuardia. Sai à meia-noite e vinte e cinco e chega a Nova York às seis horas e nove minutos. Se estiver cheio, há um vôo...

— Nós iremos nesse vôo.

Kelly olhou para Diane, surpresa.

— Diane, e se não pudermos pegar...

Diane levantou a mão, tranqüilizando-a.

— Estaremos nele.

— Quando chegarem ao aeroporto haverá um Lincoln esperando. Vão direto para o carro. O motorista é asiático. O nome dele é Kunio, K-U-N-I-O. Ele vai levá-las à minha casa. Estarei esperando vocês.

— Obrigada, senadora.

Diane desligou o telefone e respirou fundo. Virou-se para Kelly.

— Está resolvido.

— Como você sabe que nós podemos pegar aquele vôo?

— Eu tenho um plano.

*

O RECEPCIONISTA DO hotel arranjou um carro alugado, e em quarenta e cinco minutos Diane e Kelly estavam indo para o aeroporto.

— Não sei se estou mais ansiosa ou mais apavorada — disse Kelly.

— Não creio que tenhamos mais motivo para ficar apavoradas.

— Parece que um monte de gente tentou se encontrar com a senadora, mas ninguém conseguiu, Diane. Todos foram mortos antes.

— Então vamos ser as primeiras a conseguir.

— Eu gostaria que tivéssemos...

— Eu sei. Uma arma. Você já disse isso. Nós temos a inteligência.

— É. Eu gostaria de ter uma arma.

Kelly olhou pela janela do carro.

— Pare.

Diane parou junto ao meio-fio.

— O que é?

— Tenho de fazer uma coisa.

Tinham parado na frente de um salão de beleza. Kelly abriu a porta do carro.

— Vou fazer o cabelo.

— Está brincando — disse Diane.

— Não, não estou.

— Você vai fazer o cabelo *agora*? Kelly, nós estamos indo para o aeroporto, pegar um avião, e não há tempo para...

— Diane, a gente nunca sabe o que vai acontecer. E se eu morrer, quero estar bonita.

Diane ficou ali parada, sem fala, enquanto Kelly entrava no salão.

VINTE MINUTOS DEPOIS Kelly saiu. Estava usando peruca preta com um penteado espalhafatoso, alto na parte de trás.

— Estou pronta — disse Kelly. — Vamos botar pra quebrar.

Capítulo 41

— HÁ UM LEXUS BRANCO seguindo a gente — disse Kelly.

— Eu sei. Com meia dúzia de homens dentro.

— Você pode despistá-los?

— Não preciso.

Kelly a encarou.

— *O quê?*

— Olhe só.

Estavam se aproximando de um portão do aeroporto onde havia uma placa dizendo: APENAS ENTREGAS. O guarda atrás do portão o abriu para o carro entrar.

Os homens no Lexus ficaram olhando Kelly e Diane descer do carro e entrar num carro oficial do aeroporto, que começou a andar pela pista.

Quando o Lexus chegou ao portão, o guarda disse:

— Esta é uma entrada privativa.

— Mas você deixou o outro carro entrar.

— Esta é uma entrada privativa. — O guarda fechou o portão.

O CARRO OFICIAL DO aeroporto atravessou o pátio de manobras e parou ao lado de um jumbo. Enquanto Diane e Kelly saíam, Howard Miller estava esperando.

— Vocês conseguiram.

— Sim — disse Diane. — Obrigada por arranjar tudo.

— O prazer foi meu. — Seu rosto ficou sério. — Espero que alguma coisa boa resulte disso.

Kelly falou:

— Agradeça a Lois Reynolds por nós e diga a ela...

A expressão de Howard Miller mudou.

— Lois Reynolds faleceu ontem à noite.

As duas sentiram um choque. Kelly demorou um instante para falar.

— Sinto muito.

— O que aconteceu? — perguntou Diane.

— Acho que o coração não agüentou.

Howard Miller olhou para o jato.

— Eles estão prontos para ir. Arranjei lugares para vocês perto da porta.

— Obrigada mais uma vez.

MILLER FICOU OLHANDO Kelly e Diane subirem a escada. Instantes depois a aeromoça fechou a porta e o avião começou a taxiar.

Kelly se virou para Diane e sorriu.

— Conseguimos. Fomos mais espertas do que todos aqueles cérebros. O que você vai fazer depois de falar com a senadora van Luven?

— Ainda não pensei direito. Você vai voltar para Paris?

— Depende. Você acha que vai ficar em Nova York?

— Vou.

— Então talvez eu dê um tempo em Nova York.

— E depois podemos ir juntas a Paris.

Ficaram ali sentadas, sorrindo uma para a outra, até que Diane falou:

— Eu só estava pensando em como Richard e Mark ficariam orgulhosos se soubessem que vamos terminar o serviço que eles começaram.

— Pode apostar que sim.

Diane olhou pela janela, para o céu, e falou em voz baixa:

— Obrigada, Richard.

Kelly olhou para ela, balançou a cabeça e ficou quieta.

Richard, eu sei que você pode me ouvir, querido. Nós vamos terminar o que você começou. Vamos vingar você e seus amigos. Não vou trazer você de volta, mas isso vai ajudar um pouco. Sabe de que eu vou sentir mais falta, meu amor? De tudo...

QUANDO O AVIÃO pousou no aeroporto LaGuardia, três horas e meia depois, Diane e Kelly foram as primeiras a desembarcar. Diane se lembrou das palavras da senadora van Luven. *Quando chegarem ao aeroporto, um Lincoln cinza vai estar esperando.*

O carro estava esperando na entrada do terminal. Parado junto havia um japonês idoso com uniforme de chofer. Ele se empertigou quando Kelly e Diane se aproximaram.

— Sra. Stevens? Sra. Harris?

— Sim.

— Sou Kunio. — Ele abriu a porta do carro e as duas entraram.

Instantes depois estavam indo para Southampton.

— É uma viagem de duas horas — disse Kunio. — A paisagem é muito bonita.

A última coisa em que estavam interessadas era na paisagem. As duas pensavam no modo mais rápido de explicar à senadora o que havia acontecido.

Kelly disse a Diane:

— Você acha que a senadora vai correr perigo quando nós contarmos o que sabemos?

— Tenho certeza de que ela terá proteção. Ela saberá como cuidar disso.

— Espero que sim.

Após quase duas horas, o Lincoln por fim dirigiu-se até uma grande mansão de calcário com teto de ardósia e altas chaminés, ao estilo da Inglaterra do século XVIII. Havia grandes gramados bem-cuidados, e dava para ver uma casa separada para os empregados e a garagem.

Quando o carro parou diante da porta da frente, Kunio disse:

— Eu estarei esperando, caso precisem de mim.

— Obrigada.

A porta foi aberta por um mordomo.

— Boa noite. Entrem, por favor. A senadora está esperando.

As duas entraram. A sala era elegante mas informal, mobiliada com várias antiguidades, sofás e poltronas confortáveis. Na parede, sobre uma grande lareira com acabamento barroco, havia dois castiçais simétricos.

— Por aqui, por favor — disse o mordomo.

Kelly e Diane acompanharam o mordomo até uma grande sala de estar.

A senadora van Luven estava esperando. Usava um conjunto de seda azul-claro e blusa, e o cabelo estava solto. Era mais feminina do que Diane esperava.

— Sou Pauline van Luven.

— Diane Stevens.

— Kelly Harris.

— É um prazer vê-las. Demorou muito tempo.

Kelly olhou para a senadora van Luven, perplexa.

— Perdão?

A voz de Tanner Kingsley, atrás delas, disse:

— Ela quer dizer que vocês tiveram sorte, mas que a sorte acabou.

Diane e Kelly se viraram. Tanner Kingsley e Harry Flint tinham entrado na sala.

— Agora, Sr. Flint — disse Tanner.

Harry Flint levantou uma pistola. Sem dizer palavra, apontou para as mulheres e disparou duas vezes. Pauline van Luven e Tanner Kingsley olharam o corpo de Kelly e o de Diane caindo de costas no chão.

Tanner foi até a senadora van Luven e a abraçou.

— Finalmente acabou, princesa.

Capítulo 42

— O QUE QUER QUE EU FAÇA com os corpos? — perguntou Flint.

Tanner não hesitou.

— Amarre alguns pesos nos tornozelos, leve-as de helicóptero até umas duzentas milhas no mar e jogue no Atlântico.

— Sem problema. — Flint saiu da sala.

Tanner se virou para a senadora van Luven.

— Isso termina com tudo, princesa. Podemos ir em frente.

Ela foi até ele e deu-lhe um beijo.

— Senti muita saudade de você, amor.

— Eu também senti saudade de você.

— Aqueles encontros uma vez por mês eram frustrantes porque eu sabia que você precisava ir embora.

Tanner abraçou-a com força.

— A partir de agora estamos juntos. Vamos esperar uns dois ou três meses em nome do seu querido esposo falecido, e depois vamos nos casar.

Ela sorriu e disse:

— Um mês.

Ele assentiu.

— Parece bom.

— Eu renunciei ao cargo de senadora ontem. Eles foram muito compreensivos com o que estou sofrendo pela morte do meu marido.

— Maravilhoso. Agora podemos ser vistos juntos livremente. Quero que você veja uma coisa que não pude mostrar antes, no KIG.

TANNER E PAULINE tinham chegado ao prédio de tijolos vermelhos. Tanner foi até a porta de aço maciço. Havia uma reentrância no centro. Ele estava usando um pesado anel de camafeu, com o rosto de um guerreiro grego.

Pauline ficou olhando Tanner apertar o anel com força na reentrância e a porta começou a abrir. A sala era enorme, cheia de gigantescos computadores e telas de TV. Numa parede distante havia geradores e equipamentos eletrônicos, todos ligados a um painel de controle no centro.

— Este é o ponto zero — disse Tanner. — O que você e eu temos aqui é uma coisa que vai mudar vidas para sempre. Esta sala é o centro de comando de um sistema de satélites que pode controlar o clima em qualquer área do mundo. Podemos causar tempestades onde quisermos. Podemos criar fome fazendo a chuva parar. Podemos causar nevoeiro em cada aeroporto do mundo. Podemos fazer furacões e ciclones que vão parar a economia do mundo. — Ele sorriu. — Eu já demonstrei parte do nosso poder. Um bocado de países vem trabalhando no controle climático, mas nenhum deles ainda resolveu os problemas.

Tanner apertou um botão e uma grande tela de TV se iluminou.

— O que você está vendo aqui é um avanço do que o exército *queria* ter. — Ele se virou para Pauline e sorriu. — A única coisa que impedia o Prima de me dar o controle perfeito era o efeito estufa, e você cuidou disso lindamente. — Ele suspirou. — Sabe quem criou esse projeto? Andrew. Ele era realmente um gênio.

Pauline estava olhando os enormes equipamentos.

— Não entendo como isso pode controlar o clima.

— Bem, a versão simples é que o ar quente sobe na direção do ar frio, e se houver umidade na...

— Não me trate como criança, querido.

— Desculpe, mas a versão longa é meio complicada.

— Eu estou ouvindo.

— É meio técnico, então preste atenção. *Lasers* de microondas, criados com a nanotecnologia que meu irmão produziu, ao serem disparados na atmosfera da Terra criam oxigênio livre que se liga com o hidrogênio, produzindo ozônio e água. O oxigênio livre na atmosfera se junta em pares — por isso ele se chama O_2 —, e meu irmão descobriu que o disparo desse *laser* do espaço para a atmosfera fazia o oxigênio se juntar com dois átomos de hidrogênio formando ozônio — O_3 — e água — H_2O.

— Ainda não entendo como isso iria...

— O clima é determinado pela água. Andrew descobriu em testes de grande escala que, dependendo da quantidade de água criada como subproduto de suas experiências, os ventos mudavam. Quanto mais *lasers*, mais vento. Controlando a água e o vento, você controla todo o clima.

Ele ficou pensativo um momento.

— Quando eu descobri que Akira Iso, em Tóquio, e mais tarde Madeleine Smith, em Zurique, estavam perto de resolver o problema, ofereci emprego a eles. Mas eles recusaram. Eu lhe disse que tinha quatro dos meus principais meteorologistas trabalhando no projeto.

— Sim.

— E eles eram bons. Franz Verbrugge em Berlim, Mark Harris em Paris, Gary Reynolds em Vancouver e Richard Stevens em Nova York. Coloquei cada um deles tentando solucionar uma faceta diferente do controle climático, e achei que, como estavam trabalhando em países diferentes, nunca juntariam as peças e descobririam qual era o objetivo final do projeto. Mas de algum modo eles descobriram. Eles me procuraram em Viena para perguntar que planos eu tinha para Prima. Contei que pretendia oferecer o projeto ao nosso governo. Achei que não fossem mais insistir no assunto, mas, por segurança, preparei uma armadilha. Quando estavam sentados na recepção, telefonei para seu gabinete no Senado, assegurando-me que eles podiam escutar tudo, e neguei ter ouvido falar sobre o Prima. Na manhã seguinte, eles começaram a ligar para você tentando marcar uma reunião. Foi quando descobri que tinha de me livrar deles. — Tanner sorriu. — Deixe-me mostrar a você o que temos aqui.

Numa tela de computador apareceu um mapa-múndi, cheio de linhas e símbolos. Enquanto falava, Tanner mexeu um botão, e o foco do mapa ficou mudando até iluminar Portugal.

— Os vales agrícolas de Portugal — disse Tanner — são alimentados por rios que vão da Espanha para o Atlântico. Imagine só o que aconteceria com Portugal se continuasse a chover até que os vales fossem inundados.

Tanner apertou um botão, e apareceu numa tela enorme a imagem de um palácio cor-de-rosa com guardas cerimoniais em posição de sentido enquanto seus jardins lindos e luxuriantes brilhavam ao sol.

— Este é o palácio presidencial.

A imagem mudou para uma sala de jantar, onde uma família estava tomando o café da manhã.

— Esse é o presidente de Portugal com a mulher e os dois filhos. Quando eles falarem, será em português, mas você ouvirá em inglês. Eu tenho dezenas de nanocâmeras e microfones no palácio. O presidente não sabe, mas seu chefe de segurança trabalha para mim.

Um auxiliar estava dizendo ao presidente:

— Às onze da manhã o senhor tem uma reunião na embaixada e um discurso num sindicato. À uma da tarde almoço no museu. Esta noite teremos um jantar de Estado.

O telefone tocou na mesa do café da manhã. O presidente atendeu.

— Alô.

E a voz de Tanner, instantaneamente traduzida do inglês para o português, disse:

— Sr. Presidente?

O presidente levou um susto.

— Quem é? — perguntou, e sua voz foi imediatamente traduzida do português para o inglês, para Tanner.

— Um amigo.

— Quem... como conseguiu meu número particular?

— Isso não é importante. Quero que ouça atentamente. Eu amo o seu país e não gostaria de vê-lo destruído. Se não quiser que tempestades terríveis o apaguem do mapa, deve me mandar dois bilhões de dólares em ouro. Se não estiver interessado agora, eu ligo de volta dentro de três dias.

Na tela eles viram o presidente bater o telefone. Ele disse à esposa:

— Algum maluco conseguiu o número do telefone. Parece que escapou de um asilo.

Tanner se virou para Pauline.

— Isso foi gravado há três dias. Agora deixe-me mostrar a conversa que nós tivemos ontem.

Uma imagem do enorme palácio cor-de-rosa e seus lindos jardins surgiu de novo, mas dessa vez caía uma chuva forte, e o céu estava cheio de trovões e iluminado por raios.

Tanner apertou um botão e a cena na televisão mudou para o escritório do presidente. Ele estava sentado a uma mesa de reuniões, com meia dúzia de assessores, todos falando ao mesmo tempo. O rosto do presidente estava sério.

O telefone em sua escrivaninha tocou.

— Agora — riu Tanner.

O presidente atendeu apreensivo.

— Alô.

— Bom dia, senhor presidente. Como...?

— Você está destruindo o meu país! Arruinou as colheitas. Os campos estão inundados. Os povoados estão sendo... — Ele parou e respirou fundo. — Quanto tempo isso vai continuar? — Havia histeria na voz do presidente.

— Até eu receber os dois bilhões de dólares.

Eles viram o presidente trincar os dentes e fechar os olhos um momento.

— E então você vai parar com as tempestades?

— Vou.

— Como quer que o valor seja entregue?

Tanner desligou a televisão.

— Está vendo como é fácil, princesa? Nós já temos o dinheiro. Deixe-me mostrar o que mais o Prima pode fazer. Esses foram os nossos primeiros testes.

Ele apertou outro botão e apareceu na tela a imagem de um furacão violento.

— Isso está acontecendo no Japão. Em tempo real. E para eles essa é a estação de tempo bom.

Ele apertou outro botão e apareceram imagens de uma violenta tempestade de granizo golpeando um campo de frutas cítricas.

— Isto é ao vivo da Flórida. A temperatura lá está próxima de zero. Em junho. As colheitas estão sendo devastadas.

Ele ativou outro botão e surgiu na tela gigantesca a imagem de um tornado destruindo prédios.

— Isso é o que está acontecendo no Brasil. Como você vê — disse Tanner com orgulho —, o Prima pode fazer qualquer coisa.

Pauline chegou perto dele e disse em voz baixa:

— Como o papai dele.

Tanner desligou o aparelho de TV. Pegou três DVDs e mostrou a ela.

— Essas são outras três conversas interessantes que eu tive. Com os governos do Peru, do México e da Itália. Sabe como o ouro é entregue? Nós mandamos caminhões aos bancos deles e eles os enchem. E aí surge um ardil. Se eles fizerem qualquer tentativa de descobrir para onde o ouro está indo, eu garanto que a tempestade virá de novo e que nunca mais vai parar.

Pauline olhou-o, preocupada.

— Tanner, há algum modo de eles rastrearem seus telefonemas?

Tanner riu.

— Espero que rastreiem. Se alguém tentar, vai chegar a um relé numa igreja, depois um segundo relé o leva para uma escola. O terceiro relé dispara tempestades que eles desejarão nunca ter visto. E na quarta vez a coisa termina no Salão Oval da Casa Branca.

Pauline riu.

A porta se abriu e Andrew entrou.

Tanner se virou.

— Aí está o meu irmão.

Andrew estava olhando para Pauline, com uma expressão perplexa.

— Eu não conheço você? — Ele a encarou por quase um minuto, enquanto se concentrava, então seu rosto se iluminou. — Você... você e Tanner iam... iam se casar. Eu era o padrinho. Você... você é a Princesa.

— Muito bem, Andrew — disse Pauline.

— Mas você... você foi embora. Você não amava Tanner.

Tanner interveio:

— Deixe-me corrigir. Ela foi embora porque me amava. — Ele segurou a mão de Pauline. — Ela me telefonou um dia depois do casamento. Casou-se com um homem muito rico e influente para usar a influência do marido e conseguir clientes importantes para o KIG. Por isso nós pudemos crescer tão depressa. — Tanner deu um abraço em Pauline. — Nós combinamos de nos encontrar secretamente todo mês — falou com orgulho. — E então ela se interessou por política e virou senadora.

Andrew franziu a testa.

— Mas... mas Sebastiana... Sebastiana...

— Sebastiana Cortez. — Tanner riu. — Ela era um engodo, para tirar todo mundo da pista certa. Eu me certifiquei de que todo mundo na empresa soubesse sobre ela. A Princesa e eu não podíamos nos dar ao luxo de que alguém tivesse suspeitas.

Andrew falou vagamente:

— Ah, sei.

— Venha cá, Andrew. — Tanner guiou-o até o centro de controle. Eles pararam na frente do Prima. — Você se lembra disso? Você ajudou a desenvolvê-lo. Agora está pronto.

Os olhos de Andrew se arregalaram.

— Prima...

Tanner apontou um botão e disse:

— É. Controle climático. — E apontou para outro botão. — Local. — Em seguida olhou o irmão. — Está vendo como deixamos simples?

Andrew falou baixinho.

— Eu me lembro...

Tanner se virou para Pauline.

— Isso é só o início, princesa. — Ele pegou-a nos braços. — Estou pesquisando mais trinta países. Você tem o que queria. Poder e dinheiro.

Pauline disse, feliz:

— Um computador assim valeria...

— *Dois* computadores assim. Eu tenho uma surpresa para você. Já ouviu falar na Ilha de Tamoa, no Pacífico Sul?

— Não.

— Nós acabamos de comprá-la. Tem cento e cinqüenta quilômetros quadrados e é incrivelmente linda. Fica na Polinésia Francesa e tem uma pista de pouso e um porto para iates. Tem tudo, inclusive — ele fez uma pausa dramática — o Prima II.

— Quer dizer que há outro...?

Tanner assentiu.

— Isso mesmo. Fica no subsolo, onde ninguém pode achar. Agora que aquelas duas vacas enxeridas estão fora do caminho, o mundo é nosso.

Capítulo 43

KELLY FOI A PRIMEIRA a abrir os olhos. Estava deitada de costas, despida, no chão nu de um porão de concreto, com as mãos algemadas a correntes de vinte centímetros presas à parede, logo acima do chão. Havia uma pequena janela com grades na extremidade mais distante do cômodo, e uma porta pesada.

Kelly se virou e viu Diane ao lado, também nua e algemada. As roupas tinham sido jogadas num canto.

Diane falou, grogue:

— Onde nós estamos?

— No inferno, parceira.

Kelly testou as algemas. Estavam apertadas e firmes nos pulsos. Ela podia levantar o braço uns dez ou doze centímetros, mas só isso.

— Nós caímos direitinho na armadilha deles — disse com amargura.

— Sabe o que eu mais odeio nisso?

Kelly olhou o cômodo ao redor e disse:

— Não posso imaginar.

— Eles ganharam. Nós sabemos por que eles mataram nossos maridos e por que vão nos matar, mas não temos como contar ao mundo. Eles se deram bem. Kingsley estava certo. Finalmente nossa sorte acabou.

— Não acabou, não. — A porta se abriu, e Harry Flint estava parado no cômodo. Seu sorriso se alargou. Ele trancou a porta e enfiou a chave no bolso. — Eu atirei em vocês com balas de xilocaína. Eu deveria matar as duas, mas pensei que a gente poderia se divertir um pouquinho antes. — Ele chegou mais perto.

As duas mulheres trocaram um olhar aterrorizado. Olharam Flint tirar a camisa e a calça, rindo.

— Olha o que eu tenho para vocês. — Ele baixou a cueca. Seu membro estava rígido. Olhou para as duas e chegou perto de Diane. — Por que não começo com você, meu bem, e depois...

Kelly interrompeu.

— Espere um minuto, bonitão. Que tal me pegar primeiro? Eu estou toda tesuda.

Diane olhou-a, pasma.

— Kelly...

Flint se virou para Kelly e deu um riso maroto.

— Claro, meu bem. Você vai adorar isso.

Flint se abaixou e começou a se deitar em cima do corpo nu de Kelly.

— Ah, sim — gemeu Kelly. — Eu senti falta disso.

Diane fechou os olhos. Não suportava olhar.

Kelly abriu as pernas e, quando Flint começou a penetrar, ela ergueu o braço direito alguns centímetros e enfiou a mão no penteado alto. Quando sua mão voltou para baixo, havia um pente com o cabo feito de aço, com doze centímetros de comprimento. Num movimento rápido ela cravou o cabo na nuca de Flint, empurrando-o até o final.

Flint tentou gritar, mas só saiu um gorgolejo alto. O sangue jorrava de seu pescoço. Diane abriu os olhos, atônita.

Kelly olhou para Diane.

— Você... você pode relaxar agora. — E empurrou o corpo inerte de cima dela. — Ele está morto.

O coração de Diane estava batendo tão depressa que parecia a ponto de saltar do peito. Seu rosto era de um branco fantasmagórico.

Kelly olhava-a, alarmada.

— Você está bem?

— Eu tive medo de que ele... — Sua boca ficou seca. Ela olhou o corpo sangrento de Harry Flint e estremeceu. — Por que você não me contou sobre... — Ela apontou para o pente no pescoço dele.

— Porque se não tivesse dado certo... bem, eu não queria que você achasse que eu tinha fracassado. Vamos sair daqui.

— Como?

— Eu mostro. — Kelly esticou a perna comprida até onde Flint havia largado a calça. Os dedos do pé tentaram pegá-la. Faltavam uns cinco centímetros. Ela se mexeu mais para perto. Faltavam dois centímetros. Então, finalmente, sucesso.

Kelly riu.

— *Voilà!* — Seus dedos agarraram a perna da calça e ela puxou-a devagar até estar suficientemente perto para segurar com as mãos. Revistou os bolsos, procurando as chaves das algemas. Achou. Um instante depois suas mãos estavam livres. Correu para libertar Diane.

— Meu Deus, você é um milagre — disse Diane.

— Agradeça ao meu penteado novo. Vamos sair daqui.

As duas pegaram as roupas no chão e se vestiram rapidamente. Kelly apanhou a chave da porta no bolso de Flint.

Foram até lá e prestaram atenção um momento. Silêncio. Kelly abriu. Estavam num corredor comprido e vazio.

— Deve haver uma saída pelos fundos — disse Diane.

Kelly assentiu.

— Certo. Você vai por lá e eu vou pelo outro lado, e...

— Não. Por favor. Vamos ficar juntas, Kelly.

Kelly apertou o braço de Diane e assentiu.

— Certo, parceira.

MINUTOS DEPOIS AS duas mulheres estavam numa garagem. Havia um Jaguar e um Toyota.

— Escolha — disse Kelly.

— O Jaguar é chamativo demais. Vamos pegar o Toyota.

— Espero que a chave esteja...

Estava. Diane sentou-se ao volante.

— Você tem alguma idéia de para onde vamos? — perguntou Kelly.

— Para Manhattan. Ainda não tenho um plano.

— Boa notícia — suspirou Kelly.

— Precisamos achar um lugar onde dormir. Quando Kingsley descobrir que nós escapamos, vai ficar maluco. Não vamos estar em segurança em lugar nenhum.

Kelly estava pensando.

— Vamos sim.

Diane olhou-a.

— O que quer dizer?

Kelly disse com orgulho:

— Eu tenho um plano.

Capítulo 44

ENQUANTO ENTRAVAM em White Plains, uma típica cidadezinha tranqüila dos Estados Unidos, quarenta quilômetros ao norte de Manhattan, Diane falou:

— Parece uma bela cidade. O que estamos fazendo aqui?

— Eu tenho uma amiga aqui. Ela vai cuidar de nós.

— Fale sobre ela.

Kelly disse lentamente:

— Minha mãe era casada com um bêbado que gostava de bater nela. Quando eu pude cuidar da minha mãe, convenci-a a abandoná-lo. Uma das modelos, que tinha fugido de um namorado violento, me falou desse lugar. É uma pensão administrada por um anjo de mulher chamada Grace Seidel. Eu levei mamãe para lá, até achar um apartamento para ela. Costumava visitá-la na pensão de Grace todo dia. Minha mãe adorava o lugar, e ficou amiga de algumas pensionistas. Finalmente achei um apartamento para mamãe e fui pegá-la.

Ela parou.

Diane olhou-a.

— O que aconteceu?

— Ela tinha voltado para o marido.

As duas chegaram à pensão.

— É aqui.

GRACE SEIDEL TINHA cinqüenta e poucos anos, era cheia de energia, dinâmica e maternal. Quando abriu a porta e viu Kelly, seu rosto se iluminou.

— Kelly! — Ela a envolveu com os braços. — Que bom ver você!

— Esta é minha amiga Diane — disse Kelly.

As duas se cumprimentaram.

— Seu quarto está preparado — disse Grace. — Na verdade, era o quarto da sua mãe. Coloquei uma cama extra.

Enquanto Grace Seidel as levava até o quarto, passaram por uma confortável sala de estar onde uma dúzia de mulheres jogava cartas e fazia outras atividades.

— Quanto tempo vocês vão ficar? — perguntou Grace.

Kelly e Diane se entreolharam.

— Não sabemos.

Grace Seidel sorriu.

— Sem problema. O quarto é seu pelo tempo que quiserem.

O quarto era lindo — bem arrumado e limpo.

Quando Grace Seidel saiu, Kelly falou a Diane:

— Aqui estaremos seguras. E, a propósito, acho que temos direito ao Livro Guinness de Recordes. Sabe quantas vezes eles tentaram nos matar?

— Sei. — Diane estava parada junto à janela. Kelly ouviu-a dizer: — Obrigada, Richard.

Kelly começou a falar, depois pensou: *não adianta.*

COCHILANDO EM SUA mesa, Andrew sonhava que estava dormindo num quarto de hospital. As vozes no quarto tinham-no acordado.

— ... e felizmente descobri isso quando estávamos descontaminando o equipamento de segurança de Andrew. Achei que deveria lhe mostrar imediatamente.

— *A porra do exército me disse que isso era seguro.*

Um homem estava entregando a Tanner uma das máscaras contra gases da experiência do exército.

— *Achei um buraco minúsculo na base da máscara. Parece que alguém fez um corte. Isso bastaria para deixar seu irmão no estado em que se encontra.*

Tanner olhou para a máscara e trovejou:

— *Quem for o responsável por isso vai pagar. — Ele olhou para o homem e disse: — Vou cuidar disso imediatamente. Obrigado por me informar.*

Em sua cama, grogue, Andrew viu o homem sair. Tanner olhou para a máscara um momento e depois foi até um canto do quarto, onde havia um grande carrinho hospitalar cheio de lençóis sujos.

Enfiou a mão no fundo do carrinho e deixou a máscara no meio da roupa suja.

Andrew tentou perguntar ao irmão o que estava acontecendo, mas estava cansado demais. Caiu no sono.

TANNER, ANDREW e Pauline tinham voltado à sala de Tanner.

Tanner havia pedido à secretária para trazer os jornais matutinos. Examinou as primeiras páginas.

— Olha só: "Cientistas perplexos com tempestades incomuns na Guatemala, no Peru, no México e na Itália..." — Ele olhou para Pauline, exultante. — E isso é só o início. Vão ter muito mais com que ficar perplexos.

Vince Carballo entrou correndo na sala.

— Sr. Kingsley...

— Estou ocupado. O que é?

— Flint está morto.

O queixo de Tanner caiu.

— *O quê?* O que você está falando? O que aconteceu?

— Stevens e Harris o mataram.

— Não é possível!

— Ele está morto. Elas escaparam e fugiram no carro da senadora. Nós informamos o desaparecimento do veículo. A polícia o encontrou em White Plains.

A voz de Tanner estava séria.

— Quero que faça o seguinte: pegue uma dúzia de homens e vá com eles a White Plains. Verifiquem cada hotel, cada pensão, cada pardieiro, qualquer lugar onde elas possam estar escondidas. Vou dar quinhentos mil dólares de recompensa para quem achá-las. Anda!

— Sim, senhor.

Vince Carballo saiu correndo.

EM SEU QUARTO na pensão de Grace Seidel, Diane falou:

— Uma pena o que aconteceu quando você chegou a Paris. Eles mataram o encarregado do prédio?

— Não sei. A família simplesmente desapareceu.

— E sua cadelinha, Angel?

— Não quero falar disso — disse Kelly, tensa.

— Desculpe. Sabe o que é frustrante? Nós estávamos tão perto! Agora que sabemos o que aconteceu, não podemos contar a ninguém. Seria nossa palavra contra a do KIG. Eles nos colocariam num asilo.

Kelly assentiu.

— Você está certa. Não temos a quem procurar.

Houve um silêncio momentâneo e Diane falou devagar:

— Acho que temos.

OS HOMENS DE VINCE CARBALLO estavam espalhados pela cidade, verificando cada hotel, cada pensão. Um dos homens mostrou fotos de Diane e Kelly ao recepcionista do Hotel Esplanade.

— O senhor viu essas mulheres? Há um prêmio de meio milhão de dólares para quem as achar.

O recepcionista balançou a cabeça.

— Eu gostaria de ter visto.

No Renaissance Westchester Hotel outro homem estava segurando fotos de Diane e Kelly.

— Meio milhão? Gostaria de ganhar isso.

No Crowne Plaza, o recepcionista estava dizendo:

— Se eu as vir, sem dúvida informo ao senhor.

O próprio Vince Carballo bateu na porta da pensão de Grace Seidel.

— Bom dia. Meu nome é Vince Carballo. — Ele estendeu a foto das mulheres. — A senhora viu essas mulheres? Há uma recompensa de meio milhão de dólares para quem encontrar cada uma.

O rosto de Grace Seidel se iluminou.

— Kelly!

NA SALA DE TANNER, Kathy Ordonez estava assoberbada. Faxes chegavam mais rápido do que ela podia receber, e sua caixa de e-mail estava inundada. Pegou uma pilha de papéis e entrou na sala de Tanner. Tanner e Pauline van Luven estavam sentados no sofá, conversando.

Tanner ergueu os olhos para a secretária.

— O que é?

Ela sorriu.

— Boas notícias. O senhor terá um jantar de muito sucesso.

Ele franziu a testa.

— De que você está falando?

Ela ergueu os papéis.

— Tudo isso são pessoas aceitando. Todo mundo vem.

Tanner se levantou.

— Vem para onde? Deixe-me ver.

Kathy entregou os papéis e foi até sua mesa.

Tanner leu em voz alta o primeiro e-mail.

— "Adoraríamos comparecer ao jantar na sede do KIG na sexta-feira, para ver a apresentação do Prima, sua máquina de controle climático." Do editor da revista *Time*.

O rosto dele ficou branco. Olhou o próximo.

— "Obrigado pelo convite para ver o Prima, seu computador de controle climático, na sede do KIG. Estamos ansiosos para comparecer." Está assinado pelo editor da *Newsweek*.

Ele folheou os papéis.

— CBS, NBC, CNN, *The Wall Street Journal*, *Chicago Tribune* e *London Times*, todos ansiosos pela apresentação do Prima.

Pauline ficou sem fala.

Tanner estava tão furioso que não podia falar.

— Que diabo está acontecendo... — E parou. — Aquelas vacas!

NO CIBERCAFÉ IRMA'S, Diane estava diante de um computador. Ela ergueu os olhos para Kelly.

— Deixamos alguém de fora?

— *Elle, Cosmopolitan, Vanity Fair, Mademoiselle, Reader's Digest...*

Diane riu.

— Acho que já basta. Espero que Kingsley tenha um bom serviço de bufê. A festa vai ser grande.

VINCE CARBALLO estava olhando Grace Seidel, empolgado.

— A senhora conhece Kelly?

— Ah, sim — disse Grace. — Ela é uma das modelos mais famosas do mundo.

O rosto de Vince Carballo se iluminou.

— Onde ela está?

Grace olhou-o, surpresa.

— Não sei. Nunca me encontrei com ela.

O rosto dele ficou vermelho.

— A senhora disse que a conhecia.

— Quero dizer... todo mundo conhece. Ela é muito famosa. Não é linda?

— A senhora não faz idéia de onde ela está?

Grace falou pensativa:

— Tenho uma certa idéia.

— Onde?

— Eu vi uma mulher parecida com ela entrar num ônibus hoje cedo. Ela estava com alguém.

— Que ônibus era?

— O ônibus para Vermont.

— Obrigado.

Vince Carballo saiu rapidamente.

TANNER JOGOU NO chão a pilha de e-mails e faxes e se virou para Pauline.

— Sabe o que essas vacas fizeram? Nós não podemos deixar que ninguém veja o Prima. — Ele ficou pensativo um longo momento. — Acho que o Prima terá um acidente na véspera da festa e vai explodir.

Pauline olhou-o um momento e sorriu.

— Prima II.

Tanner assentiu.

— Isso mesmo. Nós podemos fazer uma viagem ao redor do mundo, e quando estivermos prontos vamos a Tamoa e começaremos a operar o Prima II.

A voz de Kathy Ordonez veio pelo interfone. Ela parecia frenética.

— Sr. Kingsley, os telefones estão enlouquecendo. Estou com o *New York Times*, o *Washington Post* e Larry King querendo falar com o senhor.

— Diga que estou numa reunião. — Tanner se virou para Pauline. — Temos de sair daqui. — Ele deu um tapinha no ombro de Andrew. — Andrew, venha conosco.

— Sim, Tanner.

Os três foram até o prédio de tijolos vermelhos.

— Tenho uma coisa muito importante para você fazer, Andrew.

— O que você quiser.

TANNER ENTROU NO prédio de tijolos vermelhos e caminhou até o Prima. Em seguida virou-se para Andrew.

— Quero que você faça o seguinte. A Princesa e eu temos de ir embora, mas às seis horas quero que você desligue este computador. É muito simples. — Ele apontou. — Está vendo esse botão vermelho grande?

Andrew assentiu.

— Estou.

— Você só precisa apertar o botão três vezes, às seis horas. Três vezes. Você consegue lembrar?

— Sim, Tanner. Seis horas. Três vezes.

— Certo. Vejo você mais tarde.

Tanner e Pauline começaram a sair.

Andrew olhou-os.

— Você não vai me levar junto?

— Não. Fique aqui. Só se lembre: seis horas, três vezes.

— Vou lembrar.

Enquanto eles saíam, Pauline disse:

— E se ele não lembrar?

Tanner riu.

— Não importa. Está ajustado para explodir automaticamente às seis horas. Só queria garantir que ele estivesse aqui quando isso acontecesse.

Capítulo 45

ERA UM DIA perfeito para voar. O 757 do KIG cruzava o oceano Pacífico sob um céu azul. Pauline e Tanner estavam aconchegados num sofá da cabine principal.

— Querido — disse Pauline —, sabe que é uma pena as pessoas nunca descobrirem como você é brilhante?

— Se descobrissem eu estaria tremendamente encrencado.

Ela olhou-o e disse:

— De jeito nenhum. Poderíamos comprar um país e nos proclamar governantes. Assim não poderiam tocar em nós.

Tanner riu.

Pauline acariciou a mão dele.

— Sabe que eu desejei você desde a primeira vez que a vi?

— Não. Pelo que lembro, você foi muito impertinente.

— E deu certo, não deu? Você precisou me ver de novo, para me dar uma lição.

Houve um beijo longo, erótico.

À distância viu-se um raio.

— Você vai adorar Tamoa — disse Tanner. — Vamos passar uma semana ou duas lá e relaxar, depois vamos viajar pelo mundo. Vamos compensar todos os anos que não pudemos ficar juntos.

Ela ergueu os olhos e deu um sorriso maroto.

— Pode apostar que vamos.

— E mais ou menos uma vez por mês vamos voltar a Tamoa e colocar o Prima II para funcionar. Você e eu podemos escolher os alvos juntos.

— Bem, a gente poderia criar uma tempestade na Inglaterra, mas eles nem notariam.

Tanner riu.

— Temos o mundo inteiro para escolher.

Um comissário de bordo se aproximou.

— Posso servir alguma coisa? — perguntou ele.

— Não. Nós temos tudo — disse Tanner. E soube que era verdade.

No céu distante, surgiram mais raios.

— Espero que não seja uma tempestade — disse Pauline. — Eu... não gosto de viajar com tempo ruim.

Tanner falou em tom tranqüilizador:

— Não se preocupe, querida. Não há uma única nuvem no céu. — Elc pensou uma coisa e sorriu. — Não temos de nos preocupar com o tempo. Nós o controlamos. — E olhou o relógio. — O Prima explodiu há uma hora e...

Súbitas gotas de chuva começaram a bater no avião.

Tanner abraçou Pauline.

— Está tudo bem. É só um pouquinho de chuva.

E quando Tanner falou isso o céu começou a escurecer de súbito e tremer com trovões altos. O avião gigantesco começou a sacudir. Tanner estava olhando pela janela, pasmo com o que acontecia. A chuva começou a se transformar em grandes pedras de granizo.

— Olha só... — Tanner percebeu subitamente. — O Prima! — Era um grito de exultação, um ar de glória em seus olhos. — Nós podemos...

Naquele instante um furacão acertou o avião, sacudindo-o violentamente.

Pauline estava gritando.

*

NO PRÉDIO DE tijolos vermelhos do KIG, Andrew Kingsley estava operando o Prima, os dedos correndo pelas teclas, lembrando-se. Na tela podia ver uma imagem do avião do irmão sendo sacudido por ventos de quinhentos quilômetros por hora. Apertou outro botão.

EM UMA DÚZIA de salas do National Weather Service, desde Anchorage, no Alasca, até Miami, Flórida, meteorologistas olhavam incrédulos para as telas dos computadores. O que estava acontecendo parecia impossível, mas estava acontecendo.

TRABALHANDO NO prédio de tijolos vermelhos, Andrew se sentia grato por ainda haver uma coisa que poderia fazer para tornar o mundo um lugar melhor. Guiou cuidadosamente um tornado de força 6 que tinha criado — subindo — subindo — cada vez mais alto...

TANNER ESTAVA olhando pela janela do avião que balançava loucamente e ouviu o som característico do tornado — parecendo um trem de carga — se aproximando acima do rugido da tempestade, viajando a mais de quinhentos quilômetros por hora. Seu rosto estava vermelho e ele tremia de empolgação, olhando o tornado girar para o avião. Estava em êxtase.

— Olhe! Nunca houve um tornado em tal altitude. Nunca! Eu o criei! Só Deus e eu podemos...

NO PRÉDIO DE tijolos vermelhos Andrew moveu um botão e ficou olhando a tela enquanto o avião explodia, lançando destroços e corpos no céu.

Então apertou o botão vermelho três vezes.

Capítulo 46

KELLY E DIANE estavam terminando de se vestir quando Grace Seidel bateu à porta do quarto.

— O café da manhã está pronto.

— Estamos indo — gritou Kelly.

— Espero que nosso pequeno ardil tenha dado certo — disse Diane. — Vamos ver se Grace tem um jornal matutino.

Elas saíram do quarto. À direita ficava a área de recreação. Algumas pessoas estavam reunidas em volta do aparelho de TV. Quando Kelly e Diane começaram a passar por ele, para ir ao refeitório, um locutor estava dizendo:

E segundo relatórios, não houve sobreviventes. Tanner Kingsley e a senadora Pauline van Luven estavam no avião, junto com o piloto, o co-piloto e um comissário de bordo.

As duas se imobilizaram. Entreolharam-se, viraram-se e foram até a TV. Na tela apareceram imagens do exterior do KIG.

O Kingsley International Group é a maior empresa de projetos científicos do mundo, com escritórios em trinta países. O serviço de meteorologia informou que uma tempestade elétrica inesperada na área do Pacífico Sul, para onde o avião particular de Tanner se dirigia...

Diane e Kelly estavam ouvindo, fascinadas.

...e em outra peça do quebra-cabeça, há um mistério que a polícia está tentando solucionar. A imprensa foi convidada para um jantar para conhecer Prima, um novo computador de controle climático que o KIG desenvolveu, mas ontem houve uma explosão no KIG, e o Prima foi completamente destruído. Os bombeiros encontraram o corpo de Andrew Kingsley entre os destroços, e acreditam que ele foi a única vítima.

— Tanner Kingsley está morto — disse Diane.

— Repita isso. Devagar.

— Tanner Kingsley está morto.

Kelly soltou um suspiro de alívio. Olhou para Diane e sorriu.

— Sem dúvida, a vida vai ficar monótona depois disso.

— Espero que sim. O que você acha de dormir esta noite no Waldorf-Astoria Towers?

Kelly riu.

— Eu não me incomodaria.

Quando se despediram, Grace Seidel abraçou Kelly e disse:

— Apareça quando quiser.

Jamais mencionou o dinheiro que tinham lhe oferecido.

Na suíte presidencial do Waldorf Towers, um garçom estava arrumando uma mesa para o jantar. Ele se virou para Diane.

— A senhora disse que queria a mesa posta para quatro?

— Isso mesmo.

Kelly olhou para ela e não disse nada.

Diane sabia o que a amiga estava pensando. Enquanto se sentavam à mesa, falou:

— Kelly, não acho que tenhamos feito isso sozinhas. Acho que tivemos alguma ajuda. — Ela ergueu a taça de champanha e disse para a cadeira vazia ao lado. — Obrigado, Richard, querido. Eu amo você.

Enquanto ela levava a taça aos lábios, Kelly disse:

— Espere um minuto.

Diane se virou para ela.

Kelly pegou sua taça de champanha e olhou para a cadeira vazia ao seu lado.

— Mark, eu te amo demais. Obrigada.

As duas beberam.

Kelly sorriu e disse:

— Isso foi bom. Bem, o que vem em seguida?

— Eu vou ao FBI, em Washington, contar o que sei.

Kelly corrigiu:

— *Nós* vamos a Washington contar o que *nós* sabemos.

Diane sorriu.

— Combinado.

DEPOIS DO JANTAR elas assistiram à TV, e todos os canais mostraram a história da morte de Tanner Kingsley. Enquanto assistia, Kelly falou, pensativa:

— Sabe, quando a gente corta a cabeça de uma cobra, o resto dela morre.

— O que isso quer dizer?

— Vamos descobrir. — Kelly foi até o telefone. — Quero dar um telefonema para Paris.

Cinco minutos depois ouviu a voz de Nicole Paradis.

— Kelly! Kelly! Kelly! Estou tão feliz por você ter ligado!

O coração de Kelly se apertou. Sabia o que ouviria em seguida. Eles tinham matado Angel.

— Eu não sabia como falar com você.

— Soube das notícias?

— O mundo inteiro ouviu a notícia. Jérôme Malo e Alphonse Girouard fizeram as malas e partiram a toda.

— E Philippe e sua família?

— Estão voltando amanhã.

— Isso é maravilhoso.

Kelly estava com medo de fazer a próxima pergunta.

— E Angel...

— Estou com Angel no meu apartamento. Eles estavam planejando usá-la como isca se você não cooperasse.

Kelly sentiu um calor súbito.

— Ah, isso é maravilhoso!

— O que você gostaria que eu fizesse com ela?

— Ponha no próximo vôo da Air France para Nova York. Avise quando ela vai chegar e eu a pego no aeroporto. Pode ligar para mim no Waldorf Towers — 212 355 3100.

— Eu cuido disso.

— Obrigada. — Kelly desligou o telefone.

Diane estivera escutando.

— Angel está bem?

— Está.

— Ah, isso é ótimo!

— Não é mesmo? Estou emocionada. A propósito, o que você vai fazer com sua metade do dinheiro?

Diane olhou-a.

— O quê?

— O KIG ofereceu uma recompensa de cinco milhões de dólares. Acho que nós vamos ganhar.

— Mas Kingsley está morto.

— Eu sei, mas o KIG não.

Elas riram.

Kelly perguntou:

— Qual é o seu plano para depois de irmos a Washington? Vai começar a pintar de novo?

Diane ficou pensativa um momento.

— Não.

Kelly olhou-a.

— Verdade?

— Bem, há uma pintura que eu quero fazer. É uma cena de piquenique no Central Park. — Sua voz ficou embargada. — Dois amantes fazendo um piquenique na chuva. Depois... veremos. E você? Vai voltar a trabalhar como modelo?

— Não, acho que não...

Diane olhou-a.

— Bem... talvez, porque quando estou na passarela posso imaginar Mark me olhando e mandando beijos. É, acho que ele gostaria que eu voltasse a trabalhar.

Diane sorriu.

— Que bom.

Assistiram à TV por mais uma hora, e então Diane falou:

— Está na hora de ir para a cama.

Quinze minutos depois estavam despidas, cada uma em sua cama gigante, ambas revivendo as aventuras recentes.

Kelly bocejou.

— Estou com sono, Diane. Vamos apagar a luz.

POSFÁCIO

O VELHO DITADO de que todo mundo fala do tempo mas ninguém faz nada a respeito não é mais válido. Hoje, dois países têm condições de controlar o clima ao redor do mundo: Estados Unidos e Rússia. Outros países estão trabalhando intensamente para alcançá-los.

A busca pelo domínio dos elementos, que começou com Nikola Tesla no fim da década de 1890, envolvendo a transmissão de energia elétrica pelo espaço, tornou-se uma realidade.

As conseqüências são monumentais. O clima pode ser usado como uma bênção ou uma arma.

Todos os elementos necessários estão à disposição.

Em 1969 o Departamento de Patentes dos EUA concedeu a patente de "um método de aumentar a probabilidade de precipitação através da introdução artificial de vapor d'água do mar na atmosfera".

Em 1971 foi concedida uma patente à Westinghouse Electric Corporation para um sistema destinado à irradiação de áreas da superfície do planeta.

Ainda em 1971 foi concedida uma patente à National Science Foundation para um método de modificação do clima.

No início da década de 1970, a Comissão do Congresso sobre Oceanos e Meio Ambiente Interno realizou audiências sobre nossas pesquisas militares na modificação do tempo e do clima, e descobriu que o Departamento de Defesa tinha planos para criar maremotos através do uso coordenado de armas nucleares.

O perigo de um confronto devastador entre os EUA e a URSS tornou-se tão grande que em 1977 um tratado da ONU contra modificação climática para propósitos hostis foi assinado pelos EUA e pela URSS.

Este tratado não representou o fim das experiências.

Em 1978 os Estados Unidos realizaram uma experiência que desencadeou um aguaceiro sobre seis condados do norte do Winsconsin. A tempestade gerou ventos de 292 quilômetros por hora e causou prejuízos no valor de cinqüenta milhões de dólares. A Rússia, enquanto isso, continuou tocando seus próprios projetos.

Em 1992, o *Wall Street Journal* noticiou que uma empresa russa, a Élat Intelligence Tecnologies, estava vendendo equipamento para controle do tempo usando o slogan "Tempo Posto em Ordem", talhado para necessidades específicas.

Enquanto prosseguiam as experiências nos dois países, os padrões climáticos começaram a mudar. No início da década de 1980, estranhos fenômenos meteorológicos estavam sendo relatados.

"Uma crista de alta pressão pairou a quase 1.300 quilômetros ao largo do litoral da Califórnia pelos últimos dois meses, bloqueando o habitual fluxo de ar úmido vindo do Pacífico." — *Time*, janeiro de 1981.

"...a estação estagnante de alta pressão agiu como uma barreira, impedindo o fluxo normal dos padrões meteorológicos de oeste para leste." — *New York Times*, 29 de julho de 1993.

Todas as catástrofes meteorológicas descritas neste livro aconteceram.

O clima é a força mais poderosa que conhecemos. Quem quer que a controle pode destruir a economia mundial com tempestades ou tornados permanentes; devastar lavouras numa estiagem; causar terremotos, furacões ou maremotos; fechar aeroportos e causar desvastação em campos de batalha inimigos.

Eu dormiria melhor se um líder mundial dissesse: "Todo mundo fala do clima, mas ninguém faz nada a respeito."

E fosse verdade.

Este livro foi composto na tipologia Minion,
em corpo 12/16,5, e impresso em papel
off-set 90g/m² no Sistema Cameron da
Divisão Gráfica da Distrubuidora Record.